Mon
McInerney

Küsse zum Dessert

Roman

GOLDMANN

Monica McInerney

Küsse zum Dessert

Roman

Aus dem Englischen
von Gertrud Wittich

GOLDMANN

Die Originalausgabe erschien 2000
unter dem Titel »A Taste for it«
bei Poolbeg Press Ltd, Dublin.

Umwelthinweis:
Alle bedruckten Materialien dieses Taschenbuches
sind chlorfrei und umweltschonend.

5. Auflage
Deutsche Erstveröffentlichung März 2003

Umschlaggestaltung: Design Team München
Satz: deutsch-türkischer fotosatz, Berlin
Druck: GGP Media GmbH, Pößneck
Titelnummer: 45378
Redaktion: Ilse Wagner
AB · Herstellung: Sebastian Strohmaier
Made in Germany
ISBN 3-442-45378-X
www.goldmann-verlag.de

Für
meinen Vater

1. Kapitel

Maura hob ihr Weinglas und schnurrte mit rauchiger Stimme: »Ich habe einen vollen, geschmeidigen Körper und einen Abgang, der dich dahinschmelzen lässt.«

»Es soll ein Weinetikett werden, nicht eine Kontaktanzeige für den *Playboy*«, brummelte ihr Bruder Nick, ohne den Blick von seinem Schreibblock zu heben.

Maura trank einen Schluck Rotwein und versuchte es erneut: »Wie wär's mit ›fruchtiger als Carmen Mirandas Hut und mindestens genauso extravagant‹?«

Nick verzog keine Miene. »Maura, du nimmst das alles einfach nicht ernst genug.« Er riss das voll gekritzelte Blatt aus dem Block, zerknüllte es und warf es zu den anderen, die sich bereits wie Schneebälle auf dem Boden häuften.

Und ob sie die blöde Etikettierung ernst nahm! In den letzten vier Tagen jedenfalls. Jetzt, am Tag Fünf, ging ihr jedoch nicht nur allmählich die Geduld aus, sondern auch der Vorrat an Adjektiven.

Es war immer dasselbe, und zwar mehrmals pro Jahr, immer wenn eine der Sorten, die Nick in ihrem kleinen Weingut herstellte, zur Flaschenabfüllung bereit war. Normalerweise war Nick nicht so, aber wenn's um die Etikettierung seiner Lieblinge ging, wurde er zu einer übernervösen Glucke. Er war fest davon überzeugt, mit griffigen Etikettentexten extra Verkaufserlöse erzielen zu können.

Als Maura den besorgten Ausdruck auf dem Gesicht ihres Bruders sah, gab sie klein bei. »Nick, dein Wein ist so gut, da ist es völlig egal, was auf dem Etikett steht. Warum nicht einfach die Wahrheit sagen? ›Leute, hier habt ihr einen fantastischen Shiraz aus Südaustralien. Wir hoffen, er schmeckt euch.‹«

»Nein, viel zu direkt. Es geht hier um Weine, verstehst du?« Der Hauch eines Lächelns huschte über sein Gesicht, als er nun zu ihr aufblickte. »Außerdem möchte ich gern ein bisschen extravagant sein. In diesen Flaschen stecken drei Jahre Schweiß und Hingabe.«

Schweigen senkte sich über die beiden, während sie sich abermals eifrig über ihre Notizen beugten. Maura warf einen verstohlenen Blick auf ihre Armbanduhr. Es blieb ihr noch eine halbe Stunde, bevor sie mit den Lunchvorbereitungen für die bald eintreffenden Restaurantgäste beginnen musste. Abermals nahm sie ihr Glas zur Hand und hielt den herrlichen dunklen Rotwein ins Licht.

»Wie wär's mit ›rubinrot und vollmundig, ein wahres Juwel unter den Clare-Valley-Rotweinen‹?«

»Na, das klingt doch schon viel besser.« Nick lächelte und kritzelte eifrig ihren Vorschlag auf seinen Block.

Beide zuckten zusammen, als plötzlich das Telefon piepte.

Maura erreichte es als Erste. »Lorikeet Hill Winery Café, einen schönen guten Morgen.« Ihre Stimme wurde schlagartig herzlich. »Ach, hallo, Joel! Wie geht's dir, altes Haus?«

Nick blickte auf, als Maura mit dem Mobiltelefon in den Garten hinausging. Die würde er so schnell nicht wiedersehen, denn wenn sie erst einmal mit Joel ins Reden kam … Maura und Joel hatten sich angefreundet, als Maura noch in Sydney wohnte, wo Joel als freiberuflicher Gourmet-Journalist arbeitete. Er zog von einem Büro ins andere und rief Maura in regelmäßigen Abständen zu einem ausführlichen Schwätzchen auf Kosten der jeweiligen Zeitschrift an.

Zu Nicks großer Überraschung kam sie jedoch schon fünf Minuten später wieder zurück in die Empfangsdiele. Ein schelmisches Grinsen umspielte ihre Lippen.

»Ich habe Neuigkeiten«, flötete sie.

Das überraschte Nick allerdings nicht. Joel war der Tratschkönig der Haute Cuisine. Nick wartete.

»Der Tester, der Restaurantkritiker vom *OzTaste Magazine* wird uns heute einen Besuch abstatten.«

»Was? Der Tester? Woher, um alles in der Welt, weiß Joel das?«

Maura setzte sich. »Er hat aus dem Büro von *OzTaste* angerufen. Hat zufällig eine vertrauliche Liste der Restaurantbesuche für diesen Monat gesehen. Und konnte zufällig einen Blick draufwerfen. Da hat er gesehen, dass wir für heute dran sind. Anscheinend ist der Tester gerade auf einer kleinen Landpartie mit seiner Frau und testet die Restaurants in dieser Region.«

Nicks Miene verriet Sorge. »Das ist ja furchtbar! War er nicht derjenige, der Gemmas Restaurant in den Ruin getrieben hat?«

Maura nickte. Ihre beste Freundin Gemma hatte vor ein paar Jahren ein kleines Bistro in Sydney eröffnet. Alles war prima gelaufen, bis der Tester vorbeigeschaut und eine furchtbar gehässige – und faktisch vollkommen unwahre – Kritik über sie geschrieben hatte. Über Nacht war ihr Geschäft zerstört gewesen. Gemma hatte zwar noch eine Entschuldigung vom Herausgeber gefordert, aber nur einen gut versteckten Zweizeiler in der nächsten Ausgabe bekommen. Der Schaden war irreparabel gewesen, die Gäste ferngeblieben.

»Hatte Joel denn auch gute Nachrichten?«, erkundigte sich Nick.

Maura grinste wie ein Honigkuchenpferd. »Die heutige Kritik wird nie veröffentlicht werden. Die Zeitschrift wird eingestellt. Joel hat gehört, dass *OzTaste* von einer internationalen Zeitungsgruppe geschluckt wurde und dass die dort eine ganz andere Richtung einschlagen wollen. Aber das ist alles noch streng geheim, und der Tester weiß bestimmt noch nichts davon.«

»Dann wird er sich also bald einen neuen Job suchen müssen?«

»Genau wie Gemma, als er ihr Restaurant ruiniert hat.«

Sie schwiegen einen Moment lang.

»Wenn das seine letzte kostenlose Mahlzeit wird, dann sollten wir vielleicht dafür sorgen, dass sie ihm für immer in Erinnerung bleibt, was meinst du?«, sagte Maura nachdenklich.

»Du meinst, damit er uns nie vergisst?«

»Volles Rohr und Feuer frei, würde ich sagen«, erwiderte Maura grinsend.

Als das Küchenpersonal eintraf, erklärte Maura mit großem Vergnügen die Situation und setzte obendrein eine Belohnung von fünfzig Dollar für die einfallsreichsten Gemeinheiten aus.

Ihr Chefkellner, Rob, war besonders hingerissen von der Idee. »Der soll ein ganz arrogantes Arschloch sein, habe ich gehört«, sagte er. »Eine Kollegin von mir hat er mal zum Weinen gebracht, weil er so rüde zu ihr war. Überlass ihn nur mir.«

In der Küche warf Maura einen Blick auf die Speisenfolge, aus der ihre anderen Gäste heute wählen konnten: einen warmen Salat aus Knoblauch, Kräutern und Pilzen – die Kräuter natürlich aus dem hauseigenen Kräutergarten des Weinguts –, einen Salat nach Thai-Art mit Rindfleischstreifen, Pfefferminze, Koriander und Erdnüssen; gegrillte Lammkoteletts mit Kartoffel- und Pastinakenpüree; Hähnchenfilets in einer scharfen Joghurtsoße mit geröstetem Paprika und Knoblauch; anschließend ein würziges Fruchtsorbet mit pochierten Nektarinen. Das war eines ihrer Lieblingsdesserts und immer ein Hit bei den Gästen. Ironischerweise stammte das Rezept aus einer alten Ausgabe von *OzTaste*.

Beim Gedanken an die Zeitschrift fiel ihr ein, dass sie dort vor einiger Zeit einmal einen Artikel des Testers gelesen hatte, in dem er aufzählte, was er bei Restaurantbesuchen am meisten hasste. Sie und Gemma hatten laut lachen müssen und sich gefragt, wie es der Chefredakteur geschafft hatte, die ganze Litanei auf eine Seite zu kriegen. Während in ihrem Kopf eine Idee Gestalt annahm, suchte sie rasch nach der entsprechenden Ausgabe in der Schachtel, in der sie die alten Zeitschriften aufbewahrte.

Jawohl, da war's ja. Maura runzelte die Stirn, als sie den Artikel durchlas. Leute wie er waren es, die die gute Küche in Verruf brachten, dachte sie, während sie die hochtrabende Einleitung überflog.

Die australische Küche hat in den letzten Jahren zwar ein wenig an Raffinesse gewonnen, aber noch viel zu oft kommt es, sehr zu meinem Leidwesen, vor, dass man mir Essen vorsetzt, das besser auf eine Siebzigerjahreparty oder ein Landfrauenkränzchen passt, obendrein unweigerlich serviert von mangelhaft oder gar nicht ausgebildetem Bedienungspersonal.

Maura überflog rasch die Liste seiner sechs größten Klagepunkte. Perfekt. Die müsste sie alle spielend hinkriegen. Rob sollte dem aufgeblasenen Kerl erklären, dass sie etwas Neues ausprobierten, eine Art Lorikeet-Hill-Version der berühmten spanischen Tapas, wobei ihm mehrere kleine Gerichte serviert würden. Genau, das war *die* Idee.

Gegen halb zwei war das Restaurant zu drei Vierteln voll, eine Mischung aus Ortsansässigen und Besuchern aus Adelaide, die für einen Tagesausflug ins Clare Valley gekommen waren, um die schöne Landschaft, den guten Wein und das gute Essen zu genießen. Maura, die in der Empfangsdiele stand, lächelte einem jungen Pärchen zum Abschied zu, das ein halbes Dutzend des neuen Lorikeet-Hill-Cabernet-Sauvignon mitgenommen hatte.

Mauras Gedanken schweiften einen Moment lang ab; sie überlegte, wo dieser Wein wohl sein würde, wenn er geöffnet wurde. Sie liebte den Prozess der Weinherstellung. Lorikeet Hill lag inmitten der Weinregion Clare Valley, einem der schönsten Fleckchen im Süden von Australien. Sie kannte die Reben zu allen Jahreszeiten, die winterlich nackten Stauden, dann die plötzliche Explosion von frischem Grün im Frühling. Sie stellte sich das Ganze gerne im Zeitraffer vor – aus kleinen Knospen wurden zuerst grüne, dann dicke rote oder weiße Trauben, dann frühmorgens, wenn der Tau noch auf den Reben lag, die Lese, endlose Reihen von gebückten Gestalten, die zwischen den langen, langen Reihen von Reben entlangwanderten wie Schwärme von Vögeln, die an den Früchten naschten …

Das Geräusch eines Automotors riss sie aus ihren Tagträumen. Als sie aus dem Fenster sah, erblickte sie einen Wagen mit einem Interstate-Nummernschild, der soeben auf den kleinen Parkplatz einbog. Das musste er sein.

Sie beobachtete, wie die Insassen sorgfältig sämtliche Fenster und Türen schlossen und die Alarmanlage aktivierten. Umso besser, dachte Maura, dann konnte ihr Schlitten wenigstens nicht von einem zufällig vorbeikommenden Opossum gestohlen werden.

Sie erhaschte einen Blick auf das Pärchen, als diese sich über den von Bäumen gesäumten Weg zum Restaurant aufmachten. Ein großer, dunkelhaariger Mann mit einer ebenso großen, überschlanken jungen Frau an seiner Seite. Sie trug ihr Haar in einem streng geschnittenen Bob und hatte ein eng anliegendes, pinkfarbenes Kleid an. Was den König der Restaurantkritiker anging – er war kaum die gebeugte, übergewichtige, ältliche, gichtgeplagte Erscheinung, die Maura erwartet hätte, wie sie zu ihrer Überraschung feststellte. Ganz im Gegenteil. Er schien nicht mal vierzig zu sein. Eher fünfunddreißig. Mindestens eins achtzig groß, schätzte sie, während sie beobachtete, wie er den Laubenbogen durchschritt und dabei den Kopf einzog. Dunkles, vielleicht sogar schwarzes Haar. Und aus dieser Entfernung schien er eher den Körper eines Leistungssportlers zu besitzen, als den eines Mannes, dessen Beruf das Essen war.

Sekunden später bimmelte die Türglocke beim Eintreten des Paars. Maura hätte beinahe laut herausgelacht – der Mann hatte einen *OzTaste*-Restaurantführer unter dem Arm. Der Typ schien von der ganz subtilen Sorte zu sein. Sie hatte von Kritikern gehört, die auf strikte Anonymität bestanden. Dieser hier war offensichtlich das Gegenteil, winkte mit dem Zaunpfahl, um besonders bevorzugt behandelt zu werden.

Da sich die Augen der beiden noch nicht an das dunklere, kühle Ambiente des Restaurants gewöhnt hatten, konnte sie sich guten Gewissens einen Moment Zeit nehmen, ihn genauer in Augenschein zu nehmen. Sie musste sich zurückhalten, um nicht einen anerkennenden Pfiff auszustoßen. Der Kerl war umwerfend.

Er trug ein tolles weißes Leinenhemd und dunkle, eng anliegende Jeans. Sein Gesicht war schmal und gebräunt, wirkte jedoch angenehm kantig, nicht so glatt und makellos schön wie das eines männlichen Fotomodells. Er und seine Frau sahen aus, als wären sie gerade einer Werbung für ein teures Aftershave entsprungen.

Das ist nicht fair, dachte sie mit einer plötzlichen Abneigung. Nicht nur, dass er sich seinen Lebensunterhalt damit verdiente, arme Restaurantbesitzer wie Gemma zu ruinieren, er schien auch noch ein glamouröses Leben zu führen. Voller Schadenfreude dachte Maura an die unmittelbar bevorstehende Einstellung der Zeitschrift. Endlich bekam er mal seine eigene bittere Medizin zu schlucken.

Trotzdem, Maura beschloss, noch einen letzten Test zu machen, bevor sie die Ampeln für die Operation »Rache für

Gemma« auf Grün stellte. Sie wollte weiß Gott nicht, dass irgendein unschuldiges Pärchen aus Adelaide durchmachen musste, was den verhassten Tester erwartete. Joel hatte ihr leider keine Beschreibung von dem Mann geben können, hatte sie lediglich auf die markante Stimme aufmerksam gemacht. »Er ist in New York aufgewachsen«, hatte Joel heute Vormittag hastig am Telefon erklärt, »und das hört man ihm noch immer an, obwohl er schon seit Jahren in Sydney lebt. Ich hab ein Radiointerview von ihm gehört. Aber er wird sowieso auffallen wie ein bunter Hund – so wie der sich immer aufführt.«

Er hatte Recht. Die beiden stachen heraus wie zwei Frostbeulen.

Sie beschloss, zwei rasche Tests zu machen – wenn es ihr gelang, seinen amerikanischen Akzent rauszuhören, und wenn es stimmte, dass sie von Sydney hierher gefahren waren, dann hieß es: Volldampf voraus.

»Guten Tag«, sagte sie fröhlich. »Herzlich Willkommen in Lorikeet Hill – was kann ich für Sie tun?«

Die topmodisch gekleidete Frau antwortete mit näselnder Stimme: »Wir würden gerne was zu Mittag essen – wir sind doch hoffentlich nicht schon zu spät dran, oder?«

»Ach, so was wie ›zu spät‹ gibt's auf dem Land gar nicht«, antwortete Maura leichthin. »Haben Sie einen langen Weg hinter sich?«

Der Mann antwortete mit einer tiefen, beinahe melodiösen Stimme: »Wir kommen von Sydney, aber wir sind die Strecke nicht in einem Stück gefahren.« Maura strengte sich an, um seinen Akzent zu erhaschen, aber er hatte zu leise gesprochen, und deshalb konnte sie nicht sicher sein. Aber sie kamen aus Sydney …

»Sydney?«, wiederholte Maura fast schreiend. »Ach, wie schön! Also dann, noch mal herzlich willkommen im Clare Valley und auf dem Lorikeet-Hill-Weingut! Ihr Tisch wird in einem Moment bereit sein. Aber wenn ich Sie vielleicht fragen dürfte – höre ich da nicht einen amerikanischen Akzent, bei Ihnen beiden heraus?«

»Ja, ich stamme aus New York«, antwortete die Frau gelangweilt.

»Und Sie, Sir?«, insistierte Maura.

»Hab ein paar Jahre dort gelebt«, antwortete er, ein wenig verblüfft über das plötzliche Interesse an Akzenten.

»Ach ja, Amerika, das Land der unbegrenzten Möglichkeiten – und Sie sind von Sydney bis hierher gekommen, ist das nicht großartig!« Maura merkte, wie ihre Stimme ein wenig hysterisch zu werden drohte. »Einen Moment bitte, es wird Sie gleich jemand an Ihren Tisch begleiten.«

»Es wird Sie jemand an Ihren Tisch begleiten«? Was war bloß in sie gefahren? So geschraubt hatte sie sich bis jetzt noch nie ausgedrückt. Rasch verschwand sie in der Küche, wo das Personal schon gespannt wartete.

Maura zwinkerte auffällig. »Danke, Rob – wenn du bitte so nett wärst, unsere hochgeschätzten Gäste an ihren Tisch zu geleiten.«

»Ist mir ein Vergnügen, Miss Carmody«, sagte Rob mit einem breiten Grinsen.

Das Personal spitzte aus der Tür, um nichts zu versäumen.

Die schlanke Frau bewunderte sich im Glasrahmen der Fotos bei der Tür, während der Tester sich die Kritiken am Notizbrett durchlas.

Rob hüstelte diskret, und als sie sich umdrehten, begrüßte sie der sonst so fröhliche Chefkellner mit einer scheußlichen Grimasse. Maura sah, wie sich die beiden bemühten, keine Reaktion zu zeigen. »Bonschur, Madam eh Missuhr, silwupläh folgen Ssie mir su dem Tiisch, den wir für Ssie gewählt 'aben«, sagte Rob mit einem fürchterlich unechten französischen Akzent.

Rob ist der geborene Schauspieler, dachte Maura. Unbekümmert schwatzend führte er das Paar durchs ganze Restaurant, wand sich um und zwischen allen Tischen hindurch, bis er schließlich wieder zu dem zurückkehrte, an dem sie als Erstes vorbeigekommen waren. »Weenn Ssie 'ier Plahs nehmeen würdeen, silwupläh. 'eute giibt es was goons Besonderees. Isch 'offe, dass ees Ihneen goutieren wird. Die Wengkellnerin kommt immediatemeng.« Mit einer extravaganten Verbeugung ließ er die Servietten auf ihren Schoß flattern und stolzierte davon.

Klagepunkt Nummer Eins: nervtötend falsche französische Kellner – erledigt, dachte Maura voller Genugtuung. Sie trat unauffällig hinter den Empfang und lauschte, als das Pärchen am angewiesenen Tisch Platz nahm.

»Was, zum Teufel, ist hier los? Das ist doch kein französisches Restaurant, oder?«, zischte die Frau.

»Nein, eigentlich nicht. Ich dachte, hier gäbe es moderne australische Küche«, erwiderte der Mann und warf einen Blick in seinen *OzTaste*-Führer. »Aber sagte der Kellner nicht irgendwas von spanischen Tapas?«

»Also für mich sieht's hier eher wie in einer billigen Imitation von einem irischen Pub aus«, sagte die Frau naserümpfend. »Fehlt nur noch, dass sie uns die Ohren mit irischer Tin-Whistle-Musik voll dröhnen.«

»Gute Idee, herzlichen Dank«, flüsterte Maura. Billige Imitation eines irischen Pubs, also wirklich. An den weißen Wänden des Restaurants hingen eine Reihe von Originalen, die Fran, Nicks Frau, gemalt hatte und die auch die Weinetiketten des Guts zierten. Darauf waren Musiker und Szenen aus Irland zu sehen, ein Hinweis auf die irischen Wurzeln des Clare Valleys.

Maura trat an den CD-Player und drehte die Lautstärke der klassischen Musik herunter. »Die Dame im rosa Kleid dort drüben hat mir gerade erzählt, dass sie aus Irland kommt und großes Heimweh hat, deshalb möchte ich gern was für sie auflegen, das sie vielleicht ein bisschen aufmuntert«, erklärte sie einer größeren Gruppe von Restaurantbesuchern.

Die Gäste nickten lächelnd – seit *Riverdance* war irische Musik wieder sehr populär geworden; außerdem waren sie nach dem guten Essen und dem exzellenten Lorikeet-Hill-Wein in gelöster Stimmung.

Maura fand eine CD mit dem Titel »Tin-Whistle-Melodien für die ganze Familie«, die Nick ihr letztes Jahr als Gag geschenkt hatte. Das schrille Gedudel der irischen Flöten erfüllte unvermittelt das Restaurant, traf vor allem den Tisch in der Ecke. Was für ein Pech, dass Herr und Frau Restaurantkritiker ausgerechnet dort sitzen mussten, dachte Maura, während sie den Lautstärkeregler kräftig nach oben drehte.

Die anderen Gäste tappten mit den Füßen zu dem ohrenbetäubenden Gepfeife. Die Ehrengäste dagegen rutschten zornig auf ihren Stühlen hin und her, blickten sich verzweifelt nach einem Kellner um und versuchten, sich über den grässlichen Lärm hinweg zu verständigen.

Maura, die die Musik wieder leise stellte, ging im Geiste noch einmal die Liste seiner größten Abneigungen durch. Klagepunkt Nummer zwei: laute Hintergrundmusik. Damit hätte sie schon zwei Punkte erledigt, es blieben also nur noch vier, dachte sie mit hämischem Vergnügen. Mit einem Wink schickte sie Annie, ihre beste Weinkellnerin, in den Ring.

Für jemanden, der seine Ausbildung zum Sommelier mit Auszeichnung abgeschlossen hatte, tat sie ihr Bestes, sich vollkommen unwissend zu geben. Sie überhörte absichtlich jede Frage, die ihr gestellt wurde, und sprach über Riesling, als würde er aus Shiraztrauben gemacht. Obendrein achtete sie darauf, sich möglichst ungeschickt vorzudrängen, als sie die Gläser der beiden mit einer Billigdröhnung aus dem Supermarkt füllte, die Rob am Vormittag noch rasch besorgt hatte.

»Nummer drei perfekt erledigt, Annie«, flüsterte Maura. Und jetzt zum Essen.

Rob servierte den ersten Gang mit großem Getue – zwei Riesenteller mit Dosenspargel in Semmelbröseln. Dieses Gericht hätte perfekt in ein Kochbuch der Siebziger gepasst. Und das billige Speiseöl, das er benutzt hatte, dürfte reichen, um Klagepunkt Nummer vier vollständig zu erfüllen.

Zurück in der Küche, legte Maura letzte Hand an den nächsten Gang – Hühnchen à la Paprika. Doch Maura sah, wie ihr »aus Versehen« der Paprikastreuer entglitt. Tja, jetzt war es eher Paprika à la Hühnchen. Und ein wenig frischer Chili konnte auch nicht schaden, dachte sie, während sie noch drei Teelöffel frisch gehackten Chili samt Samen hinzufügte. Nummer Fünf – abgehakt, dachte sie hämisch.

Rob, der den unberührten Spargel wieder abgeräumt hatte, servierte nun mit großem Pomp und *voilà* und *'oppla* und jedem auch nur entfernt französisch klingenden Ausruf, der ihm einfiel, das Hühnchen. Maura und das Küchenpersonal warteten gespannt, während das Pärchen den ersten Bissen probierte.

Augenblicke später begann das Husten. Sie hörten es bis in die Küche und spähten gerade rechtzeitig durch die Glastür, die in den Speiseraum führte, um zu sehen, wie sich die Frau eine Serviette auf den Mund presste und zur Damentoilette rannte.

Maura ergriff diese Gelegenheit, den Löwen in seiner Grube aufzusuchen und ein wenig am Bart zu zupfen. Der Tester schien einen stummen Hustenanfall zu haben. Seine Augen tränten, mit heiserer Stimme versuchte er, etwas zu sagen.

»Ach, das tut mir ja so Leid«, sagte Maura zuckersüß, als sie zu ihm an den Tisch trat. »War das vielleicht ein bisschen zu scharf für Ihren zarten Gaumen? Wie furchtbar! Und so weit ich weiß, können Sie es nicht ausstehen, in Restaurants um Wasser bitten zu müssen. Hier, ich will Ihnen die Mühe ersparen.«

Was sie jetzt tat, war nicht geplant. Aber die plötzliche Erinnerung an den Kummer und die Probleme, die er Gemma bereitet hatte, ließ eine heiße Wut in ihr aufsteigen, und sie sah rot.

Fast wie in Zeitlupe ergriff sie eine große Vase mit Blumen, die auf einem Bord neben ihr stand, nahm die Blumen heraus und schüttete ihm das kalte Wasser gemächlich über den Kopf.

»Mit den besten Empfehlungen von Gemma Taylor«, fügte sie noch hinzu, denn es wurde Zeit, dass er klar sah.

Er schnappte nach Luft, nicht sehr laut zwar, aber doch laut genug, um die Aufmerksamkeit der anderen Gäste zu erregen. Beim Anblick des tropfnassen Mannes und Maura, die mit der Vase in der Hand danebenstand, begannen sie zu flüstern und zu kichern.

Sie musste ihn bewundern, wie ruhig und kühl er blieb, was wahrscheinlich daran lag, dass sie ihn gerade abgekühlt hatte, dachte Maura zynisch. Er musterte sie mit einem langen Blick.

Maura hatte eigentlich vorgehabt, ihm eine gehörige Standpauke zu halten, von wegen Berufsethos, und was er mit seinen Artikeln anrichten konnte. Aber ein lautes Aufkreischen seiner Begleiterin, die soeben aus der Damentoilette zurückkehrte, verdarb ihr den Spaß. Sie holte tief Luft, als wolle sie gleich losschreien, doch der Mann legte ihr eine Hand auf den Arm.

»Danke, Carla, aber ich glaube nicht, dass dieser äußerst bizarren Situation noch irgendetwas hinzuzufügen ist. Gehen wir?« Der Mann erhob sich und schüttelte kurz den Kopf, dass die Tropfen nur so flogen. »Ich hätte nicht gedacht, dass es nach dem Spargel und dem Paprikahühnchen noch schlimmer werden könnte, aber jetzt würde ich nicht mehr darauf wetten.«

»Also zahlen werden wir für diesen Mist ganz gewiss nicht!«, fauchte die junge Frau Maura an. »Das ist das schlimmste Restaurant, in dem ich jemals war.« Sie stapfte zur Tür. »Man sollte Sie anzeigen!«, rief sie über ihre Schulter zurück, während sie geräuschvoll verschwanden.

Rob und Annie kamen aus der Küche geeilt und gratulierten einander.

»Gemma hätte einen diebischen Spaß an der Sache gehabt«, sagte Nick, der noch immer lachte. »Rache ist süß. Wir hätten das auf Video aufnehmen sollen.«

Maura lächelte mit ihnen, war jedoch nicht so froh, wie sie es erhofft hatte. Etwas an dem Blick des Mannes hatte sie aus der Fassung gebracht. Sie gab sich einen Ruck. Das war nur die Überraschung darüber, dass er so attraktiv gewesen war, wo sie doch einen dicken alten Spießer erwartet hatte, redete sie sich ein. Du versauerst hier schon viel zu lange, sagte sie sich. Du bist nicht mehr an gut aussehende, kultivierte Männer gewöhnt.

Als sie es abermals an der Vordertür bimmeln hörte, ging Maura hinaus, um die neuen Gäste zu begrüßen. Sie versuchte, nicht auf Rob zu achten, der, zur großen Erheiterung des Küchenpersonals, seinen Auftritt als falscher französischer Kellner noch einmal zum Besten gab, den Fünfzig-Dollar-Schein des Wettbewerbssiegers zwischen den Zähnen.

Die Neuankömmlinge, ein älteres Pärchen, zogen angesichts des fröhlichen Lärms erstaunte Gesichter.

»Sie scheinen ja heute alle sehr glücklich zu sein«, meinte der Mann ein wenig missbilligend.

»Ach, das ist die gute Landluft«, erklärte Maura, während sie die beiden an den frisch gedeckten Tisch führte. »Darf ich Ihnen die Speisekarte bringen?«

2. Kapitel

»Also, ich könnte mit den Dias anfangen und dann den Vortrag halten. Oder vielleicht sollte ich erst reden und die Weinprobe machen und dann die Dias zeigen. Oder –«

»Redest du schon wieder mit dir selber, Morey?«

»Zur Abwechslung, ja«, antwortete Maura mit einem Grinsen. Sie wandte sich um, als ihre Schwägerin, Fran, mit einer großen Schachtel voller Entwürfe und Zeichnungen ins Zimmer kam. Fran war eine talentierte Illustratorin und hatte schon eine sehr erfolgreiche Serie von Kinderbüchern illustriert und die Weinetiketten von Lorikeet Hill entworfen.

»Fran!« Maura sprang auf und nahm ihr die Schachtel ab. »Du sollst doch nicht heben, besonders nicht so schwere Schachteln wie die hier. Du weißt doch, was der Arzt gesagt hat.«

»Du bist genauso schlimm wie dein Bruder«, erwiderte Fran grinsend, während sie ihren hochschwangeren Leib mühsam in den einzigen bequemen Sessel in Mauras winzigem Gästezimmer sinken ließ, das Maura ebenfalls als Arbeitszimmer diente. »Wenn's nach euch ginge, hätte ich die letzten acht Monate im Bett, auf weiche Daunenkissen gebettet, verbracht und Tee geschlürft. Und ich wäre allmählich verrückt geworden vor Langeweile.«

»Er macht sich doch bloß Sorgen um dich, und ich auch. Tut mir Leid, wenn's dir so vorkommt, als würden wir dauernd an dir rumnörgeln und dich ins Bett stecken wollen. Es ist nur … na ja, du weißt, warum«, endete Maura lahm, weil sie nicht auf die zwei Fehlgeburten zu sprechen kommen wollte, die Fran in den letzten Jahren erlitten hatte. Stattdessen beschäftigte sie sich damit, auf ihrem übervollen Schreibtisch für die Schachtel Platz zu machen. Dabei stieß sie beinahe den Riesenstrauß Blumen um, den Gemma am Tag

nach dem Racheakt als Dankeschön geschickt hatte. Das war nun fast eine Woche her.

Fran musterte ihre Schwägerin voller Zuneigung. »Hör auf, dir Sorgen zu machen. Ehrlich. Ich hab's ja fast geschafft, nur noch ein Monat. Wenn du dir andauernd Sorgen um mich machst, verdirbst du dir noch deine Reise.«

»Ich werde mir so lange Sorgen machen, bis ich diesen Anruf kriege, mitten in der Nacht, und mir gesagt wird, dass ich endlich Tante geworden bin«, erwiderte Maura lächelnd. »Ihr habt doch die Telefonnummern in Irland, oder? Die vom Hotel in Dublin und die Nummer von Bernadettes Autotelefon und ihre Nummer in Clare?«

»Falls sie sich nicht geändert haben, seit du sie uns letzte Woche gegeben hast? Und die Woche davor?«, neckte Fran sie.

Maura lächelte verlegen. »Tut mir Leid ... ehrlich, ich benehme mich so, als würde ich zum Mond fliegen und nicht für einen Monat nach Irland. Natürlich wird alles gut gehen, und natürlich wird Nick nicht vergessen, mich gleich anzurufen, wenn das Baby da ist, und natürlich wird Gemma prima mit dem Restaurant zurechtkommen.«

Fran imitierte Maura. »Und natürlich wirst du's schaffen, dass alle Weinhändler in Irland ganz verrückt nach Lorikeet-Hill-Wein werden, und dann können wir uns in einem Jahr alle zur Ruhe setzen. So läuft das doch immer nach diesen Werbetrips, oder?«

»Ich wünschte, es wäre so.« Maura lächelte. »Hab gerade noch eine E-Mail von Rita Deegan gekriegt, der Dame aus Dublin, die die Fahrt organisiert. Sie hat noch zwei Weinhandlungen auf meine Tour gesetzt.«

»Wie viele sind das dann insgesamt? Muss ja schon eine zweistellige Zahl sein.« Fran streckte beim Sprechen die Beine aus und ließ die Fußgelenke kreisen, wobei sie genüsslich die Augen schloss.

Maura scrollte durch die Informationen auf ihrem Bildschirm, auf der Suche nach dem endgültigen Reiseplan, den Rita während der Nacht per E-Mail geschickt hatte.

»Mal sehen. Ich treffe an einem Sonntag ein, am Abend findet eine Cocktailparty statt, am nächsten Tag eine Weinprobe in Dublin, und dann geht's los, in den Westen von Irland mit Bernadette, wo wir über alle Weinhandlungen herfallen werden.« Maura zählte leise. »Elf sind's bis jetzt, elf Weinhandlungen oder *off-licences*, wie sie dort heißen, dann vier Vorträge und Weinproben, mal mit Dias, mal ohne. Und dann kann ich, Gott sei Dank, aufhören, so zu tun, als verstünde ich was von der Winzerei, und mich aufs Kochen stürzen – drei herrliche Wochen in Bernadettes schicker Kochschule auf dem wunderschönen irischen Land.«

Bei den letzten Worten schwang Maura mit ihrem Stuhl herum und grinste Fran an.

»Du bist doch nicht noch immer nervös wegen dieser Weinproben und Vorträge, oder?«, erkundigte sich Fran und blickte Maura prüfend an. Doch sie kannte ihre Schwägerin gut genug, um zu ahnen, dass sich unter der forsch-fröhlichen Fassade wahrscheinlich Nervosität verbarg.

Maura wurde ernst. »Nein, jetzt nicht mehr, obwohl ich anfangs eine Heidenangst hatte. Aber ich wusste, dass Nick unmöglich mitkommen würde, nicht, da die Geburt so kurz bevorsteht. Nein, es wird schon laufen. Und Nick hat mir alles derart eingebläut, dass ich schon vom Weinmachen träume.«

»Du machst das sicher ganz toll«, sagte Fran ermutigend. »Ihr beiden habt in den letzten zwei Jahren so eng zusammengearbeitet, du wirst feststellen, dass du viel mehr weißt, als dir bewusst ist.«

Ein Klopfen an der Haustür unterbrach ihr Gespräch. »O Gott, das ist dieser Reporter«, flüsterte Maura und warf einen Blick auf ihre Uhr.

»Welcher Reporter?«, flüsterte Fran ebenfalls.

»Von der Lokalzeitung. Die wollen einen Artikel über mich bringen, über die Reise nach Irland. Mit Foto und allem.«

»Na, dabei wünsche ich ihm viel Glück.« Fran lächelte trocken in sich hinein, während Maura durch die schmale Diele zur Tür ging.

»Guten Morgen«, sagte sie fröhlich, als sie aufmachte, um den fesch angezogenen jungen Mann zu begrüßen. »Ich bin Maura Carmody und Sie müssen der neue Reporter sein.« Direkt der Journalistenschule entsprungen, so wie du aussiehst, dachte Maura.

»Hallo, Maura, ja, Gary Lewis ist mein Name.« Er verbeugte sich abrupt und schüttelte Mauras Hand mit einer Vehemenz, die sie beinahe von den Füßen riss.

Sie schenkte ihm ein gewinnendes Lächeln und brachte ihre Hand rasch wieder in Sicherheit. »Gehen wir doch rauf zum Weingut und Restaurant – ist es Ihnen recht, wenn wir zu Fuß gehen, oder würden Sie lieber fahren?«

Sie sah, wie er nervös die umliegenden Weinberge und das trockene Buschgras musterte, das ihr Häuschen umgab, und ahnte, was er dachte. »Es gibt hier nur wenige Schlangen, und ich werde vorangehen und sie vertreiben«, fügte sie entgegenkommend hinzu.

Das schien ihm zu genügen, und so machten sie sich auf den Weg über den ausgetretenen Pfad, der Mauras altes Steincottage mit dem *Lorikeet Hill Winery Café* verband.

»Waren Sie schon mal hier draußen?«, erkundigte sich Maura, während sie beide damit beschäftigt waren, die Fliegen zu verscheuchen.

Gary setzte die Füße sehr vorsichtig auf, hielt sich dicht hinter Maura, ja, trat ihr praktisch auf die Fersen. »Nein, aber ich hab schon viel gehört. Ich komme aus Melbourne und bin erst letzte Woche hier im Clare Valley angekommen, aber ich hoffe, schon bald alle Weingüter und Restaurants in der Gegend kennen gelernt zu haben.«

»Na, da haben Sie in den nächsten Monaten ja ganz schön zu tun.« Maura war nicht überrascht, zu hören, dass er aus der Stadt kam. »Sollen wir uns draußen hinsetzen und uns unterhalten?«

Der junge Mann folgte Maura, die ihn zur Frontveranda führte. Ein riesiger Walnussbaum stand auf dem Rasen und warf seinen grün gesprenkelten Schatten auf das Gras und die Vorderseite des Hauses. Als sie sich an einen der Tische setzten, flatterten zwei leuchtend grüne und rote Vögel vorbei, und Gary zuckte erschrocken zusammen.

Der Bursche hat ganz schön Angst vor der freien Natur, dachte Maura. »Das sind Lorikeets – daher der Name unseres Weinguts«, erklärte sie. »Das sind eine Art Papageien. Seit Jahren schon lebt eine ganze Sippe von ihnen in diesem Garten und in den Hügeln hinter uns. Sie sind wunderschön, nicht wahr?«

Gary nickte höflich, aber sie merkte, dass er ziemlich steif dasaß, als erwarte er, dass sie sich jeden Moment auf ihn stürzen und ihm ein Auge aushacken könnten. Mit einem nervösen Hüsteln zog er ein Notizbuch aus seiner großen Schultertasche.

»Vielleicht könnten Sie mir ein wenig mehr über Lorikeet Hill erzählen, bevor wir über die Irlandreise reden?«, meinte er mit gezücktem Kuli.

Maura setzte sich auf eine Holzbank ihm gegenüber und erläuterte kurz, dass Nick dieses Weingut unweit ihres Heimatstädtchens vor fünf Jahren, nach Beendigung seiner Lehre bei anderen Weingütern in Südaustralien, gegründet hatte.

»Ich bin dann vor ungefähr drei Jahren dazugestoßen. Habe davor als Köchin in einem Vier-Sterne-Restaurant in Sydney gearbeitet, bin für die Ferien nach Hause gekommen, und Nick hat mich überredet, bei ihm einzusteigen und das Café hier zu eröffnen.«

Und das ist alles, was du darüber erfährst, junger Mann, sagte sich Maura. Die Zeitungsleser würden nicht all die ergötzlichen Einzelheiten ihres Bruchs mit Richard erfahren, ihrem damaligen Partner und dem wahren Grund dafür, dass sie Sydney verlassen und wieder nach Hause zurückgekehrt war. Es hatte bei ihrer Rückkehr schon genug Getuschel im Ort gegeben. Sie wollte das alles nicht noch mal aufrollen.

Gary kritzelte eifrig jedes Wort nieder, das Maura sagte. »Und sind Sie älter oder jünger als Nick?«

»Nick ist zweiunddreißig und ich bin vier Jahre jünger.«

»Und würden Sie mir noch mal Ihren Vornamen buchstabieren – er ist recht ungewöhnlich, nicht?«, meinte er.

Nicht zum ersten Mal buchstabierte Maura langsam ihren Namen. »Es ist die irische Version von Mary«, erklärte sie.

»Ach, waren Ihre Eltern Iren?«, erkundigte sich Gary überrascht.

Einen flüchtigen Moment lang überlegte Maura, ob sie ihm die ganze Geschichte erzählen sollte, entschied sich jedoch dagegen. »Ja, wir haben irisches Blut in den Adern«, antwortete sie vage, »aber das kann schließlich jeder fünfte Australier von sich behaupten.«

»Und wurde Lorikeet Hill deshalb für die Promotiontour durch Irland ausgewählt?«

Maura schüttelte den Kopf. »War reiner Zufall. Geholfen hat auch, dass wir bereits Verbindungen zum County Clare haben – wissen Sie darüber Bescheid?«, fragte sie.

Gary nickte. Der Chefredakteur hatte ihm heute Morgen alles über die Partnerschaft zwischen Clare und dem Landkreis desselben Namens in Irland erzählt.

Maura erklärte, dass sich eine Gruppe von australischen Winzern mit einer irischen Weinbaugenossenschaft zusammengetan hatte, um den Absatz von australischem Wein in Irland zu fördern.

»Lorikeet Hill wurde ausgewählt, die Region Clare Valley

zu vertreten, und aus den anderen Weinanbaugebieten Australiens werden ebenfalls Winzer teilnehmen. Wir werden ganz Irland abklappern, jeden Stein umdrehen und jede – australische! – Flasche öffnen.« Sie grinste.

»Und Sie werden auch ein wenig Ihre Kochkünste demonstrieren, wie ich gehört habe?«, fragte er.

»Das stimmt. Nach der Tour werde ich als Gastköchin im *Cloneely Lodge*, einem alten Landsitz im County Clare, arbeiten.« Sie erklärte, dass sie während der Vorbereitungen für die Reise erfahren hatte, dass das Weinbaugenossenschaftsmitglied, mit dem sie reisen würde, eine renommierte Kochschule und ein Gourmet-Restaurant südlich von Ennis, der größten Ortschaft im County Clare, besaß.

»Sie heißt Bernadette Carmody – nein, nein, wir sind nicht verwandt«, fügte sie rasch hinzu. »Ist eben ein gebräuchlicher Nachname, nehme ich an. Wir haben während der Vorbereitungen oft miteinander telefoniert, und uns wurde klar, dass dies auch eine wunderbare Gelegenheit wäre, die australische Küche ein wenig bekannter zu machen. Ich werde während der Woche Kochkurse abhalten und an den Wochenenden australische Gerichte für echte irische Restaurantbesucher zubereiten.«

Gary klappte sein Notizbuch zu. »Klingt ja toll. Damit wird das Clare Valley sicher um einiges bekannter werden, nicht?«, meinte er eifrig. Maura lächelte ihn an. Sie vermutete, dass er die Worte seines Chefredakteurs nachplapperte, aber er hatte Recht. Das war eine fantastische Gelegenheit, das Clare Valley und Lorikeet Hill bekannt zu machen und außerdem eine tolle Erfahrung für sie selbst. Was sie nicht erwähnte, war der andere Grund, wieso sie Irland und insbesondere das County Clare aufsuchen wollte. Diesen Gedanken hielt sie fest verschlossen.

»Jetzt müsste ich noch ein Foto von Ihnen für den Artikel machen, wenn Ihnen das recht ist?«, sagte Gary.

Maura nickte, stöhnte aber innerlich. Sie hasste es, fotografiert zu werden, und noch mehr hasste sie die Resultate. Nick hatte sie vor kurzem, als er ein paar neu aufgenommene Fotos studierte, unbeabsichtigt noch mehr verunsichert. »Du bist eigentlich recht gut aussehend, irgendwie Zigeuner-rassig«, hatte er gesagt, »aber auf Fotos siehst du immer irgendwie komisch aus.«

»Herzlichen Dank, Nick«, hatte sie verstimmt geantwortet.

»Nein, echt, in Wirklichkeit siehst du viel besser aus. Wenn man fotogen sein will, braucht man eher ein ruhiges Gesicht – du siehst viel zu lebhaft aus.«

»Und meine Haare sind viel zu wild und meine Augen zu grün, stimmt's?«

Nick hatte die Frage ernst genommen. »Na ja, zu wild würde ich nicht direkt sagen«, meinte er, ihre fast hüftlange, dunkelrote Lockenpracht musternd. »Eher ungebärdig. Und gegen die Augenfarbe kannst du ja nicht viel machen, außer vielleicht, du versuchst's mit farbigen Kontaktlinsen.«

Aber das größte Problem war, dass sie reflexartig auf das Klicken des Fotoapparats reagierte. Immer wenn es klickte, schloss sie die Augen, außer sie war äußerst konzentriert. Das bedeutete, dass sie auf Fotos entweder die Augen zu hatte oder mit weit aufgerissenen Augen und glasigem Blick dastand. Nur gelegentlich kam ein halbwegs anständiges Foto von ihr zustande.

Gary war nun vom Jungjournalisten in die Rolle des Modefotografen geschlüpft und geisterte auf der Suche nach dem besten Bildhintergrund im und vor dem Café umher.

»Wie wär's vor den Fotos in der Empfangsdiele?«, schlug er vor. »Sehen recht interessant aus.«

»Warum nicht?«, meinte Maura wenig begeistert und führte ihn zu der Wand in der Empfangsdiele, an der alle möglichen gerahmten Fotos in unterschiedlichen Größen hingen.

Sie erklärte ihm kurz jedes einzelne Bild. Sie waren in den letzten vier Jahren entstanden und zeigten die Entwicklung des Weinguts, von dem heruntergekommenen alten Haus von früher bis zu dem efeubewachsenen Weingut und Restaurant, das es heute war.

»Sind Sie das?«, fragte Gary und deutete auf ein Foto von ihr und Nick vor dem Haus. »Waren Sie krank? Sie sehen schrecklich aus.«

Warte nur, bis deine Fotos rauskommen, dachte sie, brüskiert über seine unsensible Bemerkung. Sie blickte das fragliche Foto an. Es war kurz nach ihrer Rückkehr aus Sydney aufgenommen worden. Die letzten stressigen Monate mit Richard hatten ihren Tribut gefordert. Sie sah wirklich schrecklich aus. Aber wenigstens hatte sie die Augen offen. Doch sie wischte seine Bemerkung beiseite. »Nein, ich hab bloß zu lange in Sydney gelebt, die Hektik, die Abgase, Sie kennen das ja.«

»Und ist das Ihre Mutter?«, erkundigte er sich und deutete auf ein anderes Foto von ihr und Nick und einer kleinen hellhaarigen Frau. Maura nickte. »Sie sehen Ihrer Mutter und Ihrem Bruder aber gar nicht ähnlich«, meinte er. »Arbeitet sie auch hier?«

Wo hatte der Kerl eigentlich studiert? Auf der Melbourner Akademie für Insolenz?

»Nein, wir sehen uns nicht ähnlich«, antwortete sie ruhig. »Das liegt daran, weil ich adoptiert bin. Und nein, Terri, meine Mutter, arbeitet nicht hier. Sie ist vor sechs Jahren gestorben. Und ihr Mann hat uns vor über fünfundzwanzig Jahren verlassen, falls Sie das auch noch fragen wollten.«

Nun schaute er doch recht verlegen drein. »Ach, das tut mir Leid.«

Maura ließ sich von seinem offenbaren Unbehagen erweichen. »Das konnten Sie ja nicht wissen. Terri hatte Krebs. Als wir's merkten, war's bereits zu spät.«

Aus seinem plötzlichen Schweigen schloss Maura, dass er zu peinlich berührt war, um weitere Fragen zu stellen. Den jäh aufsteigenden Schmerz wegblinzelnd, den der Gedanke an ihre Mutter noch immer in ihr auslöste, wandte sich Maura an den Reporter und wechselte das Thema.

»Also, was ist jetzt mit diesem Foto? Wir sind zum Lunch fast ausgebucht, und ich muss sehen, dass ich in die Gänge komme.«

Gary holte seine Kamera hervor und dirigierte Maura noch ein wenig herum, bis er zufrieden war.

Klick. Ihre Augen waren fest geschlossen. Na toll, dachte sie. Noch eins für die Sammlung.

3. Kapitel

Maura, die mit zwischen Schulter und Ohr geklemmtem Hörer an ihrem Schreibtisch saß, lächelte Gemma zu, die ihr Champagnerglas auffüllte. »Komme gleich«, formte sie mit den Lippen.

»Das klingt ja wirklich toll«, führte sie ihre Unterhaltung mit Bernadette aus dem County Clare fort, die ihr soeben vom letzten Stand in Sachen Kochkurse berichtet hatte. »Also ehrlich, mit einem solchen Interesse hätte ich nie gerechnet, da es doch schon drei Kurse sind.«

»Ach, das liegt an meinen Beschreibungen in der Broschüre, Schätzchen, die du erfüllen musst, hähä: *der Hauch des Outbacks, ein Schmelztiegel aus dem Besten der asiatischen und europäischen Küche, zubereitet mit australischem Lebensgefühl* ... und das ist nur die Einleitung. Und die Dinnerreservierungen trudeln auch schon kräftig ein. Eine Schande, dass du nicht auch ein bisschen was von eurem schönen Wetter mitbringen kannst, damit wir das wirklich authentische australische Feeling mitbekommen.«

Maura blickte aus dem offenen Fenster ihres Arbeitszimmers. Es war ein wunderschöner Februartag gewesen, strahlend blauer Himmel, und jetzt, um fast sieben Uhr, wehte noch immer ein laues Lüftchen. Sie konnte Nick, Fran und Gemma im Garten sehen, die alles für ihr großes Abschiedsessen vorbereiteten.

Gemma war am Vorabend eingetroffen. Sie hatte sich in dem Cateringservice einen Monat freigenommen, den sie aufgebaut hatte und der mittlerweile auch die großen Firmen in Sydney belieferte. Maura lächelte, als sie sie sah, in ihren ausgebleichten Jeans und einem leichten T-Shirt. Lachend unterhielt sie sich mit Nick und Fran, die bei dem alten steinernen Grillplatz standen. Sie beschrieb Bernadette die Szene.

»Ach, ein Barbecue, ihr Glücklichen. Wir können kaum draußen rumlaufen, geschweige denn grillen. Das Wetter ist in letzter Zeit absolut scheußlich«, stöhnte Bernadette. »Es gibt Gerüchte, dass während deines Besuchs sogar mal die Sonne vorbeischauen soll, aber ich habe gerade die Wettervorhersage gehört, und wir können uns in den nächsten Tagen auf ein paar heftige Stürme gefasst machen. Ich hoffe, dein Flug verläuft ruhig.«

»Ach, das Wetter ist das Allerletzte, worum ich mir im Moment Gedanken mache«, wiegelte Maura ab. »Bin viel zu sehr damit beschäftigt, genug *bush-pepper* und *wattle seeds* und *sun-dried bush tomatoes* zusammenzubekommen. Was macht da schon eine Kleinigkeit wie das Wetter!« Sie warf einen Blick auf ihre Armbanduhr. »Huch, Bernadette, wir machen besser Schluss, der Anruf kostet dich ja ein Vermögen!« Dieses letzte Telefongespräch hatte eigentlich nur eine fünfminütige Checkliste sein sollen, erstreckte sich mittlerweile jedoch über fast dreißig Minuten, was eigentlich immer geschah, sobald Bernadette und sie telefonierten. Irgendwie gab es immer mehr zu besprechen als nur die Promotiontour und das Kochen.

Als Gemma ans Fenster trat und mit der Weinflasche winkte, verabschiedete sich Maura hastig. Lächelnd legte sie auf. Hier war sie, an einem Freitagabend, in Clare, Südaustralien, und Sonntagabend würde sie in Dublin sein und mit Bernadette anstoßen. Nach monatelanger Planung schien die Reise nun endlich Wirklichkeit zu werden.

Sie ging zu den anderen in den Garten und atmete tief den würzigen Duft der Grillkohle ein. Gemma hatte es sich nicht nehmen lassen, sowohl das Abschiedsessen als auch den heutigen Lunch für die Restaurantgäste zu übernehmen.

»Ich muss sowieso einen Monat lang allein zurechtkommen, also kann ich mich ebenso gut gleich daran gewöhnen. Zisch ruhig ab und pack deine Koffer oder lackier dir die Nägel, oder was immer ihr Karriereweiber bei solchen Gelegenheiten so macht«, hatte sie sie geneckt. Und Maura hatte sie beim Wort genommen. Gemma war schon öfter auf Lorikeet Hill gewesen und kam spielend in der Küche zurecht, wie Maura ganz genau wusste. Sie waren zusammen auf der Kochschule gewesen, hatten zusammen in diversen Küchen gestanden und kannten die Methoden des anderen in- und auswendig.

Gemma verstand es außerdem, die köstlichsten Barbecues zu machen. Es gab ihre Spezialität, Filetsteaks in dicker Pestokruste, die sie selbst aus einer köstlichen Mischung aus frischem Basilikum, Pinienkernen, Parmesan, Farmbutter, Knoblauch und Olivenöl zubereitete. Das Fleisch brutzelte auf dem Grill, und die Pestokruste bräunte auch schon recht hübsch. Der Baumstumpf neben dem Grillplatz diente praktischerweise als Tisch, auf dem bereits gegrillte Folienkartoffeln sowie eine Riesenschüssel mit verschiedenen grünen Salaten, getrockneten Tomaten, Oliven, Kräutern und Feta, natürlich alles aus dem heimischen Clare Valley, der hungrigen Mäuler harrten.

Nick zog behutsam den Korken aus einer Flasche des besten Weins, den Lorikeet Hill zu bieten hatte, einem kräftigen, vollmundigen Shiraz. Feierlich überreichte er jedem ein Glas. Es war ihr teuerster Wein, von dem jedes Jahr nur eine kleine Menge hergestellt wurde, und er stammte von einem ganz besonderen kleinen Weinberg mit Shiraz-Trauben, der ihr Anwesen begrenzte.

Maura trank einen Schluck und ließ zufrieden den Blick schweifen. Dies war ihre liebste Tageszeit, wenn die Sonne fast untergegangen war und die Reben in warmem Glanz erstrahlten. Ein langer, heißer Sommer lag hinter ihnen, und es sah so aus, als würde das noch ein paar Wochen lang so weitergehen. Nach einer Saison, in der fast Dürre geherrscht hatte, waren die Rebenreihen nun das einzig Grüne, das aus all dem Braun der Weiden und Ebenen hervorstach.

Gemma riss sie aus ihren Tagträumen. »Also gut, ihr drei, das Essen ist fertig. Aber die Kellnerin spiele ich heute Abend nicht auch noch, also bedient euch besser selber.«

Sie häuften sich ihre Teller voll, wobei Nick gewissenhaft Fran umsorgte. Maura freute sich, sie so entspannt und fröhlich zu sehen.

Sie fing Mauras Blick auf und erhob ihr Glas. »Ich hab mir ein Glas Wein versprochen, während ich schwanger bin, und das ist es. Ich trinke es dir zu Ehren. Auf eine wundervolle Reise«, sagte sie lächelnd.

Nick und Gemma schlossen sich dem Toast an und ließen sich dann auf einer alten Gartenbank nieder, um ihr Essen zu genießen.

»Dann habt ihr jetzt also alles unter Dach und Fach, du und Bernadette, Morey?«, erkundigte sich Gemma, während sie die Salatschüssel weiterreichte.

»Das kannst du laut sagen«, meinte Maura grinsend. »Auch das mit dem Kochen und den Kursen hat Bernadette inzwischen minutiös ausgeklügelt. Und sie scheint's kaum abwarten zu können, auf die Weintour zu gehen. Sie meint, sie hat ihr Auto extra auf Hochglanz polieren lassen, damit wir auch ordentlich aussehen, wenn wir vor den Weinhandlungen vorfahren.«

»Du bist wahrlich ein sehr großzügiger Bruder, Nick«, meinte Gemma und blickte Nick mit einem verschmitzten Lächeln an. »Lässt einfach eine solche Chance sausen, dein Wissen in aller Welt zu verbreiten.«

»Ach, ich bin sicher, dass Maura Glanz und Gloria des Carmody-Namens würdig vertreten wird«, entgegnete Nick mit gespieltem Ernst. »Aber leider hat sie all meine Vorschläge zu ihren Präsentationen rüde ignoriert. Also ehrlich, diese jungen Leute heutzutage, kaum schnuppern sie ein wenig Macht, schon sind sie nicht mehr zu bändigen.«

Fran wollte es nicht versäumen, ebenfalls einen Kommentar dazu abzugeben. »Ja, es ist eine Schande. Wir hatten uns vorgestellt, dass Maura zu ›Waltzing Mathilda‹ die Tribüne betritt ...«

»Und die Musik könnte aus einem clever in ihrem Hut versteckten Lautsprecher schallen ...«, warf Nick ein.

»Ein Papiermachéhut in Form eines Kängurus«, setzte Fran noch eins drauf.

»Dann könnte sie einen Zusammenschnitt aus Szenen von *Nachbarn*, *Home and Away* und den Foster-Biercommercials zeigen, um auch den Letzten auf ihre Seite zu ziehen«, ergänzte Nick.

»Und am Schluss kriegt jeder eine Flasche Lorikeet-Hill-Riesling und einen Bierdosen-Halter geschenkt ...«

»Und sie reitet auf einem extra dafür importierten Merinoschaf aus dem tobenden Saal«, beendete Nick den Spaß mit einem eleganten Wedeln des Armes.

Gemmas Kopf hatte sich wie beim Tennis vom einen zum anderen bewegt, und sie konnte sich kaum mehr halten vor Lachen. »Und, sie hat eure Vorschläge nicht aufgegriffen? Kann ich mir gar nicht vorstellen.«

»Jetzt siehst du mal, Gemma, womit ich's hier die ganze Zeit zu tun hatte«, schloss sich nun auch Maura dem Geplänkel an. »Wo ist nur ihre Würde, ihr Stolz? Ich gehe schließlich als Repräsentantin der australischen Kultur nach Irland. Das ist keine Sauftour, das ist eine diplomatische Mission.«

»Vielleicht sogar mehr als das«, fügte Nick mit einem herausfordernden Blick in Mauras Richtung hinzu. »Eine Familienzusammenführung vielleicht ...?«

Sie warf ihm einen raschen Blick zu und schüttelte den Kopf. Sie wollte heute Abend nicht darüber reden, auch wenn sowohl Fran als auch Gemma alles über ihre Adoption wussten. Sie überbrückte den peinlichen Moment, indem sie aufstand und, wider besseren Wissens, aber mit voller Rückendeckung durch Gemma, eine weitere Flasche Wein öffnete.

Nick versuchte später, als Maura die beiden zu ihrem Auto brachte, noch einmal auf das Thema zu sprechen zu kommen. »Ich will dich nicht unter Druck setzen, Morey. Ich wollte wohl bloß sichergehen, dass du die Gelegenheit wahrnimmst, wenn sie sich bietet. Immerhin bist du so nahe ...«

»Und beschäftigt, deinen Wein zu verkaufen. Bitte, Nick, lass gut sein für heute. Vielleicht reden wir morgen auf dem Weg zum Flughafen noch mal darüber.«

Oder auch nicht, dachte sie und umarmte ihn, um ihren Worten die Spitze zu nehmen. Im Moment konnte sie nicht einmal daran denken.

Maura winkte ihnen nach, als ihr Wagen über die ungeteerte Straße davonholperte. Nick und Frans altes Steincottage lag zehn Minuten Fahrzeit mit dem Auto entfernt auf einem Hügel mit einem wunderschönen Blick über das umliegende Tal. Während sie zu Gemma zurückging, blickte sie den langsam zwischen den Hügeln verschwindenden Scheinwerfern nach.

Gemma hatte inzwischen ein paar Holzscheite auf die Grillkohle gelegt, um die Flammen wieder anzufachen. Es war zwar noch warm genug, um auch ohne Feuer draußen sitzen zu können, aber das offene Lagerfeuer trug doch sehr zur Atmosphäre bei; die flackernden Flammen reflektierten an den weiß gekalkten Wänden von Mauras Häuschen.

Sie blickte auf, als Maura ihren Stuhl näher ans Feuer zog. »Wie lief's mit der Zeitschrift? Du weißt schon, das mit deinem Artikel über die Reise. Wollte dich schon gestern Abend danach fragen.«

Mauras Miene hellte sich auf. »Ach, das war wirklich ein Geistesblitz von dir, herzlichen Dank. Sie waren einverstanden – sie möchten, dass ich einen Viertausend-Worte-Artikel abliefere, mit Fotos, wenn möglich, falls welche dabei sind, die gut genug sind.«

Gemma war auf die Idee gekommen, dass Maura bei einem der größeren australischen Reise- und Lifestyle-Magazine anrufen und anbieten sollte, einen Artikel über ihre Irlandreise zu schreiben. Zu ihrer Freude hatte der Ressortredakteur sofort zugestimmt.

»Das ist gut«, nickte Gemma und machte, trotz Mauras hochgezogener Braue, eine weitere Flasche Wein auf. Gemma sah sie mit einem unschuldigen Blick an. »Wie kannst du ans andere Ende der Welt fliegen und die Freuden des Clare-Valley-Weins anpreisen, ohne einschlägige Erfahrungen gemacht zu haben?«

»Du hast manchmal einen ganz schön schlechten Einfluss auf mich«, meinte Maura ernsthaft, während sie ihr Glas vorstreckte.

»Dieser Artikel ist eine tolle Chance für euch«, meinte Gemma weise. Sie war selbst eine recht clevere Geschäftsfrau, hatte es verstanden, ihr Restaurant in Sydney bekannt zu machen, bevor die verhängnisvolle Kritik des Testers alles zunichte gemacht hatte.

»Und wenn uns das nur ein Dutzend neuer Kunden und Weinkäufer einbringt, wäre ich schon glücklich«, meinte Maura.

Gemma hatte den besorgten Unterton herausgehört. »Steht's denn so schlecht?«, fragte sie überrascht. »Das Buchungsregister sieht doch großartig aus – ihr seid fast den ganzen nächsten Monat ausgebucht. Und Nick meinte, der Weinverkauf ließe sich auch ganz gut an.«

»Es geht, wir arbeiten kostendeckend, aber wir müssen allmählich ernsthaft an einen Umbau denken. Nick hat auf dem Gut fast keinen Platz mehr. Und die Küche funktioniert zwar, aber der Herd macht's auch nicht mehr allzu lange.« Sie nippte an ihrem Wein. »Deshalb ist diese Promotiontour auch ein Geschenk des Himmels, denn der Export könnte genau das sein, was uns noch gefehlt hat. Nick redet nicht viel darüber, aber ich weiß, dass er sich Sorgen macht, noch dazu, wo jetzt bald ein Kind da sein wird.«

»Na ja, aber es wird doch sicher ein rauschender Erfolg, oder nicht?«, meinte Gemma energisch.

»Ja, sicher«, stimmte ihr Maura zu. Darauf stießen sie an.

Beide schwiegen einen Moment lang und starrten gedankenverloren in die Flammen des Lagerfeuers. Als Gemma sprach, klang ihre Stimme leise im Dunkel der Nacht.

»Ich habe Neuigkeiten von Richard, falls es dich interessiert?«, begann sie vorsichtig.

Maura blickte auf, doch diesmal blieb der übliche Stich aus, der sie bei der Erwähnung von Richards Namen immer durchfuhr. »Weißt du, eigentlich denke ich kaum mehr an ihn«, stellte sie überrascht fest.

»Halleluja, kann ich da nur sagen! Schade, dass du dir nicht alle Erinnerungen an den Schleimbeutel rausoperieren lassen konntest.«

Maura lachte. »Gemma, du bist unmöglich.«

»Nein, bin ich nicht, ich weiß noch gut, in welchem Zustand du gewesen bist. Und deshalb ist es ja auch so schön, dich so wie heute zu sehen. Du glaubst wieder an dich.«

Gemma hatte das ganze Auf und Ab von Mauras Beziehung mit Richard miterlebt, war mit ihr durch dick und dünn gegangen. Tatsächlich verdankten sie ihm ihre Freundschaft – sie hatten sich kennen gelernt, als sie beide als Lehrlinge in Richards erstem Restaurant in Sydney anfingen. Damals, vor fünf Jahren, hatte er bereits angefangen, sich einen Namen zu machen, sowohl aufgrund seiner Arroganz als auch seiner innovativen Ideen.

Er und Gemma waren nicht miteinander ausgekommen, und sie war nach einem Monat schon wieder gegangen. Maura war zu dieser Zeit bereits seinem Charisma erlegen, und aus ihrer beruflichen Beziehung wurde eine private. Sie war sogar bei ihm eingezogen.

Rückblickend sah sie die Fehler, die sie gemacht hatte, doch damals war ihr das alles einfach nur aufregend erschienen. Ihre langen Arbeitszeiten sorgten ohnehin dafür, dass es keine normale Beziehung war, und ihr hektisches Berufsleben überdeckte im ersten Jahr die immer breiter werdenden Risse.

Doch als Maura zunehmend selbstbewusster und Richard zunehmend ausfallender wurde, waren die Risse nicht mehr zu übersehen gewesen. Sie stritten fast nur noch, und Richard verbrachte jede freie Minute vor dem Fernseher.

»Ich weiß noch, wie wütend er mich immer gemacht hat«, meldete sich Gemma wieder zu Wort. »Wie er mit dir umsprang, und wie er überhaupt mit seinem ganzen Personal umsprang.«

Maura konnte sich speziell an einen Abend erinnern. Die privaten Spannungen begannen, sich auch auf die Arbeit im Restaurant auszuwirken. Er fing an, sie ungeniert vor den anderen in der Küche herunterzuputzen. »Hör auf, so mit mir zu reden«, hatte sie ihn angebrüllt. »Du stellst mich vor allen hier bloß.«

Seine Antwort würde sie nie vergessen. »Nicht ich stelle dich bloß, du selbst machst das mit dem Scheiß, den du hier kochst.«

Der Tropfen, der das Fass zum Überlaufen brachte, kam, als sie nach einer Woche Ferien in Clare zurückkehrte. Sie hatte immer gewusst, dass auch andere Frauen seinem jungenhaften Charme und Aussehen erlagen. Was sie nicht gewusst hatte, war, dass Richard diese Gefühle erwiderte. Beim Auspacken fand sie in ihrem gemeinsamen Bad eine Flasche Parfüm, die nicht ihr gehörte.

Sie stellte ihn daraufhin zur Rede, doch er lachte nur und wandte seine Aufmerksamkeit wieder dem Fernsehprogramm zu. Als sie sich nicht abwimmeln ließ und auf einer Erklärung beharrte, kam es zu einer hässlichen Szene.

»Ach, um Himmels willen, Maura, du wirst ja allmählich zu einem richtigen Fischweib«, provozierte er sie. »Gewöhn dich lieber daran, es ist schließlich nicht meine Schuld, dass du mich zu Tode langweilst.«

Sie rang nach Luft. »Dann gibst du's also zu – du hast mit einer anderen geschlafen, hier in unserem Bett?«

»Es ist mein Bett, falls du dich erinnerst«, meinte er nur, ohne den Blick vom Fernseher abzuwenden. »Du bist schließlich bei mir eingezogen, nicht? Das Landei scheint bei dir durch, Morey«, verspottete er sie mit ihrem Kosenamen. »Du lebst jetzt in der großen Stadt, da ist man nicht mehr so spießig.«

»Ich bin nicht spießig, ich bin nur integer. Ich würde dir so etwas nie antun.« Sie war wie vor den Kopf geschlagen, konnte nicht fassen, dass er ruhig dasaß und zugab, sie betrogen zu haben. Da wurde ihr schlagartig klar, dass es nicht das erste Mal gewesen sein konnte.

Er war noch nicht fertig. »Aber wann kommst du überhaupt mal in Versuchung, hm? Nicht so wie ich, jedenfalls. Woher willst du wissen, dass du's nicht auch tun würdest, besonders, wenn du's auf dem Tablett angeboten bekommst, um mal im Fachjargon zu bleiben?« Sie hörte sein hämisches Grinsen eher, als dass sie es sah.

Danach hatten sie sich nur noch angeschrien. Tränenüberströmt hatte sie die Koffer, die sie gerade ausgepackt hatte, wieder gepackt und war damit zur Tür gewankt.

Richards Abschiedsworte klangen noch in ihr nach, lange, nachdem sie die Türe zugeknallt hatte: »Das wird dir noch Leid tun, ohne mich bist du nichts, ein Niemand, Maura, das weißt du doch? Du hast kein bisschen Talent, bist immer nur an meinen Rockzipfeln gehangen.«

Eine eiskalte Faust hatte sich bei diesen Worten um ihr Herz gekrallt, und in diesem Moment hatte sie gewusst, dass es endgültig vorbei war. Wie benommen war sie zu Gemma gefahren.

Ihre Freundin hatte sie angesehen und sie sofort in die Arme genommen und ins Haus geführt. »Wird auch Zeit, dass du ihn verlässt«, hatte sie entschieden gesagt. »Ich werde nicht mal versuchen, nett zu sein. Das hat, weiß Gott, schon viel zu lange gedauert.«

Gemma hatte sie beruhigt und getröstet und ihr Richards beleidigende Anrufe vom Hals gehalten, ja, ihr sogar Arbeit in ihrem kleinen Bistro gegeben. Dann war dieser verheerende Artikel des Testers erschienen.

Über Nacht waren die Gäste ausgeblieben, und zwei Wochen später hatte Maura Gemma ihre Kündigung überreicht. Sie wusste, dass ihre Freundin sich finanziell kaum noch über Wasser halten konnte, und sie wusste auch, dass wer zuletzt kommt auch als Erster gehen muss. Auch hatte sie das schreckliche Gefühl, dass Richard möglicherweise hinter der ganzen Sache steckte.

Gemma schnippte vor Mauras Gesicht und riss sie aus ihren Gedanken.

»Entschuldige, ich war meilenweit weg«, sagte Maura und

blickte Gemma an. »Komisch, wenn ich an diese Zeit denke, kommt's mir vor, als würde ich mich an das Leben von jemand anders erinnern, als wäre das meine törichte kleine Schwester gewesen, oder so.« Sie versuchte zu lachen.

»Ich würde es ihm immer noch liebend gerne heimzahlen«, sagte Gemma. »Aber so wie's aussieht, steht's in London auch nicht gerade rosig um ihn.«

Gegen ihren Willen merkte Maura, wie ihr Interesse erwachte. »Was ist passiert? Ich dachte, er wäre der Hit in London. Vor sechs Monaten haben sie eine ganze Sendung in einer dieser Kochshows im Radio über ihn gebracht.«

»Als er noch im Dray's war?« Gemma nannte eines der bekanntesten und gefragtesten Restaurants in London.

Maura nickte. In der Radiosendung ging es um die derzeitige Nachfrage nach australischen Köchen in London, und Richards rasante Karriere wurde als Musterbeispiel angeführt.

»Tja, scheint, als wäre dem guten Mr. Hillman der Erfolg ein wenig zu Kopf gestiegen, ebenso wie der Wein zum Marinieren. Er und das Dray's haben sich getrennt.«

»Echt?«, fragte Maura überrascht. »Sie haben ihn rausgeschmissen?«

»Offiziell nicht. Anscheinend haben sie ihn rasch und unauffällig in eines der anderen Restaurants des Inhabers abgeschoben, aber was ich so von meinem Bekannten höre, munkelt man in Insiderkreisen, er wäre vollkommen überdreht, besonders wenn er was getrunken hat. Und vielleicht nicht nur getrunken.«

Das überraschte Maura nicht. Richard hatte schon zu ihrer Zeit nie Nein zu einem Gläschen gesagt, und bei diesen Gelegenheiten, wenn er betrunken war, hatte sie eine andere Seite an ihm kennen gelernt, eine ziemlich hässliche Seite. »Kommt er jetzt also mit eingekniffenem Schwanz wieder nach Hause?«

»Ich werd's dich wissen lassen«, meinte Gemma. »Dann

kannst du dein bestes Küchenmesser schärfen, ihm am Flughafen auflauern und ihm besagten Schwanz absäbeln.«

»Gemma!«

»Ehrlich, das wäre einfach ideal. Du sorgst in Irland kräftig für Wirbel, während er in Ungnade fällt, und dann kannst du nach London gehen und seinen Posten übernehmen. Und ich kann hier auf dem wunderschönen Land bleiben und das gute alte Lorikeet Hill am Laufen halten. Einfach perfekt.« Gemma trank entschlossen einen Schluck von ihrem Wein.

Maura lachte. »Hast dir schon alles genau überlegt, wie? Also ich weiß nicht, du und hier auf dem Land? Du bist doch die reinste Stadtpflanze.«

Gemma wurde ernst. »Ich mein's ehrlich, da spricht nicht nur der Wein aus mir. Ich habe Sydney allmählich satt. Die Firma läuft zwar gut, aber immer, wenn ich hierher komme, geht's mir so viel besser und ich bin viel entspannter.«

»Na ja, falls sich Terence Conran bei mir melden sollte, während ich unterwegs bin«, sagte Maura, den berühmten Londoner Restaurantbesitzer nennend, »dann vermache ich dir hiermit feierlich meinen kleinen Vierplattenherd und alle meine angeschlagenen Teller.«

Und darauf stießen sie an.

4. Kapitel

Maura schlug die Augen auf, als der Chefpilot verkündete, dass ihr Flugzeug in Kürze in Dublin landen würde. Nach einem langen, ermüdenden Flug von Adelaide nach London und der Hektik in Heathrow, als sie rennen musste, um ihren Anschlussflug noch zu erreichen, war sie eingeschlafen, kaum dass sie auf ihrem Sitz in der Aer-Lingus-Maschine nach Dublin saß.

Von Nick und Fran, die schamlos über ihr bleiches Gesicht

gelacht hatten, war sie zum Flughafen nach Adelaide gebracht worden. Ohne jedes Mitleid hatten sie die leicht verkaterte Maura am frühen Samstagmorgen, rechtzeitig für die zweistündige Fahrt zum Flughafen, von ihrem Cottage abgeholt.

Gemma war in letzter Minute noch aufgetaucht, im Schlafanzug, und hatte Maura zum Abschied herzlich umarmt. Maura musste lachen, als sie sie sah. »Ich kann's kaum glauben, dass ich meine schöne Küche einem solch lasterhaften Subjekt anvertraue. Ich muss wahnsinnig sein«, hatte sie kopfschüttelnd gesagt.

Doch die ganze Aufregung hatte dafür gesorgt, dass ihre leichten Kopfschmerzen bei der Ankunft am Flughafen wieder verflogen waren.

»Denk doch nur«, hatte Fran gesagt, als sie sich zum Abschied umarmten, was wegen ihres hochschwangeren Leibs gar nicht so einfach gewesen war, »bei deiner Rückkehr werden es drei sein, die dich abholen.«

Maura, die bei dem Gedanken daran lächeln musste, blickte aus dem Fenster, während das Flugzeug sich im Anflug auf Dublin befand.

Das ist also Irland, dachte sie. Ihre Gedanken wanderten zurück zu ihrem Gespräch mit Nick, seinem Drängen, doch die Zeit zu nutzen, um mit ihrer Suche fortzufahren …

Sie erwartete halb, dass ihr Herz schneller schlagen, sie eine Gänsehaut bekommen oder eine Art vertrauter Geist aus der Vergangenheit über sie kommen würde. Doch alles, was sie im Augenblick fühlte, war die Aufregung darüber, ein neues Land kennen zu lernen und dass es jetzt wirklich und wahrhaftig losging. Eine plötzliche Lücke in den Wolken gab den Blick auf ein Stück leuchtend grüner Landschaft frei. Sie musste zugeben, dass die Reiseführer Recht hatten. Es war ein ganz anderes Grün, von einer Intensität, wie sie es in Australien nie gesehen hatte.

Die Augen schließend, lehnte sie sich wieder in ihren Sitz

zurück. Ihr würde kaum Zeit bleiben, mit dem Jetlag fertig zu werden. Die Cocktailparty heute Abend war nur der Auftakt zu einer voll gepackten Woche. Dennoch, sie freute sich darauf, und nicht nur, weil sie endlich Bernadette kennen lernen würde, sondern weil sie sich nichts Besseres denken konnte, um eine solche Reise zu starten, als eine Party.

Am Londoner Flughafen hatte es ewig gedauert, bis die Einreiseformalitäten erledigt waren, doch hier in Dublin schien das ganz anders zu sein. Der Mann hinter dem Schalter lächelte ihr lediglich breit zu und winkte sie durch. Ihre Koffer waren unter den Ersten, die vom Band kamen, und so machte sie sich mit einem voll beladenen Rollwagen auf den Weg in die Ankunftshalle.

Jede Menge erwartungsvoller Gesichter strahlten ihr entgegen, als sie durch die Tür kam, und wandten sich sogleich enttäuscht ab, als sie merkten, dass sie nicht der erwartete Besucher war. Rita Deegan von der Weingenossenschaft hatte ihr in der letzten E-Mail versichert, dass man sie vom Flughafen abholen und in ihr Hotel bringen würde, also machte sie sich pflichtschuldigst auf den Weg zum Meeting Point im Terminal.

Zwanzig Minuten verstrichen, und dann war sie die Einzige, die noch dort stand. Langsam machte sie sich Sorgen, dass vielleicht etwas schief gegangen war. Nicht, dass ihr das sonderlich viel ausgemacht hätte – sie hatte im Londoner Flughafen einige Reiseschecks eingelöst und verfügte nun über eine ausreichende Anzahl von irischen Pfund. Sie konnte sich einfach ein Taxi nehmen, draußen standen ja genug davon herum, wie sie sah.

Sie hatte sich gerade entschlossen, nur noch fünf Minuten zu warten, als sie Schritte hörte, die sich ihr eilig näherten. Sie wandte sich um und sah einen jungen Mann, der mit hochrotem Gesicht und besorgter Miene durch die Lobby auf sie zurannte.

»Ach du liebe Güte, das tut mir ja so Leid – sind Sie Maura Carmody aus Australien?«

Maura nickte.

»Entschuldigen Sie vielmals, dass ich Sie so lange warten ließ«, versicherte der Jüngling erneut. »Und wahrscheinlich sind Sie total erschöpft nach dem langen Flug und sehnen sich nach einer ausgiebigen Dusche und einer Tasse Tee oder auch einem Drink – eine schlechte Art, jemanden in unserem schönen Land willkommen zu heißen, übrigens mein Name ist Aidan und herzlich willkommen in Dublin, Miss Carmody. *Céad Míle Fáilte*, das ist irisch für ein tausendfaches Willkommen und besser spät als nie!« Das stieß er fast in einem Atemzug hervor, wobei sich ein breites Grinsen auf seinem sympathischen Gesicht ausbreitete. Er streckte Maura die Hand hin.

Maura grinste ebenfalls und schloss den enthusiastischen jungen Mann mit seinem charmanten irischen Dialekt sogleich ins Herz. »Danke für die nette Begrüßung, Aidan, es ist schön, hier zu sein. Und bitte nennen Sie mich Maura, nicht Miss Carmody.«

»Mit so einem Namen werden Sie sich hier gleich heimisch fühlen«, sprudelte Aidan weiter. »Und Sie sehen auch ziemlich irisch aus«, fügte er hinzu. »Sie müssen irische Vorfahren haben.«

»Ich und ein paar Millionen anderer Australier«, konterte Maura lachend. Sie musste fast rennen, um mit ihm Schritt zu halten. Als sie aus dem Flughafen hinaustraten, schnappte sie unwillkürlich nach Luft, so eisig kam es ihr hier im Vergleich zum Februar in Australien vor. Sie zog ihren Mantel fester um sich. Aidan, der weiterhin ohne Punkt und Komma redete, führte sie zu einem Auto, das illegalerweise direkt vor dem Haupteingang abgestellt worden war.

Nachdem er Maura und ihr Gepäck im Wagen untergebracht hatte, fuhr er, pausenlos schwatzend, auf die Autobahn nach Dublin. Maura versuchte, die umliegende Landschaft in sich aufzunehmen. Grüner als in Australien war es hier ganz gewiss, und die Straßenschilder waren sowohl in Englisch als auch in Irisch, dennoch war sie erstaunt und auch ein wenig enttäuscht, dass ihr erster Eindruck von Irland so gar nicht ihren Erwartungen entsprach.

Nun, an der Autobahn werden wohl kaum malerische Steinhäuschen stehen, vor denen rothaarige Mädchen barfuß herumtanzen, schalt sie sich für ihre Naivität. Daran waren bloß die Enya-Videos schuld. Sie wandte ihre Aufmerksamkeit wieder Aidan zu, der gerade erklärte, dass seine Familie schon seit Generationen im Weinhandel in Dublin tätig war und auch jetzt noch ein Weingeschäft unterhielt, gar nicht weit von ihrem Hotel entfernt.

»Ich studiere eigentlich Marketing an der UDC – das steht für *University College Dublin*«, fügte er leutselig hinzu, »aber ich habe heuer einen Teilzeitjob bei der Weingenossenschaft, um die Funktionsweise des Exportmarkts genauer unter die Lupe nehmen zu können. Ihr Australier scheint ja von allen Ländern hier am stärksten vertreten zu sein, ist das nicht wundervoll?«

Maura nickte lächelnd angesichts seiner Begeisterung. Sie freute sich wirklich darauf, Weinflaschen aus ihrem Gut in den Auslagen der irischen Weinhandlungen zu sehen. Einige der anderen teilnehmenden Winzer exportierten ihren Wein schon seit Jahren und würden wohl kaum in Aufregung über ihr Auftauchen geraten, aber sie freute sich riesig über die Möglichkeiten.

Sie hatte Nick versprochen, einen ganzen Film mit Bildern von seinem Wein in den verschiedenen Auslagen der irischen *bottle shops* zu verknipsen. Er hatte zwar protestiert, das wäre eine Verschwendung von Film, eine Flasche sähe aus wie eine Flasche, ob in Australien, Irland oder auf dem Mars, aber sie wusste, dass er insgeheim entzückt war.

Aidan plapperte noch immer. »Also, sind Sie nach dem langen Flug jetzt recht erschöpft – wie lange fliegt man eigentlich, vierzig Stunden oder so? Unglaublich, wird Zeit, dass man das Beamen auf die Reihe kriegt – oder sollen wir eine kleine Runde durch die Stadt drehen, oder möchten Sie doch lieber gleich in Ihr Hotel? Heute Abend findet eine Cocktailparty statt, um Sie und die anderen Winzer willkommen zu heißen, aber zum Glück ist das in dem Hotel, in dem Sie wohnen, also dürften Sie's leicht finden. Und die Party fängt erst um neunzehn Uhr an, Sie haben also noch fünf Stunden, um sich umzuschauen. Na jedenfalls, ich überlasse es Ihnen.« Er holte tief Luft und grinste sie spitzbübisch an.

Maura blinzelte verwirrt und überlegte, wie seine Frage eigentlich gelautet hatte. »Vielleicht sollte ich lieber gleich ins Hotel?«, meinte sie.

»Kein Problem«, grinste Aidan.

Schon bald erreichten sie Dublins Stadtkern, begleitet von einem endlosen Strom von Erklärungen, Anekdoten, Sightseeing-Tipps und Hinweisen von Aidan. Maura ließ das meiste davon kommentarlos an sich vorbeirauschen. Sie hatte vor, die Stadt, so weit sie konnte, selbst und zu Fuß, mit einem Stadtführer in Händen, zu erforschen, was ihrer Meinung nach die beste Art war, einen neuen Ort zu erkunden. Im Moment beeindruckte sie vor allem das Alter der Gebäude, die Menschenmassen, selbst an einem Sonntag, und das diesige Winterlicht, das allem einen weichen Schimmer zu verleihen schien.

»Dieser Park hier heißt *St. Stephen's Green*«, erklärte Aidan, während er an einem großen Park vorbeifuhr, der von einem kunstvollen gusseisernen Zaun umgeben war. »Ein Geschenk der Guinness-Familie an die Stadt Dublin. Ihr Hotel ist gleich dort drüben, das Shelbourne, eines der besten Hotels in Dublin, für unsere *aussie*-Gäste nur vom Besten.«

Als Aidan den Wagen schwungvoll in eine enge Lücke direkt vor dem Hotel gelenkt hatte, kam sich Maura richtig vornehm vor, als sogleich zwei uniformierte Pagen herbeieilten, der eine, um ihr Gepäck auszuladen, der andere, um ihr den Wagenschlag zu öffnen. Durch die kunstvoll verzierte Drehtür betrat sie ein herrliches Foyer und kam sich sogleich vor, als befände sie sich mit einem Mal in einem anderen Jahrhundert.

Kellnerinnen in adrettem Schwarzweiß eilten in einem Raum zur Rechten herum, wo gepflegte Menschen in kleinen Grüppchen zusammensaßen, Tee schlürften, sich leise unterhielten und jeden Neuankömmling unter die Lupe nahmen.

Maura folgte Aidan und dem Portier zum Empfang, wo sie einer lächelnden Dame ihren Namen nannte.

»Ach ja, Miss Carmody von der australischen Winzergruppe – herzlich willkommen in Dublin. Wir schätzen hier im Hotel Ihren australischen Wein sehr!« Als man ihr den Zimmerschlüssel aushändigte, wurde Maura jäh von Müdigkeit übermannt. Sie wollte jetzt nur noch duschen und sich umziehen.

Aidan bemerkte ihre plötzliche Erschöpfung und verabschiedete sich mit einem warmen Händedruck und dem Versprechen, sich heute Abend auf der Party wiederzusehen.

Ihr Zimmer war wunderhübsch und auf altmodische Weise gemütlich, und das Bett sah sehr einladend aus. Aber in sämtlichen Reisezeitschriften und -führern wurde empfohlen, so lange wach zu bleiben, wie es ging, und möglichst erst zu der örtlichen Schlafenszeit zu Bett zu gehen. Sie beschloss zu duschen und sich umzuziehen und dann einen Bummel durchs Stadtzentrum zu machen, um wieder ein wenig wach zu werden.

Das Wasser aus der Dusche war herrlich. Genüsslich wusch sie sich Schweiß und Schmutz von der langen Reise aus den Haaren. Sie schüttelte das Abendkleid aus, das sie speziell für den heutigen Abend gekauft hatte, und stellte zufrieden fest, dass der schwere rote Stoff kaum Falten bekommen hatte. Sie machte sich nicht die Mühe, alles auszupacken, sondern schlüpfte eilig in ihre Lieblingsjeans und einen engen Pulli mit Blumenmuster. Da sie es nicht abwarten konnte, hinauszukommen, schlang sie ihre noch feuchten Haare einfach zu einem losen Knoten und zupfte ein paar Locken heraus. Sie wusste, dass sie das heute Abend bereuen würde – wenn sie ihre Haare nicht ordentlich föhnte, sah sie aus wie ein Schaf, das in Kontakt mit einer Steckdose geraten war. Na ja, fast, zumindest. Auf jeden Fall war die ohnehin üppige Lockenpracht dann kaum mehr zu bändigen.

Mit frischer Energie schnappte sie sich ihren langen Mantel und lief die Treppe hinunter, wobei sie unterwegs an mehreren eleganten Damen auf dem Weg zum Schönheitssalon vorbeikam. Das Foyer war voller plaudernder oder wartender Grüppchen, und sie erhaschte einen Blick in eine kleine, geschwungene Bar. Dem Portier, der abermals galant die Tür für sie aufhielt, schenkte sie ein strahlendes Lächeln.

Nach der relativen Ruhe des Hotels schlug ihr der Verkehrslärm wie ein Schwall kaltes Wasser entgegen. Autos, Lieferwagen, Busse, Taxis und Fahrradfahrer sausten vorbei. Maura schloss sich dem Strom der Passanten an und fand sich rasch am Beginn der Grafton Street wieder, offenbar die wichtigste Einkaufsmeile von Dublin. Es wimmelte nur so von Menschen.

Den irischen Dialekt hatte sie zwar erwartet, aber nicht das Sprachgewirr, das sie nun umgab. Es war, als würden die Vereinten Nationen an ihr vorbeiparadieren. Sie ließ sich vom Strom der Fußgänger mitziehen, vermied es jedoch, in irgendwelche Geschäfte zu gehen, obgleich sie an diversen verlockenden Juweliergeschäften und Buchläden vorbeikam. Nein, die hob sie sich für später auf.

Neben einer hohen Statue von Molly Malone mit ihrem

Karren am Ende der Grafton Street blieb Maura einen Moment stehen, um wieder zu Atem zu kommen und ihren Reiseführer hervorzuholen. Sie wusste gar nicht, wo sie zuerst anfangen sollte, so viel gab es, das sie unbedingt besichtigen wollte. Und dann die Geschenke und Souvenirs, die sie mitbringen sollte. Fran wünschte sich Waterfordgläser, Gemma irische Poesie, und für sich selbst wollte sie einen schönen irischen Strickpulli kaufen.

Als sie bei einer Tasse Kaffee in einem Straßencafé saß, um ihren müden Füßen eine Ruhepause zu gönnen, warf sie einen Blick auf ihre Armbanduhr. Mein Gott, schon so spät! Sie war fast zwei Stunden unterwegs gewesen. Höchste Zeit, dass sie zurückging und sich für die Cocktailparty umzog. Als sie sich erhob, um zum Shelbourne zurückzugehen, wurde sie abermals von großer Müdigkeit erfasst.

Sie freute sich auf die Party, denn sie wusste, sobald sie sich ein zweites Mal geduscht und umgezogen hatte, würde sie wieder voller Energie sein. Einige der Winzer kannte sie bereits von anderen Treffen in Australien. Ein paar waren sehr nett und ganz und gar unprätentiös, andere dagegen leider eher das Gegenteil. Es gab da einen alten Witz, der, wie sie fand, mehr als ein Körnchen Wahrheit enthielt: »Was ist der Unterschied zwischen Gott und einem Winzer? Gott hält sich nicht für einen Winzer.«

Am meisten jedoch freute sie sich darauf, Bernadette kennen zu lernen und mit ihr auf Tour zu gehen. Bernadette hatte ihr versichert, dass die Woche, in der sie die Weinhändler in Westirland abklapperten, nicht zu anstrengend werden würde – »Ein Teil harte Arbeit und fünf Teile Spaß, Mädel, das ist das Geheimnis einer guten Geschäftsreise.«

Und danach die drei Wochen in Bernadettes wunderschönem alten Landhaus. Zum ersten Mal würde sie Kochkurse geben, und sie freute sich darauf, besonders, da sie wusste, dass ihr Bernadettes volle Unterstützung sicher war. Und ganz besonders freute sie sich auf die Wochenenden, an denen sie für die irischen Gäste des Restaurants kochen würde. Seit Wochen schon geisterten Ideen in ihrem Kopf herum, wie sie das, was der irische Lebensmittelmarkt zu bieten hatte, mit australischem Pfiff zubereiten könnte. Selbst jetzt, während ihres nachmittäglichen Stadtbummels, musste sie mehrmals stehen bleiben und die eine oder andere Idee in das Notizbüchlein schreiben, das sie immer mit sich führte. Einige der beliebtesten Gerichte des Lorikeet Hill Cafés waren ihr auf diese Weise eingefallen. Sie und Bernadette könnten die Fahrzeiten nutzen, um die Menüs bis ins letzte Detail auszufeilen.

Maura streifte das rote Kleid über. Es war, im Gegensatz zu ihrer sonstigen Garderobe, eng anliegend, doch hatte sie dem satten Farbton und dem weichen, fließenden Stoff einfach nicht widerstehen können. Das Kleid war schulterfrei und ließ jede Menge milchweißer Haut sehen. Das i-Tüpfelchen bildete ein weiches Schultertuch in einem dunkleren Rot.

Ja, jetzt bezahlte sie dafür, dass sie zuvor ihre Haare nicht ordentlich getrocknet hatte – die Lockenpracht war außer Kontrolle geraten. Nun, es war keine Zeit mehr, um Ordnung zu schaffen, entschied sie und schlang die Mähne kurzerhand erneut zu einem losen Knoten. Dann applizierte sie noch ein wenig Puder und leuchtend roten Lippenstift, gekrönt von einem Spritzer Parfüm. Fertig.

Auf der Einladung zur Cocktailparty, die sich unter den anderen Informationen der Weingenossenschaft befunden hatte, stand auch eine kurze Wegbeschreibung zum Festsaal. Er befand sich nur einen Stock tiefer. Als sie den Korridor betrat, sah sie zu ihrer Freude Aidan nicht weit vor ihr. Er musterte sie bewundernd und stieß einen anerkennenden Pfiff aus. »Donnerwetter – Sie sind ganz bestimmt die Schönste des Abends, die Ballkönigin, wenn ich so sagen darf, Maura.«

Er führte sie in den Festsaal, wo die Cocktailparty bereits in vollem Gang war. Als Erstes stellte er sie Rita Deegan von der Weingenossenschaft vor, die alles organisiert hatte. Danach ging es von Grüppchen zu Grüppchen.

Aidan stellte sie den anderen Mitgliedern der australischen Winzerdelegation vor. Das Pärchen aus dem Tamar Valley, einem bekannten Weinanbaugebiet in Tasmanien, war ebenfalls erst heute, mit einem späteren Flug, eingetroffen, und sie unterhielten sich über die Folgen des Jetlags. Maura sprach kurz mit den Winzern aus Victoria und Westaustralien, die sie flüchtig von der zweimal jährlich stattfindenden Wein-Expo in Melbourne kannte. Die letzten Delegationsmitglieder erkannte sie sofort – William und Sylvie Rogers von der Glen Winery in Neusüdwales, deren Ruf ihre formidable Erscheinung bei weitem übertraf.

Aidan stellte Maura Sylvie vor. »Lorikeet Hill?«, sagte sie, als handele es sich um eine besonders scheußliche Krankheit. »Ach ja, das ist doch dieses kleine Weingut in Südaustralien, jetzt erinnere ich mich. Sie servieren auch Brotzeiten oder so was, wenn ich mich nicht irre?«, meinte sie herablassend.

Maura wollte gerade erklären, dass es sich eher um ein Restaurant handelte, als plötzlich ein unangenehmes Lächeln über Sylvies Gesicht huschte. »Ach, jetzt fällt mir wieder ein, wo ich Ihr Gesicht schon mal gesehen habe. Sie waren Richard Hillmans kleine Protegée, stimmt's, bis er Sie sitzen ließ und nach London ging? Wie ich höre, macht er sich dort glänzend.« Sie lächelte siegesgewiss. »Und Sie sind jetzt draußen im Busch – ist es nicht seltsam, wie das Leben so spielt?«

Mauras Augen weiteten sich angesichts dieser Unverschämtheiten, obwohl es sie nicht überraschte, dass Sylvie über Richard Bescheid wusste – eine Society-Hyäne wie sie war natürlich bei Klatsch und Tratsch auf dem Laufenden. Richard war damals ein aufstrebender Jungkoch gewesen, das neue Wunderkind der australischen Küche, und ihre Beziehung und der Bruch hatten ein Rauschen im Sydneyer Blätterwald verursacht.

Sie wollte gerade eine gepfefferte Antwort geben, als Sylvie sich abwandte – auf der Suche nach bedeutenderen Gesprächspartnern, wie ihre Haltung anzudeuten schien.

Aidan stieß einen leisen Pfiff aus. »Puh! Und ich dachte, ihr Australier wärt alle so locker«, wisperte er.

Maura grinste ein wenig schief; die Begegnung hatte sie nicht kalt gelassen. »Nicht, wenn's um einen Anteil am Weinmarkt geht. Und Sylvie ist entschlossen, sich mehr als ihren Anteil unter den Nagel zu reißen, würde ich sagen.«

Sie beobachteten, wie Sylvie ihren Mann William am Handgelenk packte, herrisch zum Vorsitzenden der Weingenossenschaft marschierte und ihn bei seiner Unterhaltung unterbrach.

»Der Arme, er hat keine Chance gegen dieses alte Schlachtross«, flüsterte Tony, der viktorianische Winzer neben ihr. Maura erwiderte sein Lächeln. Es war allseits bekannt, dass Sylvie in der Ehe die Hosen anhatte und William ständig herumkommandierte.

»Wissen Sie, dass man munkelt, sie ließe ihn nicht mal mehr den Wein machen? Anscheinend hat sie ein paar junge, begabte Winzer engagiert, die besser sind als er, und bezahlt sie für ihr Stillschweigen«, flüsterte Tony.

Maura riss die Augen auf.

Brenda, die Frau des westaustralischen Delegierten, meldete sich nun ebenfalls zu Wort. »Das würde mich gar nicht überraschen. Ich habe gehört, dass sie schon seit Jahren Weinhandlungen besticht, ihre Flaschen im Vordergrund zu platzieren, ist das zu fassen?«

Tony wollte gerade noch ein paar Einzelheiten beisteuern, als jemand mit einem Stift gegen ein Weinglas klopfte und um Ruhe bat.

Der Vorsitzende der irischen Weingenossenschaft setzte nun, Sylvie immer noch unangenehm dicht an seiner Seite, zu einer charmanten Begrüßungsrede an, gefolgt von einer ebensolchen vom Vorsitzenden der australischen Delegation.

Maura nutzte die Gelegenheit, um sich verstohlen umzublicken, ob Bernadette schon da war. Das schien nicht der Fall zu sein, jedenfalls sah sie niemanden, der dem unscharfen Foto ähnelte, das sie Maura nach Australien geschickt hatte. »Ich weiß, es ist verschwommen«, hatte Bernadette auf die Rückseite geschrieben. »Das liegt an der Vaseline auf der Linse – die einzige Art, ein halbwegs schmeichelhaftes Foto von mir zustande zu bringen!«

Maura berührte Aidan am Arm, als er nach Beendigung der Reden an ihr vorbeieilen wollte, um zur Bar zu gehen. »Sie haben nicht zufällig Bernadette Carmody hier irgendwo gesehen? Ich wollte mich hier mit ihr treffen.«

Aidan schlug sich die Hand auf den Mund. »Ach Gott, ich wusste doch, dass ich Ihnen irgendwas sagen wollte, aber ich hab's einfach vergessen, als ich so spät dran war, und dachte, ich hätte Sie vielleicht verpasst und Sie hätten schon ein Taxi genommen und sich gefragt, wo, zum Teufel, die irische Gastfreundschaft geblieben ist.«

Maura unterbrach seinen Redefluss. »Was wollten Sie mir sagen?«

»Das Dach von Bernadettes Kochschule in der Cloneely Lodge ist in der Sturmnacht vor zwei Tagen eingestürzt. Sie saßen zu dem Zeitpunkt schon im Flugzeug, sonst hätten wir Sie noch angerufen und es Ihnen gesagt. Es waren die schlimmsten Stürme seit langem, der Mann von der Wettervorhersage fürchtete schon, wir würden jeden Baum in Westirland verlieren.«

»Und – was ist mit Bernadette? Ist ihr was passiert?«, unterbrach Maura drängend seinen Wetterbericht.

»Nein, es geht ihr gut, sie war zu der Zeit gar nicht zu

Hause, aber das Schlimme ist, sie hat sich am nächsten Tag, als sie den Schaden begutachtete, den Knöchel verstaucht. Aber es geht ihr prima, sie kann bloß 'ne Woche oder so nicht richtig laufen, muss den Fuß ruhig halten, sagt der Arzt. Aber das wird schon wieder, machen Sie sich keine Sorgen, auch die Kochkurse finden statt.«

Maura hatte Probleme, mit ihm Schritt zu halten. »Bernadette hat sich verletzt, ihr Dach ist eingestürzt und trotzdem findet alles wie geplant statt?«, erkundigte sie sich verblüfft.

Aidan stieß ein fröhliches Lachen aus und schaute sie an, als wäre sie ein wenig einfältig. »Sicher findet alles wie geplant statt – bloß eben nicht in Bernadettes Haus. Dort wird's in den nächsten vier Wochen von Dachdeckern wimmeln, es wäre also kein Platz für euch alle. Nein, Sie und Bernadette werden ins *Ardmahon House* übersiedeln, gleich auf der anderen Seite des Tals. Rita hat alles organisiert. Ardmahon House scheint absolut *umwerfend* zu sein«, schwärmte er, »ist gerade erst komplett renoviert worden, zehn Schlafzimmer, riesige Küche, der Gipfel des Luxus – einfach perfekt. Und wir hatten ein Riesenglück, dass es den Sturm unbeschädigt überstanden hat. Der Wind muss so geheult haben, dass man kaum sein eigenes Wort verstehen konnte.«

Aidans Gedankengänge waren derart windungsreich, dass sich selbst der beste Pfadfinder früher oder später darin verirren musste. Sie war sehr erleichtert, dass Bernadette nichts Schlimmeres zugestoßen war, und nahm sich fest vor, sie gleich anzurufen, wenn sie wieder in ihrem Zimmer war. Dann kam ihr plötzlich ein anderer Gedanke. Es gelang ihr, Aidan zu unterbrechen, der sich nun völlig in seine Wetterschilderungen hineingesteigert hatte. »Aber was wird aus der Promotiontour durch Westirland?«

Er hörte auf, mit den Armen herumzuwedeln. »Ach, darum hat sich Rita auch schon gekümmert. Der Besitzer des Ardmahon House ist ein neues Mitglied der Weingenossenschaft und hat sich bereit erklärt, auch diesen Teil zu übernehmen«, erwiderte er und strahlte sie an.

Als Aidan kurz innehielt, um Luft zu holen, versuchte Maura rauszufinden, was genau passiert war, doch Aidan sprach schon wieder weiter.

»Nein, nein, kein Wort mehr, glauben Sie mir, es ist alles geregelt, der Mann kommt heute Abend vorbei, um Sie kennen zu lernen. Sie werden in der ersten Woche zusammen herumreisen, so wie Sie es mit Bernadette geplant hatten, und dann werden wir Sie und Bernadette und ihre Kochschüler und Restaurantbesucher schön gemütlich im Ardmahon House unterbringen, Sie werden sehen.« Aidan schenkte ihr ein aufmunterndes Lächeln.

In diesem Moment tauchte Rita von der Weingenossenschaft auf, hatte aber Aidans letzte Worte nicht gehört.

»Ja, was für eine Schande, das mit Bernadette. Maura, sie hat sich so darauf gefreut, Sie herumzufahren. Aber Sie werden Ihre Tour trotzdem machen können und Bernadette eben eine Woche später als geplant kennen lernen. Ach, ich glaube, Ihr neuer Begleiter ist gerade eingetroffen – warten Sie einen Moment, ich werde Sie gleich miteinander bekannt machen.«

Maura stand da und war bemüht, das Ganze erst mal zu verdauen. Die Vorfreude auf diese Reise war noch dadurch erhöht worden, dass sie in Bernadette bereits eine Freundin gefunden zu haben glaubte. Und jetzt müsste sie wieder ganz von vorne anfangen, noch dazu mit einem fremden Mann.

Sie kreuzte heimlich die Finger und hoffte inbrünstig, dass ihr neuer Partner sich als genauso nett herausstellte, wie Bernadette zu sein schien.

Munter verkündete Rita hinter ihr: »Dominic Hanrahan, ich möchte Sie Ihrer Reisegenossin für die nächsten sieben Tage vorstellen.«

Maura drehte sich mit einem strahlenden Lächeln um, das jedoch prompt gefror, als sie aufblickte. Das letzte Mal, als sie dieses Gesicht gesehen hatte, hatte sie eine Vase mit kaltem Wasser darüber gekippt.

5. Kapitel

Rita fuhr fröhlich mit der Vorstellung fort, ohne zu bemerken, dass Maura plötzlich das Blut aus dem Gesicht gewichen war.

»Danke, Rita, aber wir sind uns schon einmal begegnet, nicht wahr, Miss Carmody?«, meinte Dominic Hanrahan glatt.

Maura konnte nicht verhindern, dass ein Ausdruck des Entsetzens über ihr Gesicht huschte. Was, um alles in der Welt, hatte der Restaurantkritiker vom *OzTaste* hier in Dublin zu suchen?

Rita entging die Spannung zwischen den beiden. »Ach ja, Sie sind ja auch gerade aus Australien zurück, nicht Dominic?«, zwitscherte sie fröhlich. »Haben Sie in Mauras Lokal vorbeischauen können? Ein unvergessliches Erlebnis, was ich so höre.«

»O ja, das ist es allerdings«, entgegnete Dominic trocken und warf Maura einen Blick zu.

Rita fuhr begeistert fort. »Dominic hat gerade ein wunderschönes großes Landhaus im County Clare komplett renovieren lassen, Maura, nur ein paar Kilometer von Bernadettes Anwesen entfernt. Wir waren so froh, dass er in letzter Minute einspringen konnte, nach dem schrecklichen Missgeschick mit Bernadettes Dach. Auch die Presse meldet schon Interesse an – wie ich höre, kommen sogar ein paar britische Journalisten herüber. Ihr Australier erregt hier ganz schönes Aufsehen.«

»Und schlimmes Magendrücken«, murmelte Dominic, aber so, dass nur Maura ihn hören konnte.

»Ich freue mich sehr darauf, die britischen Restaurantkritiker kennen zu lernen«, meinte Maura, demonstrativ Rita anblickend. »Wie ich höre, verfügen sie, im Gegensatz zu einigen anderen Kritikern, die ich kenne, über große Integrität und Sachkenntnis.«

Rita gab ein nervöses Lachen von sich, da sie nun die Anspannung zu spüren begann, ohne sich jedoch einen Reim darauf machen zu können. »Aber Sie hatten doch sicher noch nie schlechte Kritiken, Maura. Ich habe nur Lob über das ausgezeichnete Essen und den Wein von Lorikeet Hill gehört«, sagte sie hastig.

»Nicht ich persönlich, nein«, meinte Maura und lächelte sie an, bevor ihr Lächeln verschwand und sie den Mann neben sich anblickte. »Aber Mr. Hanrahan hier weiß sicher, wie klein die Restaurant- und Weinwelt ist und dass jeder über jeden Bescheid weiß.«

Dominic wollte gerade etwas darauf erwidern, als eine gedehnte Stimme hinter ihnen ertönte. Maura erkannte sofort den Akzent – es war die glamouröse Gattin des Kritikers. »Stell mich bitte dem Wunderkind der australischen Küche vor, Darling. Ich brenne darauf, sie kennen zu lernen«, hauchte die Frau, während sie den Arm um Dominics Taille schlang.

Dominic nickte Maura zu. »Maura Carmody, darf ich Ihnen Carla Thomas vorstellen. Ich glaube, Sie sind einander noch nicht richtig vorgestellt worden.«

Carla schaute Maura an. »*Sie!*« Bei Carlas Aufkreischen drehten sich jede Menge Köpfe zu ihnen herum. Sie stieß ein hässliches Lachen aus. »Was für ein Witz! Einen schlimmeren Fraß als bei Ihnen habe ich noch nie erlebt.«

Empörung wallte in Maura auf. Ist auch kein Wunder, dachte sie gehässig, dieser Hungerhaken sieht aus, als würde er seine Mahlzeiten grundsätzlich erleben und nicht essen.

Carla zeigte ihr demonstrativ die kalte Schulter. »Ach, Dominic, du kannst sie unmöglich im Ardmahon House kochen lassen. Du ruinierst dir deinen guten Ruf. Gerade habe ich Janice alles über unser schockierendes Erlebnis in ihrem Restaurant in Südaustralien erzählt. Wart's ab, wenn sie das jetzt hört – das wird der Hammer in ihrer morgigen Spalte!«

»Aber wir dürfen doch unseren Gast nicht einfach sitzen lassen, Carla«, entgegnete Dominic ruhig. »Außerdem würde ich wirklich gerne erfahren, ob etwas dran ist an all dem Theater, das in letzter Zeit um die australische Küche und den australischen Wein gemacht wird.«

Eine Mischung aus Jetlag, Nervosität und Schock ließ Maura erzürnt auf seinen Sarkasmus reagieren.

»Sie sind mir gerade der Richtige, so etwas zu sagen, Mr. Hanrahan. Ich nehme doch an, das ist Ihr richtiger Name, oder ist es wieder nur ein Deckname, hinter dem Sie sich hier in Irland verstecken?«

Rita, vollkommen verwirrt über die seltsame Wendung der Dinge, trat abermals nervös dazwischen.

»Na, ist das nicht eine tolle Party! Sicher habt ihr noch jede Menge Zeit, während der Fahrt alles zu diskutieren«, meinte sie hastig und schickte ein fast verzweifeltes Lächeln in die Runde. »Sie können mir glauben, Mr. Hanrahan, wir sind Ihnen unendlich dankbar, dass Sie eingesprungen sind. Sie haben uns wirklich aus der Klemme geholfen.«

Maura merkte, dass ihr Aufbrausen in Ritas Augen recht undankbar wirken musste. Sie wandte sich an Rita, um ihr die Situation zu erklären und zu sagen, dass es ihr unmöglich wäre, mit Dominic Hanrahan zusammenzuarbeiten, doch bevor sie ein Wort sagen konnte, zog Rita Carla zu einer anderen Gruppe. Bestürzt sah Maura, dass Carla ein Gespräch mit Sylvie Rogers anfing. Carla flüsterte ihr etwas zu, und dann schauten beide zu ihr herüber.

Tief durchatmend wandte Maura ihre Aufmerksamkeit wieder Dominic Hanrahan zu. Ein Teil ihres Gehirns registrierte erneut, wie umwerfend er aussah, doch sie verdrängte den Gedanken. Nur mit Mühe konnte sie ihre Stimme ruhig halten. »Es tut mir Leid, Mr. Hanrahan, aber das ist eine unhaltbare Situation. Ich kann unmöglich eine Woche mit Ihnen durch Irland fahren oder in Ihrem Haus kochen. Hätte ich gewusst, dass Sie auch dabei sein würden, ich hätte es mir zweimal überlegt, ob ich überhaupt mitmache.«

»Ich muss Ihnen beipflichten, es scheint eine unhaltbare Situation zu sein, Miss Carmody«, sagte er in einem Ton, als würde er sich über ihre formelle Art lustig machen. »Aber ich glaube, wenn Sie jetzt ausstiegen, würde sich die Weingenossenschaft sehr über Ihren Mangel an Professionalität wundern.«

Mangel an Professionalität? Eine Frechheit, dass ausgerechnet er so etwas sagte! Maura beschloss, dass Angriff noch immer die beste Verteidigung war.

»Aber es ist Ihre Schuld, dass es überhaupt erst dazu gekommen ist. Es war Ihre Kritik in *OzTaste*, die Gemma Taylor in den Bankrott getrieben hat und die alles erst ins Rollen brachte.«

»Ah ja«, meinte er glatt. »Wer ist denn diese mysteriöse Gemma? Ich erinnere mich, dass Sie ihren Namen vor sich hersagten wie eine Art Zauberspruch, als Sie mir das Wasser über den Kopf kippten. Aber abgesehen davon, weiß ich nichts von ihr.«

Maura stieß ein überraschtes Lachen aus. »Erzählen Sie mir doch nicht, Sie hätten diese Kritik vergessen. Natürlich wissen Sie, wer Gemma ist.«

»Tut mir Leid, aber das weiß ich nicht. Ich habe zwar schon in vielen Lokalen gegessen, aber eine Restaurantkritik habe ich noch nie verfasst.«

»Ich bitte Sie«, fauchte sie ihn an. Seine Sturheit machte sie rasend. »Als Nächstes wollen Sie mir wohl weismachen, dass Sie überhaupt nichts mit *OzTaste* zu tun haben!«

Es gab eine kurze Pause, dann sagte er: »Ich habe schon mit *OzTaste* zu tun, aber ich bin nicht deren Restaurantkritiker.«

»Ah, ich verstehe«, sagte sie sarkastisch. »Ihnen gehört natürlich das Magazin, wie dumm von mir.«

»Nun ja, es gehört mir tatsächlich.«

Maura spürte ein eigenartiges Gefühl, als würde Strom langsam durch ihre Wirbelsäule kriechen. Ganz plötzlich hatte sie den Eindruck, er könnte die Wahrheit sagen.

Beide schwiegen einen Moment lang und blickten sich an.

Maura sprach als Erste. »Sie sind nicht der Restaurantkritiker vom *OzTaste*, stimmt's?«, fragte sie kleinlaut, die Augen erschrocken aufgerissen.

»Nein, bin ich nicht«, wiederholte er. »Ich bin Dominic Hanrahan. Und Tatsache ist, dass es ab nächsten Monat *OzTaste* nicht mehr geben wird. Wir haben beschlossen, die Zeitschrift einzustellen, als wir merkten, dass sie schon seit langem unrentabel ist und den Konzern belastet.«

»Warum waren Sie dann im Clare Valley?«, flüsterte sie noch kleinlauter.

»Nun ja, man nennt das Tourismus. Und gewöhnlich scheinen Ihnen Besucher sogar willkommen zu sein.«

Maura hob die Hände, sodass sie ihr Gesicht zur Hälfte bedeckten. Dann sprudelte es aus ihr hervor. »Man sagte mir, dass der Tester vom *OzTaste* bei uns in Lorikeet Hill vorbeikommen, dass seine Kritik aber nie erscheinen würde, weil die Zeitschriftengruppe übernommen wird. Sie und Ihre Frau passten genau, Sie kamen aus Sydney, Sie hatten einen amerikanischen Akzent ...«

»Da irren Sie sich gleich dreimal, Miss Carmody. Ich bin nicht der Tester, ich bin Ire, nicht Amerikaner, und Carla ist auch nicht meine Frau. In einem Punkt hatten Sie allerdings Recht, wir kamen tatsächlich aus Sydney.« Seine glatte Fassade verschwand urplötzlich, und er fragte mit scharfer Stimme: »Wer hat Ihnen von der Übernahme der Zeitschriftengruppe erzählt? Das war bis vor einer Woche nur in eingeweihten Kreisen bekannt.«

»Mein Freund Joel hat mich angerufen … er ist freier Journalist in Sydney.« Noch während sie das sagte, wünschte Maura, ein breiter Tunnel möge sich unter ihr auftun und sie direkt durch die Erdkugel nach Australien zurücksaugen.

Wahrscheinlich hatte sie gerade Joels Chancen, auch nur irgendwie für den Konzern dieses Mannes zu arbeiten, ruiniert. Und, was noch wahrscheinlicher war, sie hatte gerade ihre Chance, diese Reise zu einem Erfolg zu machen, ruiniert.

Maura holte tief Luft und wollte gerade zu einer bitter nötigen Entschuldigung anheben, als Carla plötzlich wieder ankam. »Gibst du dich noch immer mit ihr ab, Dom?«, flötete sie. »Du hast dieser Frau doch sicher erklärt, dass die Sache nun abgeblasen ist, oder?«

Dominic blickte erst Maura an, dann wandte er seine Aufmerksamkeit langsam wieder Clara zu. »Ganz im Gegenteil, Carla, die Sache findet statt. Ich bin sicher, dass es Maura gar nicht abwarten kann, uns zu beweisen, dass sie etwas von Wein und natürlich auch vom Kochen versteht.«

Mauras Absicht, sich zu entschuldigen, verflog. Ihre Augen verengten sich. Nicht zuletzt wegen Richard hatte sie genug von dieser Art von männlicher Arroganz, und sie wollte verdammt sein, wenn sie diese Fahrt, die sie und Bernadette mit so viel Mühe geplant hatten, nur wegen dieses Kerls sausen ließ.

Mit hochroten Wangen blitzte sie ihn an, ohne das amüsierte Funkeln in seinen Augen zu bemerken. Dann richtete sie ihren Blick auf seine Begleiterin. »O ja, Carla, die Sache findet auf jeden Fall statt. Um ehrlich zu sein, ich kann's kaum abwarten, dass es losgeht.«

Carla spürte den unausgesprochenen Wettkampf zwischen Maura und Dominic, und offenbar missfiel ihr, was sie sah.

Ohne Vorwarnung zuckte sie mit der Hand, sodass ihr Weißwein sich über Mauras Kleid ergoss.

Maura rang erschrocken nach Luft.

»Ach, das tut mir aber Leid, wie ungeschickt von mir«, sagte Carla triumphierend. »Muss ansteckend sein. Sie hatten Glück, dass keine Vase voll Wasser in der Nähe war. Jetzt müssen Sie leider auf Ihr Zimmer gehen und sich umziehen, was?«

Mit diesen Worten packte sie Dominic beim Arm und zerrte ihn fort. Sekunden später tauchte Aidan an ihrer Seite auf und zog prompt die falschen Schlüsse.

»Ach, Sie haben Ihren Wein verschüttet, Sie Arme, der Jetlag bringt Sie sicher fast um. Hier haben Sie was, um sich abzutupfen. Zum Glück fällt's auf diesem Kleid nicht so auf.«

»Ja, zum Glück«, sagte Maura, die sich plötzlich vor Müdigkeit kaum noch auf den Beinen halten konnte. Womit, um alles in der Welt, hatte sie das verdient? Sollte das nicht eine einfache Geschäftsreise werden?

Während Aidan und Rita sich ihrer annahmen, sah Maura sich im Saal nach Dominic um. Sie konnte nicht anders. Zu ihrem Schrecken blickte auch er zu ihr herüber, bis Carla sich dazwischenstellte und den Blickkontakt unterbrach.

Maura, die von den Ereignissen einfach erschlagen war, erklärte Aidan und Rita, dass sie für heute Schluss machen wollte.

Rita hatte großes Verständnis dafür. »Aber natürlich, Sie Arme, Sie können ja wahrscheinlich kaum noch einen klaren Gedanken fassen. Warten Sie einen Moment, ich will nur rasch nachfragen, ob Mr. Hanrahan weiß, wann er Sie abholen soll. Bin gleich wieder da.«

»Rita sucht nach mir, nicht wahr?« Maura zuckte zusammen, als Dominics Stimme so plötzlich hinter ihr erklang. Sie verfluchte ihre Reaktion. Das Letzte, was sie wollte, war, dass er sah, wie sehr er sie aus der Fassung brachte.

Er schien nichts zu merken. »Ich habe von drüben gesehen, dass Sie gehen wollen. Wir müssen noch ausmachen, wann wir losfahren.«

Sie bemerkte das amüsierte Funkeln in seinen Augen und versuchte, es nicht zu beachten.

Er fuhr fort. »Unser erster Stopp ist mittags in Sligo. Ich werde Sie am Dienstagvormittag um neun Uhr hier im Hotelfoyer abholen, wenn Ihnen das recht ist?« Ein mitfühlendes Lächeln breitete sich unversehens auf seinem Gesicht aus, als wüsste er, wie unangenehm die Änderung der Pläne für sie war.

Maura nickte müde. Sie war viel zu erschöpft zum Streiten. Wie im Traum ließ sie sich von Rita zur Tür ziehen und auf ihr Zimmer bringen. Sie hätte gerne noch Bernadette angerufen, um sich nach ihrem Befinden zu erkundigen, und Nick, um ihm alles zu erzählen, aber der Anblick des Betts, dessen Decke zurückgeschlagen worden war, war einfach zu einladend. Sie streifte das feuchte Kleid ab und fiel in einen zwölfstündigen Tiefschlaf.

6. Kapitel

Als sie aufwachte, war es schon fast Mittag. Froh über den langen, erholsamen Schlaf, streckte sie sich genüsslich. Sie fühlte sich erfrischt und optimistisch und bereit, sich mit der neuen Situation auseinander zu setzen. Sie würde Dominic einfach sagen, wie Leid ihr die rüde Behandlung in Lorikeet tat und dass es eine unglückliche Verwechslung gewesen war. Das würde hoffentlich die seltsame Spannung zwischen ihnen beseitigen. Ja, wenn es sein musste, würde sie sich sogar bei Carla entschuldigen.

Doch als sie wenige Minuten später zur Zeitung griff, die mit dem Frühstückstablett geliefert worden war, verpufften ihre guten Vorsätze.

Carlas Bekannte, die Klatschkolumnistin, hatte in ihrer Spalte einen hässlichen Artikel über Dominics und Carlas Erfahrungen in Lorikeet Hill geschrieben, ohne mit einem Wort zu erwähnen, dass es sich dabei um eine Verwechslung gehandelt hatte. In dem Artikel klang es so, als wäre Maura eine unfähige Irre, die nicht mal die Kochschule bestanden hatte. Sogar Einzelheiten über Mauras und Richards Restaurant in Sydney hatte sie ausgegraben, woher sie davon wusste, konnte sich Maura beim besten Willen nicht vorstellen. Hinzugefügt wurde noch, dass Richard nun in London Furore machte.

Woher wusste sie das mit Richard? Doch dann fiel ihr wieder ein, dass Carla sich ja mit Sylvie unterhalten hatte. Die alte Hexe musste ihr die ganze Story geflüstert haben.

Maura, die den Artikel noch mal las, rutschte das Herz in die Hose. Die Kolumnistin deutete an, dass Mauras Ruf vor allem auf Richards Einfluss zurückzuführen war und nicht auf etwaiges eigenes Talent. Es gab sogar ein Zitat von Dominic, in dem er erklärte, er wäre immer bereit, den Leuten noch eine zweite Chance zu geben. Dieser herablassende Bastard! Als ob es ihre Gewohnheit wäre, solches Essen zu servieren oder Wildfremden kaltes Wasser über den Kopf zu kippen!

Maura widerstand der Versuchung, unter die Decke zu kriechen und erst in vier Wochen wieder zum Vorschein zu kommen. Diese für Lorikeet Hill so ungeheuer wichtige Promotiontour ließ sich ja gut an. *Céad Míle Fáilte*, hatte Aidan gestern gesagt. Tausendmal willkommen. Wohl eher ein tausendfacher Albtraum.

Sie hätte heulen können vor Frustration. Fast drei Jahre hatte sie gebraucht, um ihr Selbstvertrauen wieder aufzubauen, um wieder an sich und ihre Fähigkeiten zu glauben. Der wachsende Erfolg des *Lorikeet Hill Winery Cafés* war Beweis dafür, dass sie das Zeug zu einer wirklich guten Köchin hatte. Sie hatte gehofft, auf dieser Reise Richards Geist endgültig verbannen und sich einen eigenen Namen machen zu können. Und jetzt das hier.

Wenn sie zu Hause im Clare Valley wäre, würde sie jetzt über dem heutigen Menü brüten oder draußen in ihrem Kräutergarten herumgraben. Stattdessen hockte sie hier in Dublin, vor dem zusammengestürzten Kartenhaus ihrer Hoffnungen und Träume. Mit einer einzigen Bemerkung hatte sie Joels Karrierechancen verpatzt. Die arme Bernadette hatte sich verletzt, und ihr Haus lag in Trümmern. Sogar das Wetter schien zu wissen, wie es um ihr Glück bestellt war. Der gestern noch trockene Himmel hatte sich zugezogen, und ein Dauerregen hatte eingesetzt, wie sie durch ihr Fenster sehen konnte.

»Na toll, ruhig weiter so«, sagte sie laut. »Immer schön regnen.« Wenn sie Glück hatte, erlebte Dublin die schlimmsten Regenfälle seit Jahrhunderten. Alle Weingeschäfte würden überflutet werden. Jede einzelne Flasche Lorikeet-Hill-Wein, die sie mitgebracht hatte, würde fortgeschwemmt werden, und die Weingenossenschaft hätte gar keine andere Wahl, als die Tour abzublasen. Sie schloss die Augen und schickte ein inbrünstiges Stoßgebet gen Himmel.

Ihr Herz machte einen Satz, als plötzlich das Telefon klingelte. Eine weibliche irische Stimme. Rita? Waren ihre Gebete erhört worden?

Doch dann ertönte ein vertrautes freches Lachen, und Maura jauchzte.

»Bernadette!«, rief sie begeistert. »Wie geht's dir? Wie geht's deinem armen Fuß und dem Dach?«

Es dauerte nicht lange, und Maura saß zusammengekuschelt auf dem Bett und hörte sich die ganze Geschichte von der schrecklichen Sturmnacht an. Bernadette versicherte ihr, dass das mit dem Fuß und auch mit dem Dach nur halb so schlimm war, wie es zunächst ausgesehen hatte.

»Beide sind in einem Monat oder so wieder vollkommen in Ordnung, und dann springe ich auf dem Dach herum, wirst sehen. Und jetzt erzähl mal, hast du schon meinen unverschämt gut aussehenden Stellvertreter kennen gelernt? Findest du ihn nicht einfach lecker?«

Maura musste lächeln. »Na ja, so würde ich's nicht unbedingt ausdrücken.« In wenigen Minuten hatte sie ihr die ganze Geschichte erzählt, angefeuert von Bernadettes herzlichem Lachen.

»Ach, du Arme! Du musst ja fast gestorben sein«, meinte Bernadette. »Mach dir keine Gedanken, besonders nicht wegen dieser alten Giftspritze und ihrer Tratschkolumne. Die Leute prügeln sich, um bei ihr erwähnt zu werden, ob gut oder schlecht, das spielt keine Rolle. Die Leute werden sich an deinen Namen erinnern, nicht an das, was sie über dich geschrieben hat.«

»Du hast gut reden«, beklagte sich Maura, »du musst ja nicht eine Woche mit deinem Erzfeind in einem engen Auto verbringen. Wer ist dieser Dominic Hanrahan überhaupt?«

»Um ehrlich zu sein, ich kenne ihn selbst erst seit Ende letzten Jahres. Angeblich ist er als ganz junger Mann nach Amerika gegangen und hat sich dort als Herausgeber und Journalist einen Namen gemacht. Dann, vor etwa einem halben Jahr, ist er plötzlich wieder aufgetaucht, Carla im Schlepptau.«

»Ach ja, die reizende Carla, so charmant, dass einem die Spucke gefriert.«

Bernadette lachte. »Da könntest du Recht haben, die junge Dame kann ganz schön launisch sein. Sieht immer so aus, als wäre sie lieber ganz woanders.«

»Was machen die beiden eigentlich in Irland?«, fragte Maura.

»Weiß ich auch nicht genau. Dominic erzählt nicht viel. Er sagte, er will, dass Carla ein bisschen Zeit hier verbringt.

Die Leute hier tuscheln, dass er aus dem Herrensitz möglicherweise ein Luxushotel machen will. Es wurde von Grund auf renoviert, man erkennt es kaum wieder – neue Küche, Gästezimmertrakt, das ganze Programm. Deshalb haben wir ja ein solches Glück, dass er einspringt, wo mir mein Haus über dem Kopf zusammengefallen ist.«

»Carla und das Landleben genießen? Schwer vorstellbar.«

Bernadette lachte. »Wie ein Landpflänzchen kommt sie mir auch nicht gerade vor. Vielleicht denkt sie ja, sie kann das Hotel mit berühmten Popstars und Fußballern füllen. Aber genug davon, sieh du nur zu, dass du die Tour genießt, so gut du kannst. Und ich werde auch schon bald wieder rumspringen, wirst sehen, und dann können wir gemeinsam kochen, was das Zeug hält.«

Maura legte auf, wesentlich fröhlicher als vor dem Gespräch. Es gab keinen Grund, die Reise schon als Fehlschlag zu verbuchen – sie musste einfach das Beste aus der Situation machen. Außerdem konnte sie Nick und Fran nicht im Stich lassen, bloß weil sie verunsichert und wütend war.

Sie duschte, zog sich rasch an und flocht ihre Haare zu einem lockeren Zopf. Dann griff sie nach Handtasche und Mantel und machte sich auf den Weg nach unten. Sie hatte noch ein paar freie Stunden vor der Weinprobe am frühen Abend. Zeit genug, um sich wieder zu beruhigen.

Maura ging erneut zur Grafton Street, um die Sachen für sich und ihre Lieben zu Hause zu besorgen; außerdem wollte sie sich einige von den Sehenswürdigkeiten anschauen, die Dublin zu bieten hatte. Danach würde sie sich einen Kaffee im *Bewley's* in der Grafton Street genehmigen. Rita hatte ihr auf der Party gestern versichert, dass das Lokal ein Muss für jeden Dublintouristen wäre.

Aber zuerst wollte sie einen Blick in die Weinhandlung von Aidans Familie werfen, die nur ein paar Straßen vom Shelbourne entfernt lag. Sie wollte wissen, welche australischen

Weine man in Irland bereits kannte, bevor sie ihren ersten Vortrag hielt.

Das Geschäft war schnell gefunden. Interessiert schaute sie sich die Auslagen an. Sie war derart in den Anblick der australischen Flaschen versunken, dass sie gar nicht bemerkte, wie sich ein junger Mann an sie heranschlich. Alles geschah blitzschnell – er packte den Schulterriemen ihrer Handtasche und riss so heftig daran, dass sie beinahe hinfiel.

Maura schrie erschrocken auf und wirbelte herum. Sie starrte dem Handtaschenräuber direkt ins Gesicht, dieser fluchte und riss erneut an dem Schulterriemen. Maura wiederum hielt ihn fest, und es gab ein richtiges Gezerre, bis Maura von einer plötzlichen Wut gepackt wurde.

Laut brüllte sie: »Nein!«, und trat ihren Angreifer heftig gegen das Schienbein. Zu ihrer Überraschung ließ er den Schulterriemen los und rannte davon.

Ihr Schrei hatte die Aufmerksamkeit des Verkäufers in der Weinhandlung erregt. Er kam gerade rechtzeitig herausgerannt, um zu sehen, wie der Dieb um die Ecke bog und in einer Nebenstraße verschwand.

Maura, die unter Schock stand, lehnte sich schwer atmend gegen die Glasscheibe und rieb sich ihr Handgelenk. Das Gezerre hatte dort einen roten Striemen hinterlassen.

»Ist Ihnen was passiert? Sie waren sehr mutig – hat er was erwischt?« Der Verkäufer musterte sie besorgt.

»Mir ist nichts passiert, nein, und er hat auch nichts bekommen«, versicherte Maura dem Mann, noch immer ihr Handgelenk reibend.

Da bemerkte ihr Helfer, dass sie am ganzen Leib zitterte. »Ach du meine Güte, Miss, kommen Sie doch bitte rein und setzen Sie sich kurz hin. Ich bringe Ihnen was zu trinken. Sie sind Touristin, nicht? Schreckliche Art, Sie in unserem schönen Land willkommen zu heißen. Na, aber wenigstens haben Sie jetzt eine authentische Erfahrung gemacht – das wahre

Dublin. Manche Leute geben ein Schweinegeld aus, um das wahre Dublin kennen zu lernen, und Sie haben es kostenlos mitbekommen.«

Maura brachte ein Lächeln zustande, während der Mann sie ins Geschäft führte und sich besorgt um sie kümmerte.

»Ist das ein australischer oder ein neuseeländischer Akzent, den ich da heraushöre? Sie sind hier auf Urlaub, stimmt's?«, erkundigte er sich, während er ein Glas holte und ihr eine großzügige Portion ausgezeichneten Brandy einschenkte.

Maura erklärte, warum sie in Irland war und vor der Weinhandlung gestanden hatte.

»Ach nein! Na so was – ich wollte heute Nachmittag zu einem Vortrag über australischen Wein gehen, warten Sie, ich zeige Ihnen die Einladung.«

Der junge Mann griff hinter die Ladentheke und holte eine elegant bedruckte Karte heraus, auf der ihr Name und die Namen von zwei anderen australischen Kollegen standen.

»Das bin ich«, sagte sie und deutete auf ihren Namen.

»Maura Carmody«, las der Mann vor. »Na, ich bin vielleicht ein Glückspilz – kriege einen Privatvortrag! Warten Sie kurz, Miss Carmody, ich hole mir rasch einen Stuhl, und dann können Sie anfangen. Das spart mir die Mühe, den ganzen Weg zur Temple Bar zu machen.«

Seine unverwüstlich gute Laune und sein Redeschwall halfen ihr rasch, sich von dem Schock des Überfalls zu erholen. Er stellte sich als Cormac Sheehan vor, Geschäftsführer der Weinhandlung von Aidans Familie.

»Ich kenne Aidan sehr gut. Aidan studiert Marketing, es wundert mich daher gar nicht, dass er sein Bestes getan hat, Sie dazu zu bringen, in seinem Laden vorbeizuschauen. Hier, sehen Sie sich das an«, sagte er mit einer weit ausholenden Armbewegung, als wäre der Laden wer weiß wie groß und nicht das winzige Stübchen, das er tatsächlich war.

Sie führten ein ungezwungenes Gespräch über den irischen Weinmarkt. Maura war sehr beeindruckt von seiner Kenntnis der Weine aus der »Neuen Welt«, wie er sich ausdrückte.

Cormac erklärte, dass sich die Übermacht der Franzosen, was Qualitätswein in Irland und Großbritannien betraf, im Lauf der letzten zehn Jahre mehr und mehr verringert hatte.

»Der australische Wein hat sich hier in letzter Zeit unglaublich verbreitet – früher kam man sich richtig exotisch vor, wenn man Jacob's Creek trank, doch jetzt gibt es ganze Regale nur mit australischem Wein in den *off licences* und Supermärkten. Und kroatischen Wein und argentinischen Wein und chilenischen Wein, Herrgott, fehlt nur noch hawaiianischer Wein.«

Sie lachte laut auf, ihr Brandyglas in beiden Händen haltend. »Woher dieses plötzliche Interesse, was glauben Sie? Das liegt doch bestimmt nicht daran, dass die Nachfrage nach Guinness abnimmt, oder?«

»Eher friert die Hölle zu, als dass das geschieht«, lachte Cormac. »Nein, ich nehme an, jetzt, wo die Leute mehr reisen, werden sie auch mutiger und abenteuerlustiger, was Wein und Essen betrifft. Und seit Irland der EU angehört und der keltische Tiger los ist, ist auch mehr Geld im Umlauf. Die Leute wollen mal was Neues ausprobieren. Außerdem stehen uns die Australier, was ihre Wurzeln betrifft, ohnehin sehr nahe, da ist es ja fast unsere Pflicht, ihre herrlichen Weine zu probieren.«

Maura warf einen Blick auf ihre Uhr und bemerkte überrascht, wie viel Zeit vergangen war. Cormac schaute sich um – der letzte Kunde war gegangen, und sie waren allein im Laden.

»Hören Sie, ich muss ohnehin in zwanzig Minuten zumachen, es wird schon keiner sterben, wenn ich jetzt gleich abschließe. Ich kann Sie ja zur Temple Bar bringen und Ihnen dabei noch ein wenig von unserem schönen Dublin zeigen, als Dankeschön für unser sehr lehrreiches Gespräch.«

7. Kapitel

Maura stand unter dem Ladenvordach, um sich vor dem sanften Nieselregen zu schützen, während Cormac abschloss. Eine Hand sanft an ihrem Rücken, dirigierte er sie in Richtung *Trinity College*.

»Also, was haben Sie außer dem Überfall sonst noch erlebt, und was hat die Weingenossenschaft für Sie geplant?«, erkundigte er sich. »Ich hoffe, die kümmern sich gut um Sie, denn sonst müsste ich mir Aidan vorknöpfen.«

Sie erzählte ihm in kurzen Worten, dass sie seit ihrer Ankunft schon ein paar Überraschungen verkraften musste. Ohne den Vorfall in Australien zu erwähnen, erzählte sie Cormac von dem Unglück, das Bernadette widerfahren war, und dass sie nun mit einem neuen Reisebegleiter vorlieb nehmen musste.

»Eine Schande für Sie und für Bernadette. Ich kenne sie schon seit ein paar Jahren, eine großartige Frau«, sagte er, kurz bevor er stehen blieb und sie auf das *Mansion House* hinwies, die Residenz des *Lord Mayors*, des Oberbürgermeisters von Dublin. Sie wollte ihn gerade etwas dazu fragen, als Cormac schon wieder auf ihre Weinreise zu sprechen kam.

»Wie heißt Ihr neuer Begleiter? Ich kenne viele Mitglieder der Weingenossenschaft«, wollte Cormac wissen. Bei der Erwähnung des Namens von Dominic Hanrahan blieb er, zum Missvergnügen der anderen Passanten auf dem überfüllten Gehsteig, wie angewurzelt stehen.

»Stimmt was nicht? Kennen Sie ihn?«, erkundigte sich Maura, verwirrt über seine Reaktion.

»Nur dem Hörensagen nach, bin ihm nie begegnet. Wussten Sie, dass er erst vor kurzem aus New York zurückgekehrt ist, mit so einem amerikanischen Sternchen im Schlepptau?«

Maura nickte. »Ja, das amerikanische Sternchen habe ich auch schon kennen gelernt«, meinte sie trocken.

Cormac setzte sich wieder in Bewegung, und sie musste fast rennen, um mit ihm Schritt zu halten. Er ließ sich weiter zu diesem Thema aus. »Sie haben Carla getroffen? Ein guter Freund von mir hat im Konzern ihres Vaters in New York gearbeitet. Auf diese Weise ist Dominic zu seinem ersten Geld gekommen – der Alte hat von einem Straßenmagazin erfahren, das Dominic aus dem Boden gestampft hatte, und hat es ihm abgekauft. Es gab mehrere Artikel darüber in den Wirtschaftsseiten der hiesigen Zeitungen, als das vor drei Jahren geschah. Na, auf jeden Fall, mein Freund sagt, Carla war eine ganz schön Wilde – Sie wissen schon, das Übliche: Einzelkind, stinkreich, total verzogen.«

Wer hätte das gedacht, dachte Maura.

»Der Alte war anscheinend ganz begeistert von Dominic und hat versucht, ihn mit Carla zu verkuppeln.«

Wieder musste sich Maura bemühen, um mit Cormac Schritt zu halten, während sie links abbogen und prompt mit einer Reisegruppe zusammenstießen, die aus einem Bus quoll und sich in ein großes Geschäft mit irischen Wollwaren und irischen Handarbeiten ergoss. Maura warf einen sehnsüchtigen Blick über ihre Schulter auf die herrlichen Glaswaren im Schaufenster, doch Cormac machte nicht den Eindruck, als wolle er stehen bleiben.

Er wandte sich um, um zu sehen, ob sie mit ihm und mit seiner Geschichte Schritt hielt. »Ihre Mutter starb, als sie noch klein war, und der Alte ist letztes Jahr gestorben. Man munkelt in der Firma, dass der Alte Dominic als ihren informellen Vormund eingesetzt hat. Dominic soll anscheinend so was wie eine Million Dollar bekommen, wenn er ein Auge auf sie hat, bis sie fünfundzwanzig wird. Und mehr, wenn er sie heiratet.«

Jetzt war es Maura, die abrupt stehen blieb. »Was?«

Cormac zog eine Augenbraue hoch. »Na ja, das ist wohl der Grund dafür, warum er sie kaum aus den Augen lässt. Würden Sie nicht auch auf sie aufpassen, wenn so viel Geld auf dem Spiel stünde?«

»Ich dachte, die beiden hätten was miteinander.«

»Haben sie wohl auch. Zumindest sagt man das.«

Maura war schockiert. Wie konnte Dominic nur so opportunistisch sein? Man stelle sich vor, da erschlich sich jemand die Liebe eines alten Mannes und verführte seine Tochter, bloß wegen Geld! Das war ja richtig mittelalterlich.

Einen Moment lang tat ihr Carla fast Leid. Maura fragte sich, ob sie etwas von dem Deal wusste. Sie bedachte Cormac mit einem dankbaren Blick. »Danke für die Information. Jetzt bin ich wenigstens vorgewarnt.« Sie hatten das Ende der Grafton Street erreicht, und Maura konnte die Statue von Molly Malone sehen, die über die belebte Straße wachte. Gerade wollte sie Cormac eine Frage dazu stellen, als ihr ein ganz anderer Gedanke kam.

»Wenn Dominic ein solcher Opportunist ist, wieso ist er dann so schnell eingesprungen, als das Dach von Bernadettes Haus einstürzte? Das war doch bestimmt eine sehr selbstlose Geste, oder nicht?«, fragte sie.

»Oberflächlich betrachtet schon, aber ich wette, da steckt mehr dahinter. Ich habe gehört, dass er gerade Hunderttausende von Pfund in die Renovierung seines Hauses gesteckt hat«, antwortete Cormac.

Maura nickte. Bernadette hatte dasselbe gesagt.

»Nun ja, man sagt sich, er hätte vor, dort ein Luxushotel für reiche Amerikaner zu eröffnen, die herkommen und ausspannen wollen. Das ist die ideale Gelegenheit für einen Probelauf. Die Plackerei hat die Weingenossenschaft bereits erledigt. Er kann all den reichen jungen Dingern, die zu Ihrem Kochkurs kommen, und den Journalisten, die ansonsten über

Bernadettes Haus geschrieben hätten, seinen luxuriösen Landsitz vorführen. Und er steht als der Retter in der Not da, der der Weingenossenschaft aus der Klemme geholfen hat. Er kann gar nicht verlieren. Außerdem gibt es Gerüchte, dass es bald ein hochklassiges Gourmet- und Weinmagazin in Irland geben soll. Falls Dominic der Drahtzieher sein sollte, könnte das für ihn auch eine praktische Studienreise werden.«

Aus Gründen, die ihr schleierhaft waren, war Maura sehr enttäuscht. Sie hatte an Bernadettes Meinung über Dominics Großzügigkeit glauben wollen. Aber nach dem, was Cormac sagte, schien reine Berechnung dahinter zu stecken.

Cormac musterte sie. »Ach, das tut mir Leid, jetzt habe ich Sie deprimiert, nicht? Tut mir wirklich Leid. Aber ehrlich, das Ganze betrifft Sie doch gar nicht – Sie können immer noch Ihre Vorträge halten und nach Herzenslust kochen, egal, mit wem Sie unterwegs sind oder in welchem Haus Sie untergebracht werden. Und Sie werden jede Menge von unserem schönen Land zu sehen bekommen. Ja, und wahrscheinlich werde ich auch mal in Clare vorbeischauen, um Sie auf ein wenig *craic* ins nächste Pub auszuführen. Die Pubs in Westirland sind die besten der Welt.«

Maura entschied, dass sie keineswegs deprimiert war, nein, sie war eindeutig enttäuscht. Aber wieso, um alles in der Welt, sollte sie über Dominics Verhalten enttäuscht sein?

Cormac, der sie unbedingt wieder aufmuntern wollte, hüpfte fast um sie herum.

»Also, was haben Sie schon gesehen, beziehungsweise, was könnte ich Ihnen denn noch zeigen?«

Er war entsetzt, als er hörte, dass sie morgen abreisen würde und noch keine Zeit für Sightseeing gehabt hatte. Er warf einen Blick auf seine Uhr. »Wir haben noch ungefähr vierzig Minuten, bis Sie bei der Weinprobe sein müssen. Halten Sie sich gut fest – ich werde jetzt die schnellste Schnelltour durch Dublin mit Ihnen machen, die Sie je erlebt haben.«

Mit diesen Worten nahm er sie bei der Hand und zog sie rasch über die Straße, wobei er sich geschickt zwischen den Autos hindurchfädelte, die aus drei verschiedenen Richtungen zugleich zu kommen schienen.

»Herzlich willkommen bei Cormacs Schnelltour durch Dublin«, sagte er und blieb mit ihr vor den Toren des *Trinity College* stehen. »Dort drüben sehen Sie das alte Parlamentsgebäude, jetzt Sitz der *Bank of Ireland.* Vor uns eine Statue der *Children of Lir.* Hinter uns Statuen von Thomas Moore und Oliver Goldsmith.«

Maura drehte sich um und versuchte, nicht den Faden zu verlieren. »Und wer waren die alle?«

»Ich kann Ihnen wirklich nicht alles erzählen, Madam, das ist schließlich die Schnelltour. Wenn Sie mehr wissen wollen, müssen Sie schon Cormacs Ausführliche Tour machen. Und jetzt ab die Post, es gibt noch mehr zu sehen.«

Maura rannte laut lachend hinter ihm her, unter einem kleinen Steinbogen hindurch in den riesigen, mit Kopfsteinen gepflasterten Vorhof des *Trinity Colleges.* Sie blieb stehen und blickte sich um.

»Ja, ja, sehr alt, sehr historisch, sehr gepflastert«, sagte Cormac und drängte sie weiter. »Über vierhundert Jahre alt. Berühmte ehemalige Absolventen waren unter anderem Samuel Beckett, Oscar Wilde, Bram Stoker, sogar unsere letzte Präsidentin, Mary Robinson. Ihre zehn Sekunden sind abgelaufen, hier entlang, Madam.«

Er nahm sie bei der Hand und führte sie zu einem nahen Gebäude und die Treppe hinauf.

Mit großer Geste deutete er um sich. »Das ist der berühmte *Long Room.* Und wenn Sie mich jetzt fragen, wieso er so heißt, lasse ich Sie hier stehen, den Handtaschenräubern ausgeliefert.«

Maura blickte sich mit großen Augen um. Der *Long Room* war mindestens sechshundert Meter lang, beiderseits gesäumt von Bücherregalen, die vom Boden bis zur Decke reichten. Das war die größte Ansammlung von Büchern, die sie je gesehen hatte. Durch die hohen Fenster fiel ein trübes, staubiges Licht herein, das die andächtige Atmosphäre noch unterstrich.

»Zweihunderttausend Bücher«, flüsterte ihr Cormac zu. »Weiß nicht, was so besonders daran sein soll. 'ne Bücherei ist 'ne Bücherei, wenn Sie mich fragen. Jetzt kommen Sie, wir haben noch mehr anzuschauen.«

Sie folgte ihm durch den Long Room, wobei sie, ohne sich dessen bewusst zu sein, auf Zehenspitzen ging. Bevor sie überhaupt merkte, wo sie waren, hatte Cormac schon zwei Eintrittskarten für sie gekauft.

»Das *Book of Kells*?«, flüsterte sie.

»Das *Book of Kells*!«, flüsterte er zurück und lachte über ihre Aufregung.

Sie hatte ohnehin vorgehabt, diese berühmte Sehenswürdigkeit Dublins zu besuchen, bevor der Handtaschenräuber ihre Pläne durcheinander gebracht hatte. Zum Glück für Cormacs gedrängten Zeitplan gab es nur eine kurze Wartereihe vor dem Ausstellungsraum. Während sie vorrückten, las Cormac mit lauter, gespielt ehrfürchtiger Stimme aus der Broschüre vor.

»Ein lateinischer Text der vier Evangelien. Stammt etwa aus dem achten Jahrhundert. Benannt nach einem kleinen Ort im County Meath.«

»Sie klingen ja mehr wie ein Mönch als wie ein Reiseführer«, flüsterte Maura ihm zu. Als sie den Anfang der Schlange erreicht hatten, beugte sich Maura über den Schaukasten und bewunderte die sorgfältig ausgeleuchteten Seiten. Cormac, der hinter ihr stand, summte und tappte ungeduldig mit den Fußspitzen. »Das haben Mönche gemacht«, flüsterte er Maura zu, aber laut genug, dass es auch die anderen im Raum hören konnten. Mehrere blickten auf, in der Annahme, er wäre ein Reiseführer. Cormac, der ihre Blicke auffing, sprach lauter. »Na ja, kein Fernseher, kein Kino, was sollten sie sonst mit ihrer Freizeit anfangen?«

Maura warf ihm einen gespielt zornigen Blick zu. Das war wohl kaum eine richtige Kulturführung durch die Stadt, aber sie amüsierte sich prächtig. Sie würde eben ein andermal wiederkommen und es richtig machen müssen.

Der Rest der Tour rauschte nur so an ihr vorbei, während sie sich mühte, mit seinem atemberaubenden Tempo mitzuhalten. Sie rannten buchstäblich aus dem *Trinity College* heraus, die Westmoreland Street entlang, über den Liffey, in die O'Connell Street, am *General Post Office* vorbei – »Hauptquartier der Osteraufständler von 1916«, rief ihr Cormac über die Schulter zu, ohne jedoch weiter darauf einzugehen.

Dann bog Cormac plötzlich links in die Henry Street ein. »Hier sollte eigentlich die Statue von Molly Malone stehen«, sagte Cormac, während sie an kleinen Grüppchen von Frauen vorbeirannten, die alles, von Obst und Gemüse bis zu Schmuck, aus Handwägen verkauften. »Sie wäre nie auch nur in die Nähe der Grafton Street gegangen, ins Viertel der Reichen und Schönen.«

Cormac hetzte sie durch zwei weitere Straßen, zurück über den Liffey, den an dieser Stelle die *Ha'penny Bridge* mit ihren gusseisernen Geländern überspannte. Durch einen steinernen Torbogen betraten sie dann ein Gewirr von gepflasterten Gassen und farbenprächtigen Häuschen. Es wimmelte hier nur so von Menschen, die in und aus Bars, Restaurants und Läden strömten.

»Willkommen in Temple Bar!«, verkündete Cormac so stolz, als hätte er das Viertel höchstpersönlich errichtet. »War bis vor zehn Jahren total heruntergekommen, und jetzt ist es der heißeste Ort in der ganzen Stadt. Und hier sind wir auch schon am Ziel, vor einem unserer wichtigsten Rivalen im Weingeschäft – aber wenn's um die Werbung für australischen Wein geht, werden sogar aus Konkurrenten Freunde.«

Sie betraten ein ehemaliges Warenhaus, das in eine äußerst malerische Weinbar umfunktioniert worden war.

Maura erkannte Rita, Aidan und ein paar andere Gesichter vom gestrigen Empfang. Glücklicherweise gab es keine Spur von Dominic Hanrahan und der reizenden Carla oder Sylvie und William Rogers. Sie nahm an, dass sie eine ähnliche Veranstaltung in einer anderen Weinbar in Dublin besuchten. Die Genossenschaft hatte es sich offenbar in den Kopf gesetzt, dass sie so viel wie möglich herumkamen und viele Leute kennen lernten.

Rita begrüßte sie herzlich und ein wenig überrascht, sie zusammen ankommen zu sehen, bis Cormac von Mauras unglücklichem Zusammenstoß mit dem Handtaschendieb vor seinem Laden erzählte.

Rita empfand sofort großes Mitgefühl. »Ach, Maura, wie schrecklich, und das an Ihrem ersten Tag hier, wo Sie doch noch immer unter dem Jetlag leiden und sicher noch recht erschöpft sind. Fühlen Sie sich denn einigermaßen? Funktioniert das Gehirn schon wieder richtig? Schaffen Sie das hier?«

»Gerade noch«, grinste Maura. »Und es geht mir gut, ganz ehrlich. Habe bloß einen kleinen Schock gekriegt. Jetzt kann ich's kaum abwarten, loszulegen.« Sie blickte sich interessiert um.

»Sieht gut aus, nicht?«, meinte Rita mit einem breiten Lächeln und wies auf die riesige Auswahl an australischen Weinen, die in der Mitte des Ladens aufgebaut worden war. »Wir haben alle an der Aktion beteiligten Weinhändler gebeten, besonders schöne Auslagen zu gestalten und uns dann ein Foto davon zu schicken. Es gibt übrigens auch einen Anreiz, der die begeisterte Reaktion erklären könnte – der Beste gewinnt eine Reise für zwei Personen nach Australien.«

»Und wegen Aidans Verbindungen bin ich leider von der

Teilnahme ausgeschlossen«, beklagte sich Cormac gespielt enttäuscht. »Und dabei hatte ich so gute Ideen – ich wollte ein Modell des Ayers Rock aus Erde zusammenpantschen, dazu einen Drahtkleiderbügel als Sydney Harbour Bridge – es wäre einfach fantastisch geworden.«

Rita stöhnte, und Maura bewunderte die Auslage. Die Weinhändler von Temple Bar hatten sich wirklich alle Mühe gegeben. Aus vielen exotisch anmutenden Pflanzen war eine Art künstliches Outback geschaffen worden, wie ein riesiger Wildblumenstrauß. Auch hatte man Drucke von Bildern australischer Künstler aufgehängt, darunter auch einige von den Ureinwohnern geschaffene. Bei jedem Bild stand jeweils eine Flasche Wein aus einer bestimmten Region Australiens. Zu ihrem Entzücken stellte sie fest, dass sich die Lorikeet-Hill-Weine im Zentrum der Auslage befanden.

Rita hatte außerdem ein riesiges Transparent über die Tür hängen lassen, auf dem die Leute eingeladen wurden, heute Nachmittag zu dieser ganz besonderen Weinprobe zu kommen.

Ein plötzliches Durcheinander an der Tür zog die Aufmerksamkeit sämtlicher Gäste auf sich. Eine Gruppe junger Männer, die bereits recht angetrunken wirkten und so was wie Unterhosen auf dem Kopf zu haben schienen, versuchten lautstark, sich Zugang zu verschaffen. Der Mann an der Tür bat sie höflich, zu gehen, woraufhin sie prompt ein paar Zeilen von »Tie Me Kangarooh Down, Sport« gröhlten.

Rita verdrehte die Augen. »Eine *stag party* aus England«, erklärte sie. »Dublin ist im Moment bei den jungen Burschen, die was zu feiern haben, sehr in Mode – das ist der Preis, den man dafür zahlt.«

Die Weinprobe verlief ohne weitere Zwischenfälle. Zu Mauras großer Freude fand der Lorikeet-Hill-Wein recht guten Absatz. Da sie erst morgen mit ihrer eigentlichen Arbeit beginnen musste, nahm sie gerne die Gelegenheit wahr, sich mit den anwesenden Restaurantbesitzern und Journalisten zu unterhalten. Zu ihrer eigenen Überraschung beantwortete sie souverän ihre Fragen, erläuterte Nicks Methoden der Weinherstellung sowie die Unterschiede zwischen Clare-Valley-Weinen und Weinen aus anderen Regionen Australiens.

Sie merkte, dass sie sich wirklich wie eine Botschafterin vorkam, speziell, als sie die Landschaft rund um ihr Weingut in besonders malerischen Farben schilderte. Erst jetzt, als sie die Gegend mit den Augen anderer sah, lernte sie sie richtig schätzen. All die gelben Weiden, der blaue Himmel und die grünen Weinberge, das klang sehr hübsch. Besonders der blaue Himmel, dachte sie, einen Blick aus dem Fenster werfend. Der Nieselregen hatte wieder eingesetzt.

Nach der Weinprobe ließ sich Maura gerne von Rita, Cormac und den anderen in ein italienisches Restaurant in der Nähe zum Abendessen entführen. Cormac sorgte dafür, dass sie zwischen ihm und einer Bekannten saß, die ebenfalls zu der Weinprobe eingeladen worden war. »Bridget arbeitet beim lokalen Radiosender«, erklärte Cormac, als er sie miteinander bekannt machte. »Und sie ist die beste Quelle für den neuesten Tratsch und Klatsch in dieser Stadt.«

Bridget wollte unbedingt wissen, was Maura vom irischen Essen hielt, und Maura gestand, dass sie noch keine Zeit gehabt hatte, viel zu probieren, einmal abgesehen vom Frühstück im Hotel und einem klebrigen Brötchen im Bewley's.

Sie kam sich fast ein wenig vor wie ein Arzt auf einer Party, der sich ständig die Leiden der Leute anhören muss. Wenn sie ein Restaurant besuchte, erwarteten die Leute, dass sie besonders kritisch war, was das Essen und den Service betraf. Tatsächlich war das Gegenteil der Fall. Ihr ging es dabei hauptsächlich um einen schönen Abend in netter Gesellschaft bei einem guten Mahl. Sie war der Meinung, ein erfolgreiches Restaurant war vor allem eines, bei dem man nicht merkte, wie viel Mühe hinter allem steckte.

Das laute Heulen einer Autoalarmanlage brachte das Gespräch auf die wachsende Verbrechensrate in Dublin. Cormac unterhielt die Gruppe mit einer schamlos übertriebenen Schilderung von Mauras Zusammenstoß mit dem Handtaschenräuber. Zu Mauras Amüsement klang das bei ihm, als hätte sie sich auf wundersame Weise in Superwoman verwandelt und den Räuber mit einer Laserkanone in die Flucht gejagt.

Vor allem Bridget zeigte großes Interesse an der Erfahrung, die Maura gemacht hatte. »Leider Gottes kommt so was in letzter Zeit immer häufiger vor«, sagte sie, auf einmal ernst werdend. »Es ist hier zwar wahrscheinlich auch nicht schlimmer als in anderen Großstädten, aber ich glaube, dass viele Touristen mit Filmen wie *Ryan's Daughter* im Hinterkopf hierher kommen und dabei einfach vergessen, dass man hier ebenso vorsichtig sein muss, wie anderswo.«

Maura, die an ihre eigenen Erwartungen zurückdachte, musste schmunzeln.

»Wie ist es in Australien, besonders da, wo du herkommst? Hat man da Probleme mit Kriminalität?«, erkundigte sich Cormac, der im Verlauf des fröhlichen Abends zum Du gewechselt hatte.

»Nicht da, wo mein Haus liegt, mitten in den Weinbergen. Da besteht eher die Gefahr, dass sich eine Kuh verirrt als irgendein Einbrecher. Aber dort, wo ich früher in Sydney arbeitete, war es ein echtes Problem.«

Maura erklärte, dass das Restaurant, das sie und Richard geleitet hatten, in der Innenstadt lag, einer für Kleindelikte berüchtigten Gegend. Der Taschendiebstahl hatte derart zugenommen, dass sie sich kurzerhand entschlossen, der Rechnung ein Kärtchen mit einer gedruckten Warnung beizufügen, beim Verlassen des Restaurants gut auf Handtasche und Geldbeutel aufzupassen.

»Leute, die aus einem Restaurant kommen, sind besonders

leichte Opfer für Taschendiebe«, erklärte Maura Bridget. »Man ist entspannt nach dem guten Essen und dem guten Wein, man ist nicht so aufmerksam wie sonst, und der Geldbeutel liegt auch meist ganz oben in der Tasche.«

»Hat das die Leute nicht davon abgeschreckt, in Ihr Restaurant zu gehen?«, wollte Bridget wissen.

»Ganz im Gegenteil. Die Leute merkten, dass wir realistisch waren und nur ihre Sicherheit im Auge hatten.«

Bridget war höchst interessiert. Sie erwähnte, dass sie diese Woche im Radio eine Serie über den Anstieg der Kleinkriminalität in Dublin brachten, mit besonderem Augenmerk auf die Folgen für Touristen.

»Hätten Sie eventuell Interesse an einem kleinen Interview? Sie erhalten die Möglichkeit, über Lorikeet Hill und Ihre Kochkurse zu reden und natürlich auch über die Restaurantabende«, versuchte Maura sie zu überreden.

Cormac war hellauf begeistert. »Das ist ja toll, dann kannst du den Leuten gleich erzählen, was wirklich bei deiner ersten Begegnung mit Dominic Hanrahan passiert ist, und kannst es dieser Klatschkolumnistin heimzahlen.«

Bridget schüttelte sich vor Lachen, als ihr Maura die ganze Geschichte erzählte. »Das ist toll, das wird unserem Moderator gefallen.«

Auch Rita freute sich über dieses Interview, das der Weingenossenschaft noch mehr Publicity verschaffen würde. Bridget vereinbarte mit Maura, sie morgen früh in ihrem Hotel anzurufen, dann verabschiedete sie sich herzlich.

Als Maura später durch den quirligen Temple-Bar-Bezirk zu ihrem Hotel zurückging, spürte sie gelegentlich Cormacs Arm beschützend an ihrem Rücken. Sie schlenderten an dem Weinladen vorbei, in dem am Nachmittag die Weinprobe stattgefunden hatte, und sie erhaschte einen Blick auf den Lorikeet-Hill-Wein in der Auslage. Ihr Herz hüpfte. Diese Reise würde ein Erfolg werden. Das wusste sie einfach.

8. Kapitel

Maura war hellwach, fertig angezogen und hatte bereits alles gepackt, als Bridget am nächsten Morgen anrief und sie für die Livesendung mit dem Radiomoderator verband.

Die Unterhaltung mit ihm machte ihr großen Spaß. Es war keineswegs ein steifes Interview, sondern eher eine Unterhaltung mit einem besonders neugierigen Freund. Er war äußerst gastfreundlich, entschuldigte sich im Namen der Stadt Dublin für den Vorfall mit dem Handtaschenräuber und gab ihr Gelegenheit, Werbung für ihren Wein und auch für die bevorstehenden Kochkurse in Dominic Hanrahans Landsitz zu machen.

Der Moderator selbst brachte das Gespräch auf den Artikel in der Klatschspalte und meinte, er hätte gehört, sie würde gerne die Gelegenheit ergreifen, ihre Seite der Geschichte darzustellen. Maura erzählte noch einmal kurz, was geschehen war. Ermuntert von seinem Lachen, berichtete sie von Robs Auftritt und ihrer abschließenden Geste mit der Vase voll Wasser.

»Tja, wie sage ich immer, Leute, glaubt bloß nicht alles, was in der Zeitung steht. Jede Geschichte hat zwei Seiten. Also, Maura, was haben Sie denn nun für Köstlichkeiten geplant, um unsere heiklen irischen Gaumen zu verwöhnen?«

Maura beschrieb ein paar der Gerichte, die sie zubereiten, und die Lorikeet-Hill-Weine, die sie dazu servieren wollte.

»Klingt ja alles mächtig verlockend, und jetzt, wo ich weiß, wie Sie mit Kritikern umspringen, bin ich sicher, dass keine Beschwerden kommen werden!«

Sie saß in einem zierlichen Lehnstuhl im Hotelfoyer, die gepackten Taschen neben sich, als Dominic und Carla durch die Drehtür kamen. Dominic war höflich, Carla dagegen rang sich kaum ein Lächeln ab und musterte Mauras Aufmachung auf eine Art, die ihre spöttische Verachtung deutlich zum Ausdruck brachte.

Maura merkte, wie sie unwillkürlich das Kinn vorreckte. Sie hatte diese Sachen heute Morgen mit großer Sorgfalt ausgewählt, und wusste, dass sie in ihrem Wollkostüm sportlich-elegant aussah.

Carla beendete ihre Inspektion und wühlte in ihrer großen und offensichtlich teuren Handtasche. Mit einem boshaften Lächeln holte sie eine zusammengefaltete Zeitung hervor.

»Ich habe Ihnen die Zeitung von gestern mitgebracht, falls Sie noch keine Zeit hatten, reinzuschauen. Es steht ein großer Artikel über Sie drin, und Sie wissen natürlich sicher, dass das die größte Zeitung Irlands ist. Tausende von Leuten im ganzen Land dürften das hier gelesen haben«, fügte sie gehässig hinzu.

»Und sogar noch mehr dürften Maura heute Morgen im Radio gehört haben, nicht, Maura?«

Maura fuhr herum und strahlte. Es war Cormac.

»Was machst du denn hier?«

»Ich musste unbedingt noch mal kommen und mich von dir verabschieden und dir zu dem Radiointerview gratulieren. Kann mich nicht erinnern, den Moderator zuvor schon mal so oft lachen gehört zu haben.«

»Ja, es war recht unterhaltsam«, meinte Dominic ruhig.

Maura warf ihm einen Blick zu und war überrascht, den Anflug eines Lächelns auf seinem Gesicht zu sehen. Sie hätte nicht erwartet, dass ein millionenschwerer Geschäftsmann etwas so Simples tat wie Radiohören. Auch Sinn für Humor hätte sie ihm vor zwei Sekunden noch abgesprochen.

Carla, die nicht wusste, wovon sie redeten, blickte wütend von einem zum anderen.

Cormac legte den Arm um Maura. »Unsere kleine Australierin hier ist heute früh im Radio interviewt worden. Es war einfach toll, vor allem, da man auch die andere Seite der Geschichte erfuhr.« Er warf einen bezeichnenden Blick auf die Zeitung in Carlas Hand.

Als Carla die Augen verengte, mischte sich Dominic diplomatisch ein. »Wir sind uns noch nicht begegnet. Ich bin Dominic Hanrahan.«

Cormac schüttelte ihm die Hand. »Ja, ich habe schon viel von Ihnen gehört. Ich bin Cormac Sheehan, von *Graham's Wine Merchants*. Wie ich höre, sind Sie für Miss Carmody in die Bresche gesprungen. Dafür ist Ihnen die Weingenossenschaft sicher sehr dankbar.« Cormac wandte sich forsch von Dominic ab und nahm Maura, sehr zu ihrer Überraschung, in die Arme und drückte ihr einen Kuss auf die Wange. »Also dann, bis bald, Maura, und viel Glück. Amüsier dich gut, ich freue mich schon, dich dann mal in Clare besuchen zu können.« Er verabschiedete sich mit einer pompösen Armbewegung.

Dominic hielt sich schweigend im Hintergrund. Falls ihn diese plötzliche Freundschaft überraschte, ließ er sich jedenfalls nichts anmerken. Er warf einen Blick auf seine Uhr.

»Wir sollten gehen, wenn wir rechtzeitig zu Ihrem Termin in Sligo sein wollen. Haben Sie alles, Maura?«

Carla zog eine Schnute und sagte mit einer Kleinmädchenstimme: »Ich wünschte, ich hätte nicht diesen Termin. Ich will mit dir mitkommen.«

Dominic berührte sie am Arm. »Ich rufe dich heute Abend an. Und vergiss nicht, du kannst mich jederzeit anrufen, wenn du mich brauchst.«

Maura vermutete, dass es sich dabei um einen Fototermin handelte. Das Aussehen und die Figur dafür hatte Carla jedenfalls. Jetzt war es an Maura, Dominic und Carla sorgfältig zu beobachten, besonders im Lichte all dessen, was sie über ihr Verhältnis erfahren hatte. Eindeutig ein recht ungewöhnliches Arrangement. Carla war eine schnuteziehende Mischung aus Girlie und Sexkätzchen, während Dominic ihr mit beinahe klinisch anmutender Distanz begegnete. Beobachtet wohl seine Investition, dachte Maura und hörte im Geiste das Klingeln einer Registrierkasse.

Auf einmal wünschte sie wieder, die nächsten vier Wochen wären schon vorbei und sie wäre wieder zu Hause und würde ihren Artikel schreiben und den Ereignissen einen goldenen Glanz verleihen können. Aber sie konnte wohl schlecht jetzt schon wieder heimfahren und eine vierseitige Story über ihre zweieinhalb Tage in Dublin schreiben. Außer es wurde ein Exzerpt über Handtaschenräuber.

Während Carla den Abschied von Dominic nach besten Kräften hinauszögerte, machte Maura es sich in seiner Luxuskarosse gemütlich. Als Dominic sich schließlich zum Einsteigen bequemte, herrschte sofort wieder diese unangenehme Spannung zwischen ihnen. Eigentlich wollte sie sich noch immer bei ihm für das Missverständnis in Lorikeet Hill entschuldigen, denn für Nick war ein Erfolg dieser PR-Tour ungeheuer wichtig. Aber sie dachte, zum Teufel mit Entschuldigungen. Jetzt, wo sie seine ganze Geschichte kannte, wollte sie die Dinge für ihn nicht auch noch leichter machen. Also gut, dann hatte er eben nichts mit Gemmas Ruin zu tun, andererseits hatte er Carla auch nicht davon abgehalten, ihrer Bekannten, der Klatschreporterin, gehässige Geschichten zuzuflüstern. Und falls Cormac Recht hatte, dann nutzte er Bernadettes Unglück für seine eigenen Zwecke aus.

Und wenn er wirklich so ein amoralischer Bastard war, dann war eine Entschuldigung ohnehin verschwendet. Sie reckte erneut ihr Kinn vor. Am Samstagabend hatte er ihre Professionalität in Frage gestellt. Sie würde ihm schon beweisen, dass sie von Kopf bis Fuß ein Profi war. Sie würde es ihm zeigen, ihm und Carla und allen anderen, dass sie diese Reise zu einem Erfolg machen konnte.

Beim Einfädeln in den Verkehr von Dublin merkte sie auf einmal, dass Dominic etwas zu ihr gesagt hatte.

»Wie bitte?«, sagte sie, um einen möglichst ruhigen und gefassten Ton bemüht. »Ich hab nicht gehört, was Sie sagten.«

»Das habe ich gemerkt«, antwortete er mit einem Lächeln. »Sie schienen ziemlich tief in Ihr eigenes Gespräch versunken gewesen zu sein.«

Maura lief rot an. Sie musste wieder laut gedacht haben! Sie wusste, dass das eine ziemlich schlimme Angewohnheit von ihr war, besonders, wenn sie sich zu motivieren versuchte. Mit viel Glück hatte er von ihren in breitem Australisch gemurmelten Gedanken nicht viel verstanden.

Peinlich berührt mühte sie sich um einen noch geschäftsmäßigeren Ton. »Nun gut. Dann können Sie sich eben jetzt meiner ungeteilten Aufmerksamkeit sicher sein. Würden Sie bitte wiederholen, was Sie gesagt haben?«

»Ich hab gefragt, ob Sie was dagegen hätten, wenn ich das Radio anmache.«

Ach, und das war alles? Sie nickte bereitwillig und war froh, als die Klänge von klassischer Musik jede Notwendigkeit eines Gesprächs erstickten. Eine Woche lang diese Anspannung, und ich bin fix und fertig, dachte sie mit einem Anflug von Grauen.

Die Musik gab ihr die Gelegenheit, aus dem Fenster zu schauen und die Landschaft zu bewundern, die zugleich fremd und doch eigenartig vertraut anmutete. Die Farben waren eindeutig weicher, ganz anders als der grelle Sonnenschein Australiens.

Sie musste an ihr kurzes Telefonat mit Nick heute Morgen denken. Endlich hatte sie Zeit gefunden, ihn in den letzten paar Minuten, bevor Dominic eintraf, anzurufen.

Er hatte sich gebogen vor Lachen, als er hörte, dass ihr mysteriöser Tester plötzlich in Dublin aufgetaucht war.

»Mein Gott, der Arme«, hatte er geprustet. »Und der wirkliche Tester hockte wahrscheinlich nur ein paar Tische weiter und hat sich gefragt, was das hier für ein Affenstall ist!«

Dieser Gedanke war Maura noch gar nicht gekommen. Sie war viel zu schockiert über Dominics plötzliches Auftauchen gewesen, um auch nur einen Gedanken an den richtigen Restaurantkritiker zu verschwenden. Na ja, jetzt war's sowieso egal. Die Gelegenheit war verbraten. Sie wechselte das Thema und kam auf Fran zu sprechen. Zu ihrer Erleichterung erfuhr sie, dass es ihr gut ging.

»Uns ist der Schreck in die Glieder gefahren, nachdem du fort warst, denn es sah fast so aus, als wollte das Baby ein bisschen früher kommen, aber die Dinge haben sich wieder beruhigt.« Nicks Sorge war nicht zu überhören, obwohl er sich redlich mühte, so zu tun, als wäre alles in Ordnung.

Er beantwortete ihre unausgesprochene Frage. »Ich rufe dich an, wenn was passiert, das weißt du doch. Und mach dir keine Sorgen, ehrlich, Fran geht's gut, mir geht's gut und Gemma macht ihre Sache ausgezeichnet. Wir brennen darauf, alles zu hören, was du so erlebst, besonders, wenn du ins County Clare kommst und dich dort ein bisschen umschaust.«

An dieser Stelle hatte sie ihn unterbrochen. »Nick, bitte fang nicht wieder damit an.«

»Werd ich nicht, werd ich nicht, versprochen. Ich wünsche dir sehr viel Spaß, und lass dich von diesem Burschen nicht unterkriegen!«

Als sie aufgelegt hatte, war sie entschlossener denn je, diese Reise zu einem Erfolg zu machen, für Nick ebenso sehr wie für sich selbst.

Nachdem sie etwa eine Stunde lang unterwegs waren, wurde das Radioprogramm von einer fröhlichen Jazztrompete unterbrochen, die eine Diskussionssendung über Kochen einleitete. Maura lehnte sich zurück und hörte interessiert zu, bis Dominic den Arm ausstreckte und die Station wechselte, wobei er etwas über den Mist im Radio vor sich hinbrummelte.

Das brach das Schweigen zwischen ihnen. Sie drehte sich auf ihrem Sitz zur Seite und schaute ihn direkt an. »Was ist das bloß mit Ihnen und Essen?«, fragte sie ehrlich erstaunt. »Zuerst bezeichnen Sie das Interesse an der australischen Küche als dummes Theater, dann erzählen Sie mir, dass Sie *OzTaste* einstellen. Sind Sie in 'nem Kloster aufgewachsen, oder was?«

Er antwortete, ohne sie anzusehen, doch sie sah das Zucken eines Wangenmuskels.

»Nein, es war ein ganz normales Zuhause. Ein Zuhause, in dem man aß, weil der Körper es braucht, nicht weil irgendeine neue Zutat plötzlich hipp oder irgendein verzweifelter Koch in ein exotisches Land gereist ist und die dortigen Ideen stiehlt, um sie zu Hause als seine eigenen auszugeben.«

Sie war erstaunt. »Das ist doch bloß eine andere Art von Snobismus. Die meisten Chefköche sind überhaupt nicht so.«

»Haben Sie sich *OzTaste* eigentlich je richtig angesehen?«, fragte er daraufhin. »Das ist doch mehr ein Nahrungsmittelporno als eine wirkliche Auseinandersetzung mit der Kochkunst. Immer nur gestylte Nahaufnahmen von kunstvoll arrangierten Chilis und Vanilleschoten und anderem Futter, das die meisten Leute weder je zu Gesicht kriegen noch essen. Kein Wunder, dass sich das Magazin kaum verkauft hat. Ich war erstaunt, dass es sich überhaupt so lange gehalten hat.«

»Dann wollen Sie also alle Zeitschriften einstellen, die nicht mit Ihren Vorstellungen von dem, was man essen oder nicht essen soll, übereinstimmen? So was nenne ich unprofessionell – ein Urteil, das rein auf den eigenen Moralvorstellungen beruht.«

»Ganz und gar nicht«, entgegnete er milde. »Mir ist es vollkommen egal, ob manche Leute jeden Tag vier Stunden in der Küche stehen und irgendwelche *jus* zusammenpantschen oder Spinat sautieren, oder was auch immer gerade der letzte Schrei ist. Aber als Herausgeber ist es meine Aufgabe, Zeitschriften zu publizieren, die gelesen werden.«

Empörung wallte in ihr auf. »Das heißt dann wohl auch ade *Business Woman*, was?«, meinte sie. Die erwähnte Zeitschrift stammte auch aus seinem Stall. »Wahrscheinlich ist es Ihnen ohnehin lieber, wenn Frauen schön zu Hause bleiben und kochen und backen, statt sich ihren Lebensunterhalt selbst zu verdienen?«

Er quittierte ihren Sarkasmus mit einem Halblächeln. »*Business Woman* verkauft sich im Moment nicht sehr gut, also überlege ich tatsächlich, sie einzustellen.«

»Wie kommen Sie bloß dazu, solche Urteile zu treffen?«, fragte sie, die Augen weit aufgerissen angesichts seiner kühlen Geschäftsmäßigkeit.

»Das ist kein Urteil, das ist eine Geschäftsentscheidung. Wenn Sie zwei Jahre lang ein ganz bestimmtes Gericht auf der Speisekarte Ihres Weinguts stehen haben, nur weil Sie es besonders gern mögen, es aber nie jemand bestellt, würden Sie's dann weiterhin auf der Speisekarte behalten?«

Sie holte tief Luft. »Nein, natürlich nicht.«

»Was ist also der Unterschied? Sie würden ebenfalls eine kluge Geschäftsentscheidung treffen, basierend auf Ihren Erfahrungen und Recherchen, und genau das tue ich auch bei *OzTaste* und jeder anderen Zeitschrift, die nicht läuft.«

»Aber wie kommen Sie dazu, einfach nach Australien zu marschieren und all diese Zeitschriften einzustampfen? Sie kennen doch weder das Land noch die Leute.«

»Wie kommen Sie dazu, mit Ihrem australischen Wein und Ihren australischen Gerichten einfach nach Irland zu marschieren und anzunehmen, dass Sie damit ankommen?«

»Weil guter Wein und gutes Essen universell sind. Jeder, na ja, jeder außer Ihnen, wie's scheint, freut sich an gutem Wein und gutem Essen und entspannter Gesellschaft.«

»Ich freue mich sogar sehr an gutem Wein und Essen und guter Gesellschaft. Und auch wenn Sie dies überraschen mag, ich koche auch gern«, sagte er ruhig. »Was mir gegen den Strich geht, ist, wenn man aus allem eine Mode oder Stilfrage macht, ein dummes Theater eben.«

Sie wollte ihm gerade abermals Kontra geben, als sie dadurch abgelenkt wurden, dass der Wagen vor ihnen scharf abbremste. Stumm verfolgte sie den Grund dieses plötzlichen Bremsmanövers – eine Kuhherde wurde über die Straße getrieben. Sie musste unwillkürlich lächeln. Sie hatte gewusst, wenn sie nur lange genug wartete, würde ihr das Irland der Touristenträume schon über den Weg laufen. Wenn jetzt Bernadette neben ihr gesessen hätte, anstelle dieses Kotzbrockens, hätten sie sicher gelacht, und sie wäre ausgestiegen, um ein Foto zu machen. Stattdessen sprach keiner von ihnen ein Wort.

Die Radiosendung war für eine ganze Weile die einzige Geräuschkulisse.

Maura, die ganz froh war, sich erst mal nicht mehr bemühen zu müssen, mit diesem Mann ins Gespräch zu kommen, nahm alles neugierig in sich auf, fotografierte im Geiste die Bilder, auf die sie im Moment verzichtete, und nahm sich vor, in ihren Reisebüchern nachzublättern und später Bernadette zu fragen, an welchen Sehenswürdigkeiten sie vorbeigekommen waren. Das Letzte, was sie wollte, war, Dominic irgendetwas zu fragen. Bisher hatten sie ja noch nicht einmal eine zivilisierte Unterhaltung zustande gebracht. Sie schloss einen Augenblick lang die Augen. Das konnte nicht so weitergehen. Sie mussten zusammenarbeiten – für Lorikeet Hill, wenn schon aus keinem anderen Grund. Abermals versuchte sie, im Geiste eine Entschuldigung zu formulieren. Sie machte die Augen auf und wollte gerade etwas sagen, als ihr Blick auf einen riesigen Berg fiel, der urplötzlich vor ihnen aufragte. Er hatte eine ungewöhnliche Form, als wäre ein ganzes Stück der Spitze mit einem gigantischen Brotmesser abgesäbelt worden.

»Das ist der Ben Bulben«, erläuterte Dominic unversehens. »Zu seinen Füßen liegt ein kleiner Friedhof, auf dem der Dichter W. B. Yeats begraben liegt. Die Grabinschrift stammt übrigens von ihm selbst, ein Gedicht mit Namen ›Under Ben Bulben‹: *Cast a cold eye, On life, on death, Horseman, pass by!*«

Sie blinzelte ihn erstaunt an.

Er lächelte. »Hab Sie wohl überrascht, was? Ich war schon immer der Meinung, dass jeder wenigstens ein paar Gedichte kennen sollte.«

»Ich muss zugeben, dass ich nur sehr wenige kenne. Ich hätte nicht erwartet, dass ein eiskalter Geschäftsmann wie Sie Interesse an etwas derart Feingeistigem hätte.« Sie grinste, um ihren Worten den Stachel zu nehmen.

»Na ja, Sie wissen ja, was man so sagt: Musik und Poesie sind Nahrung für die Seele.« Abermals lächelte er, und sie erkannte, dass er ihr sozusagen die Hand zur Versöhnung reichte.

Sie richteten ihren Blick wieder auf Ben Bulben. »Ist nicht gerade der Ayers Rock, aber doch ganz schön beeindruckend, nicht?«, meinte er. Nebelschwaden trieben über die flache Bergspitze, und die Bergflanken sahen aus, als wären sie in ein löchriges, dunkelgrünes Kleid gehüllt.

Sie ergriff die Gelegenheit, um das Gespräch fortzusetzen. »Haben Sie sich den Ayers letzten Monat angesehen?«

»Diesmal nicht, nein. Aber ich habe ihn mir bei meinem ersten Besuch vor fünf Jahren angesehen. Ich versuche immer, an jede Geschäftsreise ein paar Urlaubstage anzuschließen. Die interessantesten Restaurants besuchen und so weiter. Sie wissen schon.«

Sie merkte, dass er sie aufzog, war sich des neuen Waffenstillstands zwischen ihnen jedoch noch nicht sicher genug, um ihm eine freche Antwort zu geben. Stattdessen horchte sie ihn weiter aus.

»Und war Carla zuvor auch schon mal in Australien gewesen?«

»Einmal.« Mehr sagte er dazu nicht.

»Auf Urlaub?«, hakte sie nach, weil es sie wirklich interessierte, wohin jemand wie Carla reiste. Wahrscheinlich an die Goldküste. Oder in ein Luxushotel auf einer der Inseln.

»Nein«, antwortete Dominic kurz angebunden.

»Ach, dann war sie wohl beruflich da?«, fragte Maura. Vielleicht hatte Carla ja als Fotomodell auf einer dieser neuen *Gala Fashion Weeks* gearbeitet. Die Sponsoren hatten eine Anzahl internationaler Modelle einfliegen lassen, um der lokalen Industrie ein wenig auf die Füße zu helfen.

»Nein, nicht beruflich.« Seine Stimme klang auf einmal ruppig. Sie schaute ihn überrascht an. Es war, als hätte er die Rollladen runtergelassen. Sie wollte gerade noch etwas sagen, da beugte er sich vor und drehte demonstrativ das Radio lauter, in dem gerade die Nachrichten kamen.

Erneut senkte sich eisiges Schweigen über sie. Ich wette, es war beruflich, dachte sie. Dein Job ist es schließlich, die liebe Carla bei Laune zu halten, damit du an die Knete ihres Vaters rankommst. Wahrscheinlich hat das kleine Biest Lust auf eine Spritzfahrt im Hafen von Sydney bekommen, und du hast nicht gut nein sagen können.

9. Kapitel

Als die weiten Felder mehr und mehr den Häusern wichen, merkte Maura, dass sie sich Sligo näherten. Aus den Informationen, die sie von der Weingenossenschaft bekommen hatte, konnte sie ersehen, dass die erste Weinhandlung auf ihrem Weg, das *Auld Drop*, am Ortsrand lag und einem jungen Mann aus der Gegend gehörte.

Der Laden lag günstig an einer belebten Geschäftsstraße. Ein wenig aufgeregt betrat Maura den Laden. Die Weinprobe in Dublin war ihr mehr wie eine Party vorgekommen. Das hier erschien ihr schon eher wie der Beginn ihrer Promotiontour.

Der Geschäftsführer hatte sich ja wirklich alle Mühe gegeben, dachte Maura, während sie sich den Weg an den Dekorationen vorbeibahnte. Allerdings hatte sie Mühe, sein Thema zu verstehen.

Sie musste geradezu durch eine Flut von Styroporflocken waten, die überall am Boden verstreut lagen, als hätte jemand rücksichtslos Beutel mit dem Füllmaterial herumgeworfen. An der Ladentheke lehnte ein Paar Skier. Maura vermutete, dass die Styroporkügelchen Sand darstellen und die Skier wohl Wasserskier sein sollten, die in Irland aber wahrscheinlich schwer aufzutreiben waren.

Neben der Theke stand eine junge Frau in einem bunten, knielangen Kleid und einer weißen Rüschenschürze.

»Hallo«, sagte Maura zögernd. »Das ist Dominic Hanrahan von der Weingenossenschaft, und ich bin Maura Carmody vom Lorikeet-Hill-Weingut. Wir sind wegen der Weinprobe hier.«

Das Mädchen strahlte, streckte die Hand aus und räusperte sich nervös. *»Guten Tag, Fraulein und Herr. Ich heiße Nancy«*, sagte sie in gebrochenem Deutsch. Dann zog sie ihre Hand abrupt zurück und bückte sich, um an irgendetwas unter der Theke herumzufummeln. Plötzlich schallte laute Akkordeonmusik durch den Laden.

Maura und Dominic zuckten erschrocken zusammen. Die junge Frau entschuldigte sich sofort und sagte dann mit lauter, überdeutlicher Stimme zu Maura: »Recht herzlich willkommen. Ich wollte nur, dass Sie sich hier möglichst wie zu Hause fühlen. Wir schätzen Ihren Wein hier sehr. Ach ja, und schauen Sie mal, wir haben extra ein Banner zu Ihren Ehren gefertigt.«

Sie sprang zur Tür, wo sie ein großes Banner entfaltete, auf dem in riesigen Lettern stand:

Lernen Sie unseren Winzer aus dem schönen Austria kennen! Heute kostenlose Weinprobe!

Maura schluckte, wandte sich um und konnte gerade noch hören, wie Dominic ein eigenartiges Geräusch von sich gab, das sich rasch in ein Husten verwandelte. Dann machte er sich geflissentlich an den ausgestellten Weinen zu schaffen.

»Nancy, ich weiß nicht, wie ich das jetzt sagen soll«, meinte Maura, »aber ich komme aus Australien und nicht aus dem schönen Austria.«

Nancy blickte ganz entsetzt drein. »Aus Australien? Sie meinen aus dem Australien von Nachbarn, *Home and Away*, aus *Down Under*, dieses Australien?«

Maura nickte.

»Aber wieso machen Sie dann in Österreich Wein?«, fragte Nancy vollkommen ratlos.

»Ich bin nicht aus Österreich. Ich komme aus Australien, wo wir australischen Wein herstellen«, erwiderte Maura sanft.

»Sie haben überhaupt nichts mit Austria zu tun?«, fragte Nancy, nun schon reichlich verzweifelt.

»Ähm, ich hab mal die Trapp-Familie im Fernsehen gesehen, falls das hilft«, erbot sich Maura freundlich.

Nancys Gesicht fiel in sich zusammen. Aufgeregt sprudelte sie hervor: »Es tut mir so Leid, ich arbeite eigentlich gar nicht hier. Ich arbeite in der Apotheke auf der anderen Straßenseite, aber mein Bruder hat seit ein paar Tagen eine schwere Grippe, und deshalb kümmere ich mich an seiner Stelle um den Laden. Ich war mir sicher, er sagte, Sie kommen aus dem schönen Austria!«

Maura versuchte, das Beste aus der Situation zu machen, aber die junge Frau war untröstlich. Vergeblich bemühte sie sich, die altmodische Schürze abzubinden.

Mauras Blick glitt über die Styroporbällchen und die Skier, und sie musste sich auf die Lippe beißen, um nicht in Lachen auszubrechen, doch es half nichts.

Als die schluchzende Nancy aufblickte, sah sie, wie Maura nicht mehr an sich halten konnte und in schallendes Gelächter ausbrach. Ein schwaches Lächeln huschte über das Gesicht des Mädchens, als auch sie erkannte, wie komisch die Situation war.

»Das ist doch kein Beinbruch«, sagte Maura, noch immer lachend. »Kommen Sie, wir fangen einfach an.«

Maura schob die Holzmodelle von österreichischen Bauernhäusern ein wenig beiseite und baute rasch alles für die Weinprobe auf. Nancy schrieb derweil hastig ein paar neue Schilder. Außerdem fand sie eine CD mit australischer Musik, doch Maura gelang es, sie davon zu überzeugen, dass österreichische Quetschkommodenmusik immer noch besser war als der Heavy-Metal-Rock von AC/DC.

Es dauerte nicht lange, und Leute kamen in den Laden, angelockt von den Schildern und der mitreißenden Akkordeonmusik. Es schien ihnen überhaupt nichts auszumachen, dass Maura aus Australien und nicht aus Austria kam, und die Weinprobe und der Verkauf liefen gut an.

Als der Andrang gerade ein wenig nachließ, blickte sich Maura im Laden um und merkte, dass Dominic verschwunden war. Na, herzlichen Dank für deine Hilfe, dachte sie sarkastisch. Einige Minuten später sah sie, wie er in Begleitung einer jungen Frau, die eine unförmige Kamera an einem Lederriemen um den Hals trug, wieder zurückkehrte.

Dominic schien ihr etwas zu erklären, woraufhin sich die junge Frau umblickte und prompt einen Lachanfall bekam.

Die beiden traten zu ihr an den Tisch. »Maura, darf ich Ihnen Orla Keenan von der Lokalzeitung vorstellen. Ich dachte, das hier ergäbe eine nette Fotostory – falls Nancy nichts dagegen hat, natürlich.«

Orla hatte sich wieder gefangen und lächelte Maura zu. »Meine Güte, Sie müssen uns ja für die größten Trottel der Welt halten. Trotzdem, ist 'ne tolle Story, vielleicht sogar was für die erste Seite – auf jeden Fall mehr, als Sie sonst an Aufmerksamkeit bekommen hätten.« Sie zwinkerte ihr zu.

Maura nahm ihre gehässigen Gedanken zurück und schenkte Dominic ein dankbares Lächeln. Auf die Idee, jemanden von der Zeitung herzuholen, wäre sie nie gekommen.

Als sie eine Stunde später wieder gingen, war Nancy mehr als getröstet durch die Aufmerksamkeit, die sie mit ihrer »falschen« Dekoration erregt hatte. Und nicht wenige Leute waren angelockt worden, als Orla vor dem Laden ihre Fotoausrüstung aufbaute.

Als sie ins Auto stiegen und Nancy zum Abschied noch einmal zuwinkten, blickte Maura Dominic an. »Danke für Ihre Hilfe«, lächelte sie. »Das war eine tolle Idee, sich an die Zeitung zu wenden.«

Er nickte und schenkte ihr ein Grinsen. »War mir ein Vergnügen«, sagte er leise.

Maura, die ihren Kopf an die bequeme Kopfstütze lehnte, dachte erneut, wie verdammt attraktiv dieser Mann war. Wenn sie nur nicht einen so schlechten Start gehabt hätten. Wenn er doch bloß nicht mit dieser Carla zusammen wäre. Wenn sie doch bloß nicht rausgefunden hätte, dass er ein paar Jahre seines Lebens für ein paar Millionen Dollar verkauft hatte.

10. Kapitel

Rita rief über das Autotelefon an, als sie gerade ihren letzten Termin, eine Weinprobe beim Weinliebhaberverein von Sligo, hinter sich gebracht hatten. Es war schon nach sechs Uhr, und Maura schwirrte der Kopf von all den Gesprächen, die sie geführt hatte. Der ganze Tag war in einem einzigen Gewirr von Weinläden, Weinflaschen und -gläsern an ihr vorbeigeflogen. Sie hoffte, dass Nick die Ohren glühen würden von all den Komplimenten, die sein Wein bekam.

Dominic schaltete auf die Freisprechanlage um, und Maura kam sich ganz komisch vor, als würde sie sich mit dem Handschuhfach unterhalten. Rasch erzählte sie Rita ihre bisherigen Abenteuer, wobei sie ihrer Überraschung über die kurzen Fahrtzeiten Ausdruck gab.

»Ich dachte, wir müssten wie der Teufel von einem Ort zum anderen rasen, als ich mir die Tour auf der Karte anschaute«, meinte sie. »Aber ich habe mit australischen Distanzen gerechnet. Das hier ist das reinste Kinderspiel.«

Rita lachte über die Geschichte mit der österreichischen Deko und bedankte sich bei Maura dafür, dass sie so gut mitgespielt hatte. Dann bekam ihre Stimme plötzlich einen verschwörerischen Klang. »Ich hatte gerade einen armen Weinhändler aus Kerry an der Strippe, der sich darüber beklagte, dass Mrs. Rogers wie ein Tornado durch seinen Laden gefegt ist. Er sagte, er hätte sich tagelang mit der Dekoration abgemüht, und sie war kaum reingekommen, als sie auch schon alles komplett umräumte, während ihr armer Mann in der Ecke stand und keinen Ton von sich gab.«

Maura lachte laut auf. »Welche Counties besucht sie denn?«, erkundigte sie sich.

»Kerry, Cork und Waterford«, sagte Rita. Abermals senkte sich ihre Stimme zu einem verschwörerischen Flüstern, ganz so, als fürchte sie, Mrs. Rogers könne sie womöglich belauschen. »Eigentlich sollten die Rogers' ursprünglich durch Wexford, Kilkenny und Carlow im Südosten touren, doch Mrs. Rogers zog Erkundigungen ein und entdeckte, dass Kerry das meistbesuchte County in Irland ist. Also hat sie ein großes Theater gemacht, hat gedroht, ihre Teilnahme zurückzuziehen und ihre Spenden an die Genossenschaft einzustellen, wenn wir nicht ihre Route ändern. Uns blieb also nichts anderes übrig.«

Maura war ein wenig schockiert von Ritas Offenheit, musste aber auch zugeben, dass sie diese Klatschgeschichten liebend gerne hörte. Rita schien das alles nicht allzu ernst zu nehmen.

Die Verbindung wurde immer schlechter, aber sie konnte gerade noch hören, wie Rita sagte: »Sie hat versucht, sich auch noch Galway unter den Nagel zu reißen, das Lorikeet Hill zugeteilt wurde, doch wir erklärten ihr das mit der Partnerschaft zwischen den beiden Clares und dass es nur logisch ist, wenn Sie auch die benachbarten Grafschaften bekämen. Aber ich hab gehört, wie sie sich erkundigte, wie lange man von Cork nach Galway fährt, also seien Sie auf der Hut ...« Da riss die Verbindung ab.

Dominic warf ihr einen Blick zu. »Mrs. Rogers ist diese schreckliche Frau von der Cocktailparty, nicht?«

Maura wollte gerade darauf eingehen, als sie plötzlich wieder vor sich sah, wie Mrs. Rogers Carla mit all dem Klatsch über sie und Richard gefüttert hatte. Da beschloss sie, lieber den Mund zu halten. Vielleicht war sie in Dominics Gegenwart ohnehin bereits ein wenig unvorsichtig geworden. Sie durfte nicht vergessen, dass er mit Carla zusammen war. Und dass er diesen Deal mit ihrem Vater abgeschlossen hatte.

Also schenkte sie ihm stattdessen ein falsches Lächeln. »Genau, das ist sie. Meine Güte, in unserem Geschäft gibt's wirklich einige eigenartige Charaktere, stimmt's?«

Ihre betont muntere Antwort überraschte ihn, das sah man, und er wollte gerade nachhaken, da vertiefte sie sich demonstrativ in die Wegbeschreibung. Sie und Dominic würden die Nacht nicht in Sligo verbringen, sondern in einer kleinen Ortschaft irgendwo im County Mayo, damit sie am nächsten Morgen schneller an ihr Ziel kamen. Sie schätzte, dass sie in einer knappen Stunde ankommen würden. Gut, dann kam sie wenigstens früh ins Bett. Genau das brauchte sie. Es lag nicht am Jetlag, den schien sie überwunden zu haben. Aber dieser erste Tag war doch recht anstrengend gewesen.

Dominic schwieg, während sie durch die Stadt fuhren. Sie warf ihm einen verstohlenen Blick zu. Sie hatten den ganzen Nachmittag kaum ein Wort gewechselt. Maura war mit den Weinproben beschäftigt gewesen, und jedes Mal, wenn sie nach Dominic Ausschau hielt, hatte er mit seinem Handy telefoniert. Entweder Carla oder die Arbeit, riet sie. Weiß Gott, wie er es geschafft hatte, sich überhaupt eine ganze Woche für diese Sache freizunehmen, wo er doch für einen multinationalen Konzern verantwortlich war. Aber vielleicht war das ja gerade einer der Vorteile. Man bezahlte andere dafür, die Dinge für einen zu erledigen, und brauchte das Ganze nur von ferne im Auge zu behalten.

Abermals warf sie ihm einen Blick zu. Er schien sich über irgendetwas Sorgen zu machen.

Spontan sagte sie: »Ist alles in Ordnung, Dominic? Ich möchte nicht neugierig sein, aber ich habe gesehen, dass Sie dauernd am Telefon waren. Mir ist klar, dass ich Sie von Ihrer Arbeit abhalte, und ich bin Ihnen wirklich dankbar, dass Sie mich herumfahren, auch wenn wir einen etwas ruppigen Start hatten. Wenn Sie aussteigen möchten, habe ich vollstes Verständnis dafür.« Sie lächelte ihn an.

Er schaute sie eine ganze Zeit lang an, als wäre er mit den Gedanken noch nicht ganz da. Dann breitete sich unversehens ein Grinsen auf seinem Gesicht aus, wie die Sonne über einer düsteren Landschaft. »Nein, alles in Ordnung, alles ist prima. Aber danke der Nachfrage.«

»Keine Ursache«, sagte sie leise und fragte sich, ob sie jetzt weich in der Birne wurde. Vor zwei Tagen wäre sie noch am liebsten mit gezückten Krallen über den Kerl hergefallen, und jetzt erkundigte sie sich rücksichtsvoll nach seinem Wohlbefinden. Hunger, daran musste es liegen. Sie hatte einen solchen Hunger, dass ihr fast schwindlig wurde, und dazu noch die Reste des Jetlags, das ergab offensichtlich eine gefährliche Mischung.

Unvermittelt sagte Dominic: »Wir könnten in ein Pub gehen und etwas essen, wenn Sie möchten, oder würden Sie lieber gleich in das Hotel fahren, in dem wir heute übernachten?«

Das überraschte sie. »Also, um ehrlich zu sein, ich hab einen Bärenhunger. Ich würde gerne irgendwo essen.«

»Also gut, dann gehen wir essen«, erwiderte er, während er gleichzeitig auf einen Parkplatz unweit eines Pubs fuhr, in dem es laut Schild auch Abendessen gab.

Sie warf abermals einen Blick auf ihn und versuchte, aus seiner Stimmung schlau zu werden. Obwohl er nach außen hin den Unbekümmerten spielte, schien ihn etwas zu beschäftigen. Sie überlegte, ob es vielleicht doch ein Problem mit ihrer Reise gab. Oder vielleicht mit Bernadettes Haus? Dann gab sie sich einen Ruck. Was machst du da, Maura Carmody?, schalt sie sich. Du bist hier im schönen Sligo, im wunderschönen Irland, du erlebst gleich dein erstes richtiges irisches Pub, anstatt eines australischen Abklatschs. Also hör auf, dir Sorgen zu machen, und amüsier dich gefälligst!

»Genau«, sagte Dominic.

Sie blickte rasch auf. »Ich hab's schon wieder gemacht, oder?« Er nickte. Sie sah ihn an und grinste.

Als sie am Bordstein standen und darauf warteten, dass sie

die Straße überqueren konnten, blies ihm ein Windstoß plötzlich ihre Haare ins Gesicht. Sie entschuldigte sich und fasste ihre Mähne rasch zu einem losen Nackenzopf zusammen.

»Sie haben wunderschönes Haar«, sagte er zu ihrer Überraschung. Sie blickte zu ihm auf, wollte schon irgendwas erwidern von wegen wie viel Mühe das Waschen machte und dass sie sich eigentlich immer glatte, dicke Haare gewünscht hätte, da schalt sie sich abermals. Sie benahm sich wie ein unreifer Teenager bei der ersten Verabredung. Sie holte tief Luft, blickte ihn an und schenkte ihm, wie sie hoffte, ein sehr erwachsenes Lächeln. »Danke«, sagte sie steif. Innerlich stöhnte sie. Mann, jetzt klinge ich ja schon wie die Queen, wenn sie sich bei einem Untertanen fürs Schuhputzen bedankt. Wieso brachte sie dieser Kerl nur ständig aus der Fassung?

Sie betraten das Pub, das nur halb voll war, aber sehr gemütlich wirkte. Und warm, wie Maura erleichtert feststellte. Jetzt, am Abend, war es schweinekalt geworden, und sie trat dankbar an das offene Kaminfeuer, um sich zu wärmen, wobei sie einen Blick auf die zur Wahl stehenden Gerichte warf, die auf einer schwarzen Schiefertafel über dem Kamin zu lesen waren.

»Ich bestelle gleich an der Bar, während ich uns was zu Trinken besorge, ja? Was möchten Sie – Wein, Guinness?«

Sie schüttelte den Kopf. »Nur ein Mineralwasser, bitte.« Ihr war so schon ein wenig schummerig im Kopf und dann noch Alkohol, da würde sie sehr schnell beschwipst sein.

»Und was essen Sie?«

Sie wählte etwas ganz Einfaches. »Für mich die Fischsuppe, bitte«, erklärte sie.

Kurz darauf saßen sie an einem Tisch in der Nähe des Kamins, vor sich zwei große, dampfende Schüsseln mit Fischsuppe und frischem Bauernbrot. Maura probierte und seufzte wohlig. »Hm, das ist ja köstlich. Ich liebe Fisch und Meeresfrüchte. Leider kriege ich das dieser Tage nur selten.«

»Aber Australien ist doch vom Meer umgeben – da dürfte es wohl nicht schwierig sein, an frischen Fisch für Lorikeet Hill ranzukommen, oder?«, fragte er.

»Doch, schon. Das Clare Valley liegt zu weit im Landesinneren, da ist frischer Fisch nicht leicht zu bekommen. Ich serviere meist das, was es in der Gegend gibt, überwiegend Lamm und Rind. Aber als ich noch in Sydney war, das war toll, da konnten wir mit allen möglichen Fischgerichten experimentieren.«

»War das das Restaurant, das Sie mit Richard Hillman leiteten?«

Sie blickte überrascht auf, doch dann fiel ihr wieder dieser Zeitungsartikel ein. Natürlich wusste er, wer Richard Hillman war. »Nein, eigentlich war es Richards Restaurant. Ich war nur so eine Art Lehrling.«

»Aber Sie waren mehr als das …?«, meinte Dominic viel sagend. Anscheinend war er jetzt an der Reihe mit Bohren.

»Eine Zeit lang«, antwortete Maura vage und musste sich plötzlich am Handgelenk kratzen. Das war eine nervöse Angewohnheit von ihr, wenn sie verlegen war oder sich in die Enge getrieben fühlte.

Dominic beobachtete ihre Geste voller Interesse. »Sie reden nicht gern darüber, stimmt's?«

Maura senkte den Blick. »Nein, das ist es nicht. Da hat mich wohl irgendwas gestochen«, improvisierte sie. »Jetzt erzählen Sie doch mal, wie sind Sie in die Verlagsbranche gekommen?«

Ein leichtes Lächeln huschte über sein Gesicht, als Kommentar zu ihrem flinken Themenwechsel. Sie hatte halbwegs erwartet, dass er ausweichen und weiterhin den Geheimnisvollen spielen würde, doch zu ihrer Überraschung antwortete er ganz entspannt, ja geradezu bereitwillig.

»Ich wollte entweder Musiker oder Journalist werden, und

ich dachte, das wäre so einfach: Man beschließt, was man werden will, und dann wird man's. Aber so ist das natürlich nicht, und meine Eltern haben mich sehr geschickt dazu überredet, hier in Irland Journalismus zu studieren.«

»Dann sind Sie also Journalist?«, erkundigte sich Maura. »Haben Sie hier bei einer Zeitung gearbeitet, als Sie Ihren Abschluss hatten?«

»Ich habe nie fertig studiert«, antwortete er.

»Ach, wieso denn nicht?«, fragte Maura. Viele ihrer Freunde hatten das Studium abgebrochen und trotzdem recht interessante Karrieren gemacht.

Er blickte auf, sah sie aber nicht an. »Meine Eltern kamen während meines ersten Studienjahrs bei einem Autounfall ums Leben. Danach habe ich aufgehört, hatte einfach nicht den Nerv, weiterzustudieren. Ich bin in die Staaten gegangen und nie wirklich heimgekehrt.«

Sie beobachtete ihn genau, während er sprach. Sie hatte das eigenartige Gefühl, dass er diese Geschichte noch nicht sehr oft erzählt hatte und wohl ebenso überrascht war, sie ihr zu erzählen, wie sie, sie zu erfahren.

Er erklärte, dass er in seiner Anfangszeit in New York in irischen Pubs und Schnellrestaurants gejobbt habe. »Dann fiel mir das mit der Schreiberei wieder ein und dass ich eigentlich Journalist werden wollte, also hab ich meine ganzen Ersparnisse zusammengekratzt und eine kleine Straßenzeitung für die Iren in New York rausgebracht.

Es waren keine politisch hochbrisanten Artikel, die dort erschienen.« Er lachte leise bei der Erinnerung. »Das meiste stammte aus den irischen Zeitungen der letzten Wochen und Monate, die ich in der Bücherei durchforstete, oder von Telefonaten mit Freunden von zu Hause. Sah alles recht provisorisch und unprofessionell aus – aber eine Menge Leute fingen an, meine Zeitung zu lesen. Und da dauerte es nicht lange, bis sich Anzeigenkunden dafür interessierten. Es lief recht gut. Immer noch ein simpler Druck, und die Zeitung erschien auch nur alle vierzehn Tage, aber sie verkaufte sich gut. Dann tat ich was Dummes – ich übernahm mich und geriet in finanzielle Schwierigkeiten. Also habe ich alles auf eine Karte gesetzt und bin zu einem der Zeitungsbosse gegangen. Wollte sehen, ob er mir durch die schlimmen Zeiten helfen könnte, bis ich ihm alles zurückzahlen konnte. Und er hat auf mich gesetzt.« Er grinste und seine Augen strahlten plötzlich.

»Und das war Carlas Vater?«, riet sie.

Er warf ihr einen überraschten Blick zu. »Hat Ihnen Bernadette das erzählt?«

Sie lächelte geheimnisvoll. Nun, Bernadette hätte es ihr sicherlich erzählt, wenn sie es gewusst hätte. Sie hielt es für das Beste, ihre Quelle nicht preiszugeben, falls Dominic zufällig wissen sollte, dass Cormac einen Freund in der Firma hatte.

»Sie ist eine bessere Informationsquelle als Reuters«, sagte er lachend, ihr Schweigen als Zustimmung deutend. »Ja, es stimmt, das war Carlas Vater. Er erkannte, dass meine Idee gut und die Zeit reif dafür war«, erläuterte er. »Es leben Tausende von Iren in New York, die sich nach Nachrichten aus der Heimat sehnen, also fingen wir an, eine gute, hochwertige Wochenzeitung herauszubringen, wir stellten ein paar wirklich gute Schreiber an, die mir zur Hand gingen, und waren nun in der Lage, Nachrichten zu bringen, die nur wenige Tage alt waren, anstatt wie zuvor – Monate.« Dominic trank einen Schluck und fuhr dann fort.

»Henry Thomas, Carlas Vater, hatte eine irische Urgroßmutter, also hatte er auch Interesse an dem Land. Die Zeitung lief so gut, dass ich ihm alles sehr schnell wieder zurückzahlen konnte. Und dann ließ er mich meine anderen Ideen verwirklichen. Ich gründete eine Musikzeitschrift, mit Schwerpunkt auf neuen Bands. Dann fing ich an, jungen amerikanischen Autoren ein Sprachrohr zu bieten. Wir entdeckten einen mittlerweile sehr erfolgreichen jungen Schriftsteller in New York, der die Auflagen erst so richtig in die Höhe trieb, und von da an lief es praktisch wie von selbst. Henry war ein großartiger Mann, selbst voller Ideen. Er fehlt mir.«

»Und schreiben Sie auch?«, fragte sie.

»Ach, früher schon, bis ich merkte, dass ich mehr Talent darin habe, das Talent in anderen Menschen zu entdecken.«

»Und jetzt reisen Sie überall in der Welt herum?«

»Und ziehe Zeitschriften aus dem Verkehr, die nicht meinem Geschmack entsprechen?«, fügte er grinsend hinzu.

Sie errötete und war froh, dass man es bei der schwachen Beleuchtung im Pub nicht sehen konnte.

Er blickte sie an und fuhr dann fort. »Australien ist für die Firma ein neuer Markt, aber es stimmt, wir haben dort große Pläne und hier auch. Das ist jetzt meine Hauptaufgabe, neue Märkte zu erkunden, Marktlücken für mögliche Publikationen zu entdecken. Vielleicht können Sie mich ja davon überzeugen, dass in Australien Interesse an einer wöchentlich erscheinenden Zeitschrift mit Restaurantkritiken herrscht?«

Sie lächelte ihn nur trocken an. Auf dieses Thema wollte sie sich gar nicht erst wieder einlassen. Sie trank aus und warf einen Blick auf ihre Armbanduhr. Schon fast zehn Uhr! Das Kaminfeuer, das gute Essen und die überraschend lockere Unterhaltung mit Dominic – die Zeit war wie im Flug vergangen.

Er fing ihren Blick auf und schien selbst überrascht zu sein, wie spät es schon war.

»Wir brechen besser auf«, sagte er. »Aber es ist nicht mehr weit. Ich verspreche Ihnen, dass Sie noch vor Mitternacht ins Bett kommen.«

Maura, die angenehm satt war und sich in Dominics Luxuskarosse warm und behaglich fühlte, ließ ihre Gedanken schweifen und lauschte genießerisch der klassischen Musik, die aus dem Radio drang. Sie ließen Sligo rasch hinter sich.

Maura blickte in die schwarze Nacht hinaus. Sie vermutete, dass es sich bei den großen schwarzen Formen in der Ferne um Berge handelte. Auf den weiten Feldern waren vereinzelte Lichtpunkte zu erkennen.

Ein Tag war vorüber. Und schon jetzt kam er ihr wie eine Woche vor. Morgen würden sie die Counties Mayo und Galway bereisen, und danach ging's ins County Clare. Maura merkte, wie sie sich bei diesem Gedanken unwillkürlich anspannte. Energisch schob sie den Gedanken beiseite. Nein, dafür war später immer noch genug Zeit. Sie lehnte den Kopf an die bequeme Kopfstütze und schloss die Augen.

Ein Geräusch ließ sie erschrocken aus dem Schlaf hochschrecken. Sie hatte einen verspannten Nacken, und ihr Gesicht war dort, wo sie an der Scheibe gelehnt hatte, ganz kalt. Sie waren stehen geblieben. Draußen waberte dicker Nebel, und es hatte zu nieseln begonnen. Nirgends waren Lichter zu sehen – und von Dominic ebenfalls keine Spur. Maura machte ihre Tür auf und schrie erschrocken auf, als plötzlich eine Gestalt, die unweit von ihr gekniet hatte, aus dem Boden wuchs.

Dominics Stimme durchbrach ruhig die Dunkelheit. »Keine Angst, ich bin es nur. Wir hatten einen Platten. Hab gerade den Reifen gewechselt, aber der Ersatzreifen ist auch nicht gerade prall. Muss beide morgen früh in Ordnung bringen lassen. Zum Glück sind wir sowieso fast da.«

»Ach, Sie hätten mich wecken sollen. Ich hätte Ihnen helfen können oder zumindest aussteigen, um den Wagen leichter zu machen.« Sie wusste, dass sie Unsinn redete, aber sie standen fast Nase an Nase, was Maura sehr nervös machte.

»Bin problemlos zurechtgekommen. Und Sie haben so tief geschlafen, da wollte ich Sie nicht wecken.«

Es war ihr peinlich, zu erfahren, dass sie in seiner Gegenwart eingeschlafen war. Sie konnte nur hoffen, dass sie nicht im Schlaf geredet oder, noch schlimmer, geschnarcht hatte.

Wenn sie eines wusste, dann das: So lange sie mit diesem Mann zusammen war, blieb sie besser hellwach.

Sie stieg wieder ins Auto und rieb sich gerade den steifen Nacken, als sie hörte, wie er zum Heck ging, um den platten Reifen im Kofferraum zu verstauen. Als auch er einstieg und sie anblickte, war sie wieder richtig wach.

»Sie haben eine ganze Weile geschlafen. Leiden Sie noch unter dem Jetlag?«

»Nicht mehr so schlimm. Ich bin sicher, dass ich es so ziemlich überstanden habe«, sagte sie in gespielt munterem Ton.

»Wir sind fast da. Sie können bald weiterschlafen.«

Maura holte tief Luft und freute sich auf die Aussicht, sich in ihr Hotelzimmer zurückziehen und allein sein zu können. Sicher, sie fühlte sich in Dominics Gegenwart nicht mehr ganz so verkrampft wie heute Morgen, doch die Spannung zwischen ihnen war unverändert.

Ihr war durchaus bewusst, dass sie selbst einen Großteil dazu beitrug. Sie merkte, dass sie ihn, ohne es zu wollen, mehr und mehr mochte, besonders bei den seltenen Gelegenheiten, wenn er sich entspannte oder sie anlächelte. Ganz bestimmt ließ sich nicht leugnen, dass er ein verdammt attraktiver Mann war. Aber immer, wenn ihr das bewusst wurde, zwang sie sich, an Dominics Deal mit Carlas Vater zu denken, und warum Dominic Bernadette half. Er mochte ja charmant und gut aussehend sein, aber das bedeutete noch lange nicht, dass sie ihm trauen konnte.

Es war schon fast halb zwölf, und es regnete immer noch, als sie langsam durch die engen, gepflasterten Straßen ihres Zielorts für diese Nacht holperten. Dominic hatte kein Problem, das Hotel zu finden, doch er brauchte fast fünf Minuten, um auf dem vollen Parkplatz noch eine Lücke zu entdecken. Auch im Hotelfoyer war noch jede Menge los, und Maura sah Männer und Frauen, die in Grüppchen die Bar bevölkerten. Es überraschte sie, wie lebhaft es hier noch zuging.

Als sie mit ihren Koffern auf den Empfang zuschritten, lächelte ihnen die Rezeptionistin entgegen, doch es war ein falsches Lächeln, wie Maura sofort merkte. Eines von diesen geschäftsmäßigen Lächeln, die besagten: Kommen Sie mir bloß nicht in die Quere, sonst ist Schluss mit lustig. Maura hatte selbst eine entsprechende Version, die sie an besonders hektischen Tagen in Lorikeet Hill aufsetzte.

»Die Zimmer sind über die Weingenossenschaft gebucht worden, oder?«, fragte Dominic Maura, als sie die Rezeption erreichten. Sie nickte. Alle Zimmer und sonstigen Details waren schon vor Wochen gebucht worden – sie erinnerte sich, wie sie draußen auf der Veranda ihres Häuschens in Südaustralien gesessen, den Namen dieses Hotels gelesen und sich vorgestellt hatte, wie es dort wohl aussehen mochte.

Die Empfangsdame fuhr mit dem Finger eine lange Namensliste entlang und machte dann sorgfältig zwei kleine Kreuzchen neben ihrer Buchung. Sie blickte auf und bedachte sie abermals mit diesem falschen Lächeln. »Ich hoffe, es macht Ihnen nichts aus, Ihr Gepäck selbst raufzutragen. Wie Sie sehen, ist bei uns heute Abend die Hölle los.«

»Nein, das macht nichts«, sagte Maura, die hundemüde war und sich nur noch nach ihrem Bett sehnte.

»Sehr gut«, sagte die Frau zerstreut und knallte einen Schlüsselring auf die Theke. »Das wäre dann das eine Doppelzimmer, Mr. und Mrs. Carmody. Die Treppe rauf und gleich links.«

11. Kapitel

»Ein Doppelzimmer?!«, platzte es aus Dominic und Maura heraus.

Dominic erholte sich als Erster von dem Schock. »Entschuldigen Sie, aber da muss ein Irrtum vorliegen. Mrs. Carmody und ich sind rein geschäftlich unterwegs. Es müssten zwei Einzelzimmer sein.«

»Nun, es tut mir Leid, Mr. Carmody ...«

»Ich heiße Hanrahan, nicht Carmody«, korrigierte Dominic sie ruhig.

»Tut mir Leid, Sir. Ja, die Weingenossenschaft hat ursprünglich eine Zwei-Zimmer-Suite gebucht. Aber dann kam diese Konferenz dazwischen, und letzte Woche bei dem Sturm sind uns zwei Zimmer wegen Wasserschäden ausgefallen, und da mussten wir ein bisschen umdisponieren.«

Schon wieder dieser Sturm, dachte Maura. Als würde er sie wie ein Rudel Höllenhunde verfolgen, um all ihre Pläne zunichte zu machen. Gott sei Dank, war sie zu dem Zeitpunkt noch nicht hier gewesen. Bei ihrem momentanen Glück hätte er sie wahrscheinlich erfasst und auf Nimmerwiedersehen davongewirbelt.

Die Rezeptionistin fuhr mit ihren Erklärungen fort. »Tut mir Leid, dass man Sie nicht rechtzeitig über die Verlegung informiert hat. Ich bin sicher, dass man Sie verständigen wollte, aber es ging hier einfach zu hektisch zu. Unser Mitarbeiter, der für die Zimmerverteilung zuständig ist, muss angenommen haben, dass Sie zusammen sind, da Sie ja den gleichen Nachnamen hatten.«

Maura war sofort klar, was passiert war. Die Buchungen liefen noch immer unter dem Namen Carmody. Sie und Bernadette hatten es als Wink des Schicksals betrachtet, dass sie beide denselben Nachnamen hatten, einen guten Beginn ihrer Freundschaft. Nie hätte sie sich träumen lassen, dass das zu so einem Schlamassel führen würde.

»Nun, ich bin sicher, dass sich die Buchung leicht ändern lässt«, sagte Dominic ruhig, aber in einem Ton, der keinen Widerspruch duldete.

»Ich fürchte, das ist unmöglich, Sir. Wie Sie sehen können, sind wir heute Abend vollkommen ausgebucht. Tatsächlich weiß ich mit Sicherheit, dass Sie heute Abend weder in dieser noch in der nächsten Stadt noch irgendwo sonst ein Zimmer bekommen könnten. Sie wissen ja, was man sagt, ein Unglück kommt selten allein. Wir haben die Jahresversammlung der Autohändler da, wir haben eine Gruppe von Landräten hier, wir haben die Damen aus der katholischen Frauenliga, eine Volleyballmannschaft aus Nordengland ...«

Dominic unterbrach sie höflich aber entschlossen. »Es muss doch noch ein anderes Zimmer im Hotel geben. Sie verstehen doch sicher unsere Situation, nicht wahr?«

Das falsche Lächeln der Frau erlosch. Sie blickte kurz nach rechts und links, dann beugte sie sich vor, bis sie sie beinahe mit der Nase berührte.

»Sir, ich bin jetzt seit vier Uhr morgens auf den Beinen. Es ist jetzt fast Mitternacht. Ich hatte heute mehr Beschwerden als in den letzten zehn Jahren. Der Wasserhahn tropft, das Bett ist nicht lang genug. Die Aussicht nicht interessant genug. Das Kissen nicht weich genug. Ich bin müde. Ich will heim ins Bett. Sie sehen auch müde aus. Und Sie sehen aus wie zwei vernünftige, erwachsene Menschen. Keiner von Ihnen scheint eine Axt im Stiefel versteckt zu haben.

Ich will Ihnen einen guten Rat geben«, fuhr sie fort, wobei ihre Stimme zunehmend unfreundlich wurde. »Schalten Sie beim Umziehen einfach das Licht aus. Legen Sie ein Kissen zwischen sich und beten Sie meinetwegen einen Rosenkranz, dann wird Sie die Lust schon nicht überwältigen. Ich würde Ihnen ja ein zweites Zimmer bauen, wenn ich könnte, aber ich sage Ihnen ...« Auf einmal war das falsche Lächeln wieder da. »Es tut mir wirklich Leid, aber es ist kein anderes Zimmer mehr frei. Ich wünsche Ihnen einen guten Abend.«

Mit diesen Worten stellte die Frau ein Schild mit der Aufschrift »Rezeption bis morgen um sieben geschlossen« auf den Tresen, kam dahinter hervor und verschwand entschlossenen Schrittes in der Bar.

Maura biss sich auf die Lippe. Sie wusste nicht genau, ob sie in Panik, in Tränen oder in Gelächter ausbrechen sollte.

Dominic durchbrach als Erster die Stille. »Mit diesem Reifen können wir nicht mehr weit fahren. Ich werde eben im Auto schlafen müssen.«

»Das ist doch lächerlich«, meinte Maura rasch und war froh, die Stimme der Vernunft spielen zu können. »Es regnet, Sie würden frieren, nein, es wird schon irgendwie gehen. Vielleicht steht in dem Zimmer ja ein Sofa oder so was, da kann einer von uns darauf schlafen. Am besten ich, weil ich die Kleinere bin. Wenn wir den ganzen Abend hier rumstehen, kommen wir nie ins Bett.«

Sie griff sich energisch beide Reisetaschen und stakste auf die Treppe zu. Zum Glück verhinderte das Gewicht an ihren Armen, dass man sah, wie ihre Hände zitterten. Menschenskind, es hatte sie nervös genug gemacht, im Auto neben ihm zu sitzen, und jetzt sollte sie auch noch in einem Bett neben ihm liegen! Na ja, wenn sie Glück hatten, war das Zimmer groß genug, um ein Lager auf dem Boden aufzuschlagen.

Ein Blick in ihr Zimmer genügte, um jedwede Gedanken vom Schlafen auf einem Sofa oder dem Boden ins Reich der Träume zu verbannen. Es war das kleinste Zimmer, das sie je gesehen hatte. Es gab kaum genug Platz für das Doppelbett, gar nicht zu reden von einem Sofa. Zwei winzige Nachttischchen waren zu beiden Seiten neben das Bett gezwängt worden. Sie boten kaum genug Platz für ein Telefon auf dem einen und einer Nachttischlampe auf dem anderen. Es war nicht mal genug Platz für ein angrenzendes Bad. Dem Schild an der Wand konnten sie entnehmen, dass sie das Gemeinschaftsbad am anderen Ende des Korridors benutzen mussten.

Wenn sie auf Hochzeitsreise gewesen wäre, hätte sie das

Ganze vielleicht romantisch gefunden. So jedoch kam sie sich eher vor wie eine Geisel, die zusammen mit ihrem Mitopfer in einen zellenähnlichen Raum gesperrt wird.

Dominics Miene verriet nichts. Sie konnte sehen, dass wieder dieser kleine Wangenmuskel zuckte, wusste jedoch nicht, ob er zornig war, das Ganze komisch fand oder gar mit einer Anwandlung überwältigender Lust rang. Und sie wusste nicht, was von den dreien am schlimmsten wäre.

Sie entschloss sich zu einer möglichst forschen, geschäftsmäßigen Haltung, um sich ihre Unsicherheit nicht anmerken zu lassen. »Also gut, dann müssen wir eben so zurechtkommen. Wie die Dame gesagt hat, es ist spät und woanders kriegen wir nichts mehr. Wir sind beide erwachsen, sicher können wir eine Nacht hinter uns kriegen, und gleich als Erstes morgen früh rufen wir Rita an und lassen auch die anderen Hotelbuchungen ändern.«

»Ja, gleich als Erstes morgen früh«, meinte er mit diesem Halblächeln.

»Vielleicht möchten Sie ja noch rasch was in der Bar trinken, während ich mich umziehe und fürs Bett fertig mache«, schlug sie vor. In ihren Ohren klang das, als hätte sie sich plötzlich in eine Art Mary Poppins verwandelt: »Hände waschen, hopp, hopp. Wer in zwei Minuten nicht da ist, kriegt kein Abendessen.«

Zu ihrer großen Erleichterung schien Dominic dies für einen vollkommen vernünftigen Vorschlag zu halten. »Dann sage ich am besten gleich gute Nacht, denn wenn ich wiederkomme, schlafen Sie vielleicht schon.«

Das glaubst auch nur du, dachte sie, als er die Tür hinter sich zuzog. Unwillig blickte sie sich um. Das war nicht gerade die Nacht, die sie sich vorgestellt hatte. Sie hatte sich einen ruhigen Drink in der gemütlichen Hotelbar vorgestellt, bevor jeder auf sein Zimmer ging, und vielleicht die Gelegenheit, ein wenig traditionelle irische Musik zu hören, für die vor allem der Westen Irlands berühmt war. Unten in der Bar schien man jedoch andere Vorstellungen von einem schönen Abend zu haben. In ihren ungeübten Ohren hatte es mehr wie ein Country-und-Western-Karaoke geklungen; entweder die Autohändler oder die Landräte hatten aus vollem Hals gegrölt.

Mauras Blick schweifte abermals über das Doppelbett, das fast den gesamten Platz einnahm. Sie wusste, dass sie die ganze Nacht wach liegen und sich davor fürchten würde, dass sie sich aus Versehen berührten. »Jetzt mach dich nicht lächerlich«, schalt sie sich laut. Sie und Richard hatten fast zwei Jahre zusammengelebt. Sie war achtundzwanzig, eine Frau von Welt. Warum stellte sie sich dann an, als käme sie frisch aus der Klosterschule?

Während sie sich auf die Suche nach dem nicht weniger winzigen Bad am Ende des Gangs machte und sich dort wusch, redete sie sich laut und energisch zu. Alles, was sie tun musste, um ihn sich vom Leib zu halten, war, ihr Scheckbuch offen herumliegen zu lassen. Ihre mageren Ersparnisse könnten sich nie mit den erotischen Qualitäten von Carlas Millionen messen. Sie würde einfach ins Bett schlüpfen, einschlafen, und schon wäre die Nacht vorbei.

Aber wieso war sie dann so wach wie seit Tagen nicht mehr? Wo blieb ihr Jetlag, wenn sie ihn am meisten brauchte? Nach dem Nickerchen im Auto war sie gar nicht mehr müde. Trotzdem, sie würde sich beeilen, die Zähne putzen, in ihren Schlafanzug schlüpfen ... o nein, der Schlafanzug. Sie hatte bloß einen mitgenommen, da sie normalerweise nicht im Schlafanzug schlief.

Nick und Fran hatten ihn ihr zum Abschied geschenkt. Lachend hatten sie gemeint, jedes Mädchen brauche einen ganz besonderen Schlafanzug, falls im Hotel plötzlich ein Feuer ausbrach und sie stundenlang draußen stehen und den Feuerwehrleuten zusehen musste.

Wieder zurück im Zimmer, durchwühlte Maura ihre Sachen in der Hoffnung, dass sie ihre Erinnerung trog, dass der Schlafanzug doch nicht so schlimm war, wie sie ihn in Erinnerung hatte. Doch das war er. Aber sie hatte keine Wahl. Entweder dieses Ungetüm anziehen oder nackt schlafen. Mit einem Ohr auf Dominics Rückkehr lauschend, holte sie rasch den Schlafanzug heraus und schlüpfte hastig hinein.

Schritte im Korridor ließen sie hastig ins Bett hüpfen, wo sie sich die Decke bis ans Kinn zog, sich ein Buch vom Nachttischchen schnappte und so weit zum Rand hin rutschte, wie es nur ging. Einen Augenblick später ertönte ein sanftes Klopfen, und Dominics Stimme erkundigte sich, ob er reinkommen dürfte. Sie fragte sich, ob sie schnarchen sollte, aber das hätte er ihr nie abgenommen.

Die knappen Benimmkurse in der Schule hatten sie nicht auf eine Situation wie diese vorbereitet. Wenn Dominic sie gefragt hätte, welche Gabel wohin gehörte oder wie bald eine Verlobte die Geschenke zurückschicken konnte, wenn die Hochzeit abgesagt worden war, ja dann wäre sie vollkommen in ihrem Element gewesen. Aber das hier war terra incognita, vollkommen unerforschtes Neuland für sie.

»Herein«, rief sie und kam sich dabei vor wie eine Jungfrau in der Hochzeitsnacht.

Sie konnte nicht vollkommen cool bleiben – mein Gott, sie musste mit dem Kerl im selben Bett schlafen. Es hatte keinen Zweck, sich vorzumachen, dass sie nebeneinander im Bus saßen. Sie konnte kaum eine kurze Unterhaltung über die Chancen der irischen Fußballnationalmannschaft beim World Cup anfangen oder ihn nach seiner Theorie zu Prinzessin Dianas Tod fragen.

Er durchbrach die Stille. »Haben Sie Angst vor Spinnen?«, erkundigte er sich milde.

»Ja, wieso?«

»Da krabbelt eine neben Ihnen über das Kissen. Vielleicht

sollten Sie sie mit der Bibel, die sie verkehrt herum halten, wegwischen.«

Noch bevor er zu Ende gesprochen hatte, war sie aus dem Bett gesprungen. Er sagte die Wahrheit, da war eine Spinne auf dem anderen Kissen, aber die war ein Zwerg im Vergleich zu den Tieren, mit denen sie es zu Hause in Clare zu tun hatte.

»Das ist doch keine richtige Spinne!«, rief sie empört. »Die Spinnen in Australien sind zehnmal größer! Menschenskind, wir haben Jäger mit Netzen dafür und ...« Ihre Stimme verklang, als sie merkte, dass er ihren Worten wenig Aufmerksamkeit schenkte.

Sie sah sich im Spiegel, der auf der Rückseite der Tür angebracht war. Vom Hals aufwärts sah sie ganz anständig aus. Sie hatte ihre Haare heute offen getragen und der feine Nieselregen hatte sie in eine wahre Lockenpracht verwandelt. Nein, das Problem war, wie sie vom Hals abwärts aussah.

Nick und Fran hatten ihr einen knallgrünen Schlafanzug mit weißen Kleeblättern geschenkt, über der Brust in fetten Lettern die Worte *Ich habe irische Wurzeln*.

Sie blickte an sich herab. Er ebenfalls. »Die sollen ein Witz sein«, kommentierte sie lahm.

»In der Tat«, pflichtete er ihr bei.

»Nein, ich meine, die sollten ein Witz sein, ich hab sie als Gag geschenkt bekommen. Normalerweise ziehe ich keine Schlafanzüge an, ich schlafe lieber ganz ohne ...« Wieder ertappte sie sich beim sinnlosen Plappern, um ihre Nervosität zu überdecken, und wie sooft bei solchen Gelegenheiten ritt sie sich mit jedem Wort tiefer in die Scheiße.

»Ach, ist ja egal«, sagte sie, kletterte rasch wieder ins Bett und tat, als wäre sie vollkommen in die Bibel vertieft, während er das Zimmer verließ, um nun seinerseits das Bad im Korridor aufzusuchen. Als er wiederkam, wagte sie es nicht, ihn anzusehen, erhaschte jedoch einen flüchtigen Blick auf ein hellblaues Hemd. Sie lag auf der Seite, nahm wieder die Bibel zur Hand und saugte sich entschlossen an den göttlichen Offenbarungen fest.

Sie spürte, wie er auf der anderen Seite ins Bett schlüpfte, und murmelte eine Antwort, als er ihr gute Nacht wünschte. Aber es dauerte mindestens eine Stunde, bis sie einschlief.

Um vier Uhr wachte sie plötzlich auf. Der Mond schien zum Fenster herein und erleuchtete das Zimmer so hell, als würde eine Lampe brennen. Selbst im Schlaf war es ihr gelungen, sich an ihrer Bettkante festzukrallen. Wahrscheinlich würde sie morgen, wenn sie genau hinsah, Kratzspuren daran finden, vermutete sie. Aber es gab nichts zum Fürchten. Dominic lag auf dem Rücken und schlief tief und fest.

Sie dagegen war putzmunter. Sie rechnete aus, wie spät es in Australien war. Früher Nachmittag – kein Wunder, dass sie so wach war.

Der Vorhang blähte sich ein wenig, blieb am Kopfbrett hängen und ließ noch mehr Mondlicht herein. Vor allem Dominics Seite des Bettes wurde beleuchtet. Maura setzte sich behutsam auf und nutzte die Gelegenheit, ihn sich näher anzusehen.

Die Knöpfe an seinem Hemd waren im Schlaf aufgegangen, und sie konnte seine glatte, gebräunte Brust sehen. Sein Gesicht wirkte im Schlaf sanfter, seine Haare waren zerzaust und fielen ihm in die Stirn. Auf einmal wünschte sie, er hätte versucht, sich an sie ranzumachen. Einfach lächerlich, sie hatte so lange wach gelegen und gefürchtet, dass er sie anfassen könnte, und nun war sie enttäuscht, dass er's nicht getan hatte.

Nach Richard hatte sie nicht mehr geglaubt, dass es überhaupt noch Kavaliere gibt. Wenn Richard an seiner Stelle gewesen wäre, hätte er sie längst verführt und gewartet, bis sie eingeschlafen war, bevor er runter in die Bar ging, um zu sehen, ob sich da noch was machen ließe. Sie schüttelte den

Gedanken an ihn ab. Das Problem war, dass sie seitdem mit keinem Mann mehr zusammen gewesen war. Seit Sydney hatte sie keinen mehr in ihre Nähe gelassen.

Daher kam es also, sagte sie sich. Sie fühlte sich gar nicht zu ihm hingezogen, es war nur so, dass ihre sexuellen Bedürfnisse allmählich wieder erwachten. Mit Dominic hatte das überhaupt nichts zu tun.

Dieser Gedanke tröstete sie. Sie legte sich hin und versuchte, wieder einzuschlafen, jeden Gedanken an Sexualität, ob erwacht oder nicht, strikt verbannend.

Doch nur Augenblicke später riss es sie wieder aus dem Halbschlaf, denn Dominics Arm legte sich sanft um sie. Er murmelte etwas im Schlaf und zog sie an sich. O Gott, er hält mich für Carla, dachte Maura entsetzt und spürte, wie seine Lippen über ihren Nacken strichen.

Sie erstarrte, wartete darauf, dass er etwas sagte oder mehr tat, aber es kam nichts mehr. Sie legte ihre Hand auf seinen Arm, um ihn behutsam fortzuschieben, ohne ihn zu wecken. Sein Arm war nackt, und sie hielt den Atem an, als sie spürte, wie viel Kraft in diesem Arm war. Vorsichtig drehte sie den Kopf, bis sie ihn ansehen konnte. Er schlief tief und fest.

Sie merkte, dass sie es genoss, wie er sie hielt, sehr sogar. Ganz vorsichtig rückte sie Millimeter um Millimeter zurück, bis sie die Wärme seines Körpers spürte. Dann verharrte sie reglos, um zu sehen, ob er vielleicht wach geworden war.

Es war dunkel und gemütlich im Zimmer, und sie hörte, wie es draußen wieder zu regnen begann. Sie fühlte sich warm und sicher und, ja, es ließ sich nicht leugnen, sie sehnte sich nach mehr als nur einer schläfrigen Umarmung. Allmählich fing sie Feuer, und das schockierte sie. Jetzt schalt mal deinen Verstand ein, schimpfte sie sich. Das ist ein Wildfremder, mit dem du da im Bett liegst. Praktisch verheiratet. Und du magst ihn nicht mal.

Aber während ihr Verstand durchaus vernünftig war, wollte ihr Körper nichts davon wissen. Er rutschte sogar noch ein wenig weiter zurück, sodass sie nun ganz nah bei Dominic lag. Sie zog seinen Arm ein wenig näher heran, bis seine Hand sie fast streifte. Sie hatte das starke Bedürfnis, sich an ihn zu pressen, seine Hand fester an ihren Körper zu drücken. Das Gefühl, in den Armen eines starken Mannes zu liegen, ließ sie glühen.

Verdammter Schlafanzug, dachte sie benommen. Selbst die Prinzessin auf der Erbse hätte kaum was gespürt, in diesem dicken Flanellding. Hätten Nick und Fran ihr doch lieber eines von diesen hauchdünnen schwarzen Negligés geschenkt.

Noch einmal überzeugte sie sich davon, dass Dominic wirklich fest schlief, dann drehte sie sich in seinen Armen um, bis sie Nase an Nase mit ihm lag. Die Intensität ihrer Lust traf sie vollkommen überraschend. Auf einmal bewegte er sich, und sie wich sofort zurück, hielt total still und wünschte inbrünstig, dass er nicht aufwachte. Doch er kam gleich wieder zur Ruhe, lag auf dem Rücken. Durch seine Bewegung war die Decke ein wenig heruntergerutscht.

Sie konnte seinen flachen, muskulösen Bauch sehen, über den sich ein dünner, dunkler Haarstreifen zog, der unter dem Saum seiner Hose verschwand. Richard war leicht übergewichtig gewesen, hatte einen weißen, schwabbeligen Bauch gehabt – das Vorrecht eines Chefkochs, wie er immer behauptete. Jetzt, wo Maura Dominic betrachtete, merkte sie erst, wie sexy ein Waschbrettbauch sein konnte.

Mittlerweile konnte sie nicht mehr denken. Langsam und äußerst behutsam schlug sie sein Hemd zurück und verschlang seine nackte Brust mit ihren Blicken.

Auf einmal rüttelte jemand am Türknauf. Maura zuckte zurück. Abermals rüttelte es, als versuchte jemand, reinzukommen. Sie hörte gedämpfte Stimmen, die reichlich betrunken klangen.

»Der ve'dammte Schschlüssl funksioniert nich«, sagte einer.

»Schschau doch, Blödmann – es is die falsche Nummer –, das is siebzehn, nich sieben. Los, komm.«

Die Unterbrechung wirkte auf sie wie ein Eimer kaltes Wasser. Sie wich zurück, als hätte sie sich verbrannt, und rutschte rasch wieder zur Bettkante. Was, um alles in der Welt, hatte sie sich bloß dabei gedacht?

Sie wagte kaum, Dominic noch einmal anzusehen, wünschte flehentlich, dass ihn der Lärm draußen nicht aufgeweckt hatte. Er schien noch immer tief und fest zu schlafen. Zum Glück waren die zwei Betrunkenen mit ihrem Schlüssel aufgetaucht, dachte sie, während ihr Verstand allmählich wieder die Oberhand gewann. Es musste doch am Jetlag liegen. Offenbar hatte sie kurzzeitig den Verstand abgegeben.

Sie brauchte mehr als eine Stunde, um wieder einzuschlafen, steif und verkrampft am Matratzenrand liegend. Erst als das schwache Licht der Morgendämmerung durchs Fenster hereinkroch, fiel sie in einen unruhigen Schlaf.

12. Kapitel

Maura wurde um acht Uhr vom Klingeln des Telefons auf ihrem Nachttisch geweckt. Es war, wie konnte es anders sein, Rita, die ihr mitteilen wollte, dass zu einer ihrer heutigen Weinproben in Mayo ein Pressefotograf kommen würde.

Maura war ganz froh, den Tag mit Geschäftlichem beginnen zu können, das lenkte sie wenigstens von den Vorfällen der vergangenen Nacht ab. Dominic war, Gott sei Dank, nicht da. Er musste schon früher aufgestanden sein.

Rasch schilderte sie Rita das Problem mit der Hotelbuchung, wobei sie die Sache absichtlich herunterspielte und auch Ritas Annahme, dass sie in zwei Einzelbetten genächtigt hatten, nicht korrigierte.

»Wie nett von Ihnen, das Ganze so auf die leichte Schulter zu nehmen. Und Dominic war sicher ein perfekter Gentleman.«

Er schon, dachte Maura peinlich berührt. Ich war die mit den wandernden Händen.

Nachdem Rita hoch und heilig versprochen hatte, bei den noch ausstehenden Hotels anzurufen und nachzufragen, ob die Buchungen korrekt waren, verkündete sie, dass sich zu Mauras Diavortrag in Ennis derart viele Leute angemeldet hatten, dass ein Ortswechsel notwendig geworden war.

»Sie werden vor mindestens hundert Leuten reden, ist das nicht fantastisch?«

Maura stimmte ihr zu, musste insgeheim jedoch einen Anflug von Panik niederkämpfen. Hundert Leute? Sie versprach Rita, sich bald wieder bei ihr zu melden, legte auf und suchte rasch ihre Toilettsachen zusammen. Nachdem sie sich blitzschnell geduscht und ebenso schnell angezogen hatte, fürchtete sie sich fast, in ihr Zimmer zurückzugehen. Sie hoffte inbrünstig, dass Dominic noch unten war und frühstückte oder die Reifen in Ordnung bringen ließ oder was auch immer.

Sie sehnte sich nach einem richtig starken schwarzen Kaffee, um ihre flatternden Nerven zu beruhigen und um die Kraft zu finden, so zu tun, als wäre in der Nacht überhaupt nichts geschehen. Sie merkte, wie sie schon bei der bloßen Erinnerung daran rot wurde. Was, zum Teufel, war bloß in sie gefahren?

Sie holte tief Luft. Nein, sie würde ganz ruhig zum Frühstücken runtergehen, und falls Dominic noch da war, würde sie ihm einen höflichen guten Morgen wünschen und rasch das geschäftlich-nüchterne Verhältnis zwischen ihnen wieder herstellen. Sie hoffte bloß, dass er einen tiefen Schlaf gehabt hatte.

Sie war gerade mit Kofferpacken fertig, als es energisch an ihrer Tür klopfte.

Sie blickte auf und wappnete sich für die Begegnung mit Dominic. Hoffentlich verbarg ihr Make-up ihre Verlegenheitsröte. Sie hatte kaum »Herein!« gerufen, als auch schon die Tür aufflog und Carla wutentbrannt hereinstapfte.

»Du *Nutte*!«, kreischte sie Maura an und versetzte ihr eine schallende Ohrfeige. Maura plumpste schockiert aufs Bett. »Ich wusste, ich hätte dir sagen sollen, du sollst die Finger von ihm lassen, aber du hast's ja nicht mal eine Nacht ausgehalten. Ich wusste, dass da was ist, ich hab gesehen, wie du ihn angeschaut hast – tja, jetzt ist es raus.«

Dominic betrat hinter ihr das Zimmer. Mauras empörtes Aufkeuchen ignorierend, sprach er leise auf Carla ein. Sein Ton war mehr dazu angetan, ein wildes Tier zu bändigen, als eine hysterische Frau, fand Maura, die sich vorsichtig die brennende Wange hielt.

»Es ist nicht, was du denkst, Carla. Ich hab dir gesagt, dass es ein Durcheinander bei der Buchung gab. Zwischen uns ist absolut nichts geschehen.«

Maura hoffte, sich den raschen Blick, den Dominic ihr bei diesen Worten zuwarf, nur eingebildet zu haben.

»Carla, ich möchte, dass du dich jetzt beruhigst. Komm wieder mit mir nach unten, dann trinken wir zusammen eine schöne Tasse Tee.«

Carla ließ sich von ihm hinausführen, doch nicht ohne Maura abschließend einen hasserfüllten Blick zuzuwerfen.

Maura saß auf dem Bett und holte tief Luft. Was genug ist, ist genug, sagte sie sich. Das sollte eine Geschäftsreise sein! Und was wurde daraus? Eine Art Rosenkrieg! Sie musste das klären, denn sonst käme sie sich bald vor wie in einer seltsamen irischen Version von Alice im Wunderland.

»Ach ja, und vielen herzlichen Dank auch, Mr. Hanrahan, dass Sie mir so heldenhaft beigesprungen sind, als Ihre

Freundin mich als Nutte beschimpfte. Ihre blöde Bekannte von der Klatschpresse hat sowieso schon alles versucht, meinen Ruf hier zu ruinieren. So was brauche ich einfach nicht«, sagte Maura laut und zerrte ihren schweren Koffer vom Bett.

»Doch, das tun Sie«, stoppte Dominic ihre selbstgerechte Empörung. Er hatte geräuschlos den Raum betreten. Carla war nirgends zu sehen.

Maura fuhr herum. »Was soll denn das heißen?«

»Ich weiß, dass diese Tour sehr wichtig für Sie ist. Ich habe mir mal die Finanzlage von Lorikeet Hill angesehen. Es läuft zwar ordentlich, aber nicht übermäßig gut. Sie brauchen diese Exportgeschäfte. Und ich weiß auch, dass Sie den Auftrag haben, einen Artikel über Ihre Reise zu schreiben.«

Sie blickte ihn entsetzt an. Woher wusste er das alles? Wer, verdammt noch mal, hatte ihm das alles erzählt?

»Bernadette«, antwortete er, ihre Gedanken lesend. »Und das Internet. Ich habe die meisten australischen Weinmagazine online gelesen. Ich weiß, dass Sie in Südaustralien kein besonders gutes Jahr hatten, was bedeutet, dass auch der Weinertrag geringer ausfallen wird.«

Maura, der es überhaupt nicht passte, dass er so viel über ihre Privatsachen wusste, funkelte ihn zornig an. Aber zumindest wusste er nichts von Nick und Fran.

»Und ich weiß, dass die Frau Ihres Bruders ein Kind erwartet, was einen Erfolg dieser Reise umso wichtiger macht.«

Maura sog zischend den Atem ein.

Er ignorierte ihre Überraschung. »Ich möchte mich in Carlas Namen entschuldigen. Sie ist heute früh überraschend aufgetaucht und kam ins Zimmer, als ich gerade zum Frühstück runtergehen wollte. Sie hat nur einen Blick auf Sie geworfen, wie Sie schlafend im Bett lagen, und prompt die falschen Schlüsse gezogen; in dieser Situation ganz verständlich, wie ich finde. Aber ich habe ihr versichert, dass ich nichts getan habe, weswegen sie sich Sorgen machen muss.«

Mauras überempfindliche Ohren glaubten eine leichte Betonung des Wörtchens »ich« herauszuhören.

»Wir müssen Frieden schließen. Ich werde Carla bitten, nicht mehr überzureagieren und sich Ihnen gegenüber anständig zu benehmen. Sie hat es in letzter Zeit nicht leicht gehabt. Ich möchte nicht in die Einzelheiten gehen, aber ihr Vater ist letztes Jahr gestorben, und Carla geht es nicht sehr gut. Ich war selbst nicht viel älter als sie, als ich meine Eltern verlor; ich weiß also, wie das ist. Leben Ihre Eltern noch?«

Maura schüttelte den Kopf, sagte aber nichts, funkelte ihn nur an.

»Dann wissen Sie ja vielleicht, wie schwer das manchmal sein kann. Noch mal, es tut mir Leid, dass Carla Sie geschlagen hat, aber ich gebe Ihnen mein Wort, dass Sie und ich zusammenarbeiten und diese nächsten paar Wochen zu einem Erfolg für uns beide machen können.«

Maura hatte keine Zeit, etwas dazu zu sagen, denn wieder tauchte Carla auf und stapfte mit stürmischer Miene sofort zu Dominic, der schützend den Arm um sie legte.

»Und Carla wird Ihnen ebenfalls helfen, wo sie kann, nicht, Carla?«

Das Mädchen nickte und schenkte Dominic einen unschuldigen Blick.

Der Blick jedoch, der Maura traf, war ganz anders. Pure Verachtung lag darin.

»Du musst aufhören, die Leute andauernd hängen zu lassen, Carla. Das habe ich dir doch schon öfter gesagt. Ich werde dort anrufen und den Termin für dich verlegen lassen. Hilft dir das?«

Maura, die nach einem raschen Frühstück zum Parkplatz hinauskam, lauschte ohne schlechtes Gewissen, während sie ihren Koffer im Kofferraum unterbrachte. Das klang ja, als hätte Carla einen Fototermin sausen lassen.

Carla hing schluchzend an Dominics Schulter. Anscheinend hatte sie die ganze Nacht nicht schlafen können, sich in Angstzustände hineingesteigert und war schließlich zu dem Schluss gekommen, dass nur Dominic ihr helfen könnte. Nicht nur das, sie hatte sich für die Vier-Stunden-Fahrt hierher ein Taxi genommen.

Ich wette, diese Story wird der Taxifahrer noch lange erzählen, dachte Maura grinsend und stellte sich vor, wie sämtliche Dubliner Taxifahrer nun die Stadt durchstreifen würden, auf der Suche nach in Panik geratenen amerikanischen Millionenerbinnen.

Dominic trat auf Maura zu. Carla, die nun wieder den üblichen mürrischen Gesichtsausdruck trug, krallte sich an seinen Arm.

»Carla wird heute mit uns durch Mayo reisen und dann am Nachmittag von Galway aus mit dem Zug nach Dublin zurückfahren, wenn Ihnen das recht ist«, verkündete er.

»Kein Problem«, antwortete sie gespielt munter und war überrascht, überhaupt gefragt worden zu sein. Aber was hätte sie auch sagen können? Nein, Dominic wusste, dass sie im Grunde keine Wahl hatte. Aber so, wie's aussah, schien er sich jeden Cent von Carlas Vermögen sauer verdienen zu müssen, dachte Maura. Sie an seiner Stelle hätte lieber verzichtet.

Maura bot Carla an, vorne zu sitzen, doch die junge Frau bestand darauf, den Rücksitz zu nehmen, wobei sie sich beklagte, sie sei total fertig und wolle ein wenig schlafen. Maura war einen Augenblick lang versucht, selbst einen Zirkus zu veranstalten, nur um zu sehen, wie Dominic reagieren würde, wenn er zwei launische Gören am Hals hatte. Aber aus der Art, wie Dominic die Zähne zusammenbiss, ließ sich leicht schließen, dass er keinen Unsinn mehr dulden würde. Innerlich seufzend nahm Maura die Karte aus dem Handschuhfach, um sich wieder ein wenig zu beruhigen und um sich von der angespannten Stimmung im Wagen abzulenken.

Westport lag nur eine Fahrstunde entfernt, und Maura war froh um die Stille im Auto, die ihr Gelegenheit bot, ihren Gedanken nachzuhängen und die schöne Landschaft zu genießen.

Wie nicht anders zu erwarten, wanderten diese Gedanken hartnäckig immer wieder zu den Ereignissen der vergangenen Nacht zurück. In dem Wirbel um Carlas unerwartetes Auftauchen hatte sie das Ganze vorübergehend vergessen. Sie hoffte fast, sich alles bloß eingebildet zu haben. Aber ihre Wangen glühten, als sie daran dachte. Sie sah alles noch ganz genau vor sich. Was wäre geschehen, wenn der Betrunkene nicht aus Versehen an ihrer Tür gerüttelt hätte?

Daran wollte Maura überhaupt nicht denken. Entschlossen richtete sie ihre Gedanken auf den bevorstehenden Tag und schaute die Angaben durch, die sie von der Weingenossenschaft bekommen hatte. Rita hatte sich wirklich alle Mühe gegeben, so viele Aktivitäten wie möglich in ihre Route zu packen. Wenn die anderen australischen Winzer auch einen derart vollen Zeitplan hatten wie sie, dann musste der Absatz von australischem Wein in Irland ja beträchtlich in die Höhe schnellen.

Zumindest ein Teil ihrer Gedanken war beim Wein. Der andere Teil beschäftigte sich noch immer mit einer gewissen männlichen Brust.

13. Kapitel

Die Landschaft im County Mayo war wirklich atemberaubend – malerische Berge, saftige grüne Wiesen und Felder, die typischen *stone cottages*. Genau wie auf den Ansichtskarten. Maura musste ein-, zweimal an sich halten, um ihrer Begeisterung nicht laut Ausdruck zu verleihen. Die Stimmung im Auto regte jedoch nicht gerade zu Freudenausbrüchen über die schöne Landschaft an. Dominic starrte immer noch mit steinerner Miene vor sich hin, und Carla lümmelte schmollend auf dem Rücksitz.

Abermals wünschte Maura, jetzt mit Bernadette unterwegs sein zu können – entspannter als mit diesen beiden wäre es allemal gewesen. Es hatte zwischen ihnen gefunkt, und sie wusste, dass sie viel gelacht hätten. Na ja, sie würde Bernadette noch sehen können, wenn sie erst mal Dominics Anwesen in Clare erreicht hatten.

Aufmerksam richtete sie sich auf, als sie durch enge, verwinkelte Straßen nach Westport hineinfuhren, der größten Stadt im County Mayo. Sie musste an diesem Vormittag gleich zwei *bottle shops* besuchen, bevor sie am Nachmittag ihren Diavortrag vor den Mitgliedern der örtlichen Handelskammer und dem Rotary Club hielt.

Carla wollte lieber im Wagen sitzen bleiben und blätterte lustlos in einer Modezeitschrift herum, während Dominic und Maura die irischen *off-licences* aufsuchten. Wieder einmal war sie überwältigt von der Gastfreundschaft der Iren und ihrem Interesse am australischen Wein. Auch wenn die österreichische Schneelandschaft an Erfindungsreichtum kaum zu überbieten war, so hatten sich die Ladenbesitzer doch alle Mühe gegeben, dem Thema gerecht zu werden und die Reise nach Australien zu gewinnen.

Wahrscheinlich gibt es in Westport kaum noch Korken zu kaufen, dachte sie beim Anblick des zweiten *swagman's hat* an diesem Tag. Ein fröhliches Grinsen leuchtete ihr unter der breiten Hutkrempe, die mit zahlreichen wippenden Korken behangen war, entgegen. Maura wandte ihre Aufmerksamkeit wieder dem Ladeninhaber zu, der gerade dabei war, in aller Ausführlichkeit alle Verwandten aufzuzählen, die sich überall in Australien niedergelassen hatten.

»Also, wenn Sie die Reise gewinnen sollten, müssen Sie unbedingt auch bei uns in Lorikeet Hill vorbeischauen«, meinte Maura lächelnd. »Ist zwar nicht ganz so spektakulär wie der Hafen von Sydney oder das Great Barrier Reef, aber für einen herzlichen Empfang kann ich garantieren.« Sie versuchte, den Blick, den ihr Dominic bei diesen Worten zuwarf, zu ignorieren.

Zu Mauras grenzenloser Überraschung wollte sich Carla ihren nachmittäglichen Diavortrag ansehen. Auch schien sie auf einmal ihre Manieren wiederentdeckt zu haben und lächelte gar ein, zwei Geschäftsleuten zu, während sie sich ganz hinten im Konferenzsaal des Rathauses einen Stuhl suchte.

Maura ließ den Blick nervös über all die aufmerksamen Gesichter schweifen. Hoffentlich klappte das mit den Dias. Den altmodischen Diaprojektor bedienend, den die Handelskammer zur Verfügung gestellt hatte, führte Maura ihr Publikum durch den Weinherstellungsprozess, von der Rebe zur Flasche. Dazu berichtete sie ein wenig über die Geschichte von Lorikeet Hill und versuchte, den Leuten das Leben im Clare Valley nahe zu bringen.

Als sie halb fertig war, merkte sie, dass ihr die ganze Sache Spaß zu machen begann. Sie und Nick hatten mit sehr viel Sorgfalt und Mühe die richtigen Dias herausgesucht und auch lange an dem Thema gefeilt. Ohne es zu wissen, hatten sie dabei jede Menge Bilder vom strahlend blauen Himmel Australiens eingefügt, die einiges neiderfülltes Murmeln hervorriefen. Draußen nieselte es noch immer.

Maura konnte zu ihrer Freude feststellen, dass ihr das Publikum an den Lippen hing. Ein paar begannen sie sogar mit Fragen zu unterbrechen, die Maura nur zu gerne beantwortete. Sie tat ihr Bestes, Carla zu ignorieren, die es anscheinend schon wieder satt hatte, die Brave zu spielen, und mit demonstrativ gelangweilter Miene aus dem Fenster sah und ihre Nägel feilte.

Dominic schien Carlas ungezogenes Verhalten überhaupt nicht zu bemerken, seine ganze Aufmerksamkeit galt Maura. Sie fing seinen durchdringenden Blick ein-, zweimal auf, wandte ihr Augenmerk jedoch einem strahlenden Mann in der ersten Reihe zu, wie sie das in dem einzigen Rhetorikkurs, den sie auf der Schule belegt hatte, gelernt hatte. »Jeder neue Jahrgang wird mit dem so genannten *Clare Valley Gourmet Weekend* gefeiert«, erklärte sie fröhlich und zeigte dabei ein Dia, auf dem gut gelaunte Menschen vor schimmernden Edelstahltanks um Tische versammelt saßen. Das war einer der Höhepunkte des Jahres. Jedes Weingut veranstaltete sein eigenes kleines Weinfest. Wenn ein eigenes Restaurant vorhanden war, servierte man Selbstgekochtes, wenn nicht, ließ man sich von einem guten Restaurant aus der Gegend beliefern. Dazu gab es reichlich neuen Wein zu kosten. Lorikeet Hill war zu dieser Zeit immer ein besonders beliebter Anlaufpunkt, was nicht zuletzt an den beliebten Bands lag, die sie jedes Jahr buchten.

»Und jetzt zum eigentlichen Grund unseres Hierseins«, verkündete Maura und schaltete erleichtert den Diaprojektor ab. »Zeit für die Weinprobe.«

»Gut gemacht, Maura, eine wirklich beeindruckende Schilderung. Ich wünschte nur, wir hätten bei unserem letzten Besuch den ganzen Charme von Lorikeet Hill besser auskosten können«, sagte Dominic mit einem Funkeln in den Augen, als sie nach der Weinprobe zusammen zum Auto gingen.

Seine Worte überraschten sie. Hatte er ihr die unglückselige Verwechslung am Ende doch noch verziehen? »Vielen Dank«, sagte sie huldvoll, musste dann aber doch lächeln. »Wie gesagt, wir versuchen, jeden Besuch so unvergesslich wie möglich zu machen.«

»Glauben Sie mir, vergessen werde ich diesen Besuch nie.«

Sie lächelte noch immer, als sie den Wagen erreichten, und blickte sich um, weil sie hoffte, dass Carla nun ebenfalls ein wenig lockerer wäre. Aber Carla war in kaltes Schweigen verfallen und ließ Maura kaum Zeit, ihre Aktenmappe und die Dias sorgfältig unter dem Rücksitz zu verstauen, bevor sie sich in den Wagen drängelte.

»Und jetzt auf nach Galway«, sagte Dominic und schnallte sich an. »Diese Strecke wird Ihnen gefallen, Maura. Wir fahren durch eine der schönsten Gegenden von ganz Irland.«

Er hatte vollkommen Recht. Maura merkte, wie ihr der Atem stockte. Etwas in ihr begann zu kribbeln, vielleicht ja eine ferne Ahnung ihrer irischen Wurzeln.

Man musste schon ein Herz aus Stein haben, um nicht von dieser Landschaft gefangen genommen zu werden, dachte sie, als ein Sonnenstrahl ein weiß getünchtes Steinhäuschen am Fuß eines Berges aufblitzen ließ.

»Wir können anhalten, wenn Sie ein Foto machen möchten«, bot Dominic an, der ihr Interesse bemerkt hatte.

Sie nickte begeistert. Rasch stieg sie aus dem Wagen und ging ein wenig zurück, um die beste Aussicht einzufangen. Dominic folgte ihr, kam mit langsamen Schritten zu der Stelle, wo sie auf einen kleinen Erdhügel geklettert war.

»Sie haben sicher schon mal gehört, dass in manchen Regionen Whisky mit Torf gebrannt wird, nicht?«, fragte er.

Sie nickte.

»Nun, das hier ist ein Torfmoor«, erklärte er mit weit ausholender Armbewegung.

Maura blickte sich um. Sie hatte gedacht, dass das hier einfach nur besonders matschige Felder waren. Bei näherem Hinsehen erkannte sie, dass die Felder nicht etwa abgeerntet waren, sondern dass der Matsch selbst die Ernte darstellte.

Das sagte sie Dominic, der leise lachte.

»Nein, nicht direkt Matsch. Torf entsteht aus uralten, längst verwesten Wäldern, Tausende von Jahren alt.«

»Dann ist das wohl so was wie Kohle?«

»Na ja, ein paar tausend Jahre mehr, und es wäre vielleicht Kohle geworden. Dieser Torf ist ein hervorragender Naturstoff. In Galway werden Sie sehen, dass man ihn zum Heizen in den offenen Kaminen benutzt, auch in dem Haus in Clare, in dem Sie bleiben werden. Ein Torffeuer hat einen charakteristischen Geruch – als ich in Amerika war, hat ein Pubbesitzer versucht, den Geruch künstlich nachzuahmen, damit wir nicht mehr so heimwehkrank sind. Im Torf bleibt außerdem vieles frisch. Archäologen haben hier alles Mögliche gefunden, von uralten Eichenstücken bis zu Butter, die vor Hunderten von Jahren dort vergraben wurde.«

»Butter?«, fragte Maura überrascht.

»Unglaublich, nicht? Knechte und Bauern haben vor Hunderten von Jahren ihre Brotzeit im Torf vergraben, um sie frisch zu halten, und da hat wohl der eine oder andere hin und wieder vergessen, wo das war. Man findet alles Mögliche in einem Torfmoor.«

»Dann überrascht es mich, dass sich der Torf in der Kosmetik noch nicht durchgesetzt hat, wenn man damit alles so schön frisch halten kann«, sagte sie und blickte grinsend zu ihm auf.

»Ja, das wäre eine Marktlücke. Vielleicht wenn Sie den Wein und das Kochen satt haben«, meinte er, ebenfalls lächelnd.

Belebt von dem frischen Wind, stieg sie wieder ins Auto. Jetzt hatte sie endlich das Gefühl, tatsächlich in Irland angekommen zu sein.

Carlas gereizter Ton durchbrach die schöne Stimmung.

»Ihr habt euch viel Zeit gelassen, ich kann bloß hoffen, dass ich meinen Zug nicht verpasse«, nörgelte sie.

»Ich auch«, sagte Maura spontan.

»Was wollen Sie damit sagen?«, fauchte Carla sie an.

»Ich meine, es wäre doch schade, wenn Sie einen späteren

Zug nehmen und Ihren Termin verpassen würden«, sagte Maura und schalt sich für ihr kindisches Benehmen.

»Was wissen Sie über meinen Termin?«, fragte Carla wütend.

»Ganz und gar nichts«, entgegnete Maura, überrascht über die plötzliche Hartnäckigkeit des Mädchens. »Ich nahm bloß an, dass es sich um einen Fototermin handelt. Das ist es doch, was Sie machen, nicht?«

Carla sank mit einem zufriedenen Lächeln in ihren Sitz zurück. »Ja, das heißt, wenn der Job stimmt. An Katalogaufnahmen oder dummen Modenschauen in Einkaufszentren verschwende ich jedenfalls keine Zeit. Hab mal einen fantastischen Shoot auf den Fidschis gemacht. Das ist doch in Ihrer Gegend, nicht?«

»Na ja, auf derselben Hemisphäre jedenfalls«, antwortete Maura. Aber Carla war eigentlich gar nicht an ihrer Antwort interessiert.

»Es war einfach toll. Man hat mich von hinten und vorne bedient, und Raymond, der Fotograf, meinte, ich hätte den zartesten Knochenbau, den er je gesehen hat. Er meinte, ich wäre fantastisch für ...«

Maura, der das Geplapper rasch auf die Nerven ging, wünschte, sie hätte Carla irgendwie ausblenden können. Zwei Stunden mürrisches Schmollen und dann das – sie wusste, was ihr lieber war. Sie warf Dominic einen Blick zu, weil sie sich fragte, wie, zum Teufel, er das aushielt. Doch zu ihrer Überraschung lächelte er Carla nachsichtig im Rückspiegel zu. Sein Ansehen bei ihr sank noch weiter in die Gefrierzone.

Sie war froh, als sie nach der angespannten Atmosphäre im Auto endlich Galway erreichten. Die Erinnerung an die Zuneigung, die Dominic Carla entgegenbrachte, und der Grund dafür, hatten das Unbehagen in Maura wieder geweckt. Auf einmal sehnte sie sich danach, Nick und Fran anzurufen, um ihre unkomplizierte Liebe und Zuneigung zu spüren.

Jetzt war sie es, die im Auto sitzen blieb, während Dominic Carla zum Zug brachte. Sie hielt es kaum für wert, sich von Maura zu verabschieden, brummelte nur etwas, während Maura es sich nicht nehmen ließ, ihr mit großem Vergnügen Lebewohl zu wünschen.

Als Dominic zurückkehrte, warf sie ihm einen verstohlenen Blick zu, um zu sehen, ob er vielleicht Tränen in den Augen hatte, doch er schien den tragischen Abschied von Carla bemerkenswert gut verkraftet zu haben. »Wieder ein Tag und zehntausend Dollar mehr«, murmelte sie.

»Wie bitte?« Dominic schaute sie fragend an.

»Ach nichts, mir ist nur gerade ein altes australisches Sprichwort in den Sinn gekommen«, sagte Maura mit einem Unschuldslächeln.

Dominic warf ihr einen scharfen Blick zu. »Unser Hotel ist nicht weit von hier – möchten Sie gleich hinfahren, oder sollen wir rasch eine kleine Stadtrundfahrt machen, damit Sie wieder ein wenig zur Ruhe kommen?«

Maura wollte gerade Erschöpfung vorschützen, als sie die vielen Menschen sah, die sich zum Stadtkern hinbewegten.

»Ja, eine Stadtrundfahrt wäre schön«, sagte sie.

14. Kapitel

Dominic bog soeben ins Stadtzentrum ein, als das Autotelefon klingelte. Er antwortete mit forscher Stimme und schaltete auch sofort wieder auf Lautsprecher.

Eine fröhliche Stimme ertönte. »Hallo, hier spricht Cormac Sheehan. Ich bin auf der Suche nach unserem wunderschönen Besuch aus Australien. Maura, bist du auch da?«

Überrascht antwortete sie mit ja.

»Hallo, meine Schöne, wie läuft's? Hab Rita bekniet, bis sie deine Kontaktnummer rausrückte. Na, bist du ein rauschender Erfolg? Keine Überraschungen aus dem schönen Austria mehr, hoffe ich?«

Maura war sich Dominics Gegenwart zu sehr bewusst, um locker auf Cormacs schamlose Flirterei reagieren zu können. Cormac schien zu wissen, warum sie so verkrampft war.

»Ich weiß, du kannst jetzt nicht reden. Ich wollte nur sagen, dass ich, wie's aussieht, an einem der nächsten Wochenenden nach Clare raufkommen kann, um dich auf ein oder zwei Guinness auszuführen. Ich denke oft an dich. Kann's kaum erwarten, dich wiederzusehen.«

Er legte auf, bevor sie sagen konnte, dass ihr sein Besuch eher ungelegen käme. Sie hatte ja keine Ahnung, was sie dort erwartete. Und sie wollte die Zeit mit Bernadette verbringen.

Dominic schaute zu ihr herüber. »Schnelle Arbeit.«

»Ich war nur freundlich«, sagte sie, ein wenig gekränkt über diesen Kommentar.

Ruhig sagte er: »Ich meinte nicht Sie, ich meinte Cormac. Und ich wollte Sie nicht kritisieren. Es überrascht mich keineswegs, dass Sie einen Verehrer haben. Sie sind eine sehr attraktive Frau.«

Als er ihr daraufhin einen langen Blick zuwarf, musste sie unwillkürlich an die letzte Nacht denken. Sie spürte, wie sie rot wurde.

Dominic sprach weiter. »Ich meinte damit seine Hartnäckigkeit. Tut mir Leid, falls Sie es als Beleidigung aufgefasst haben.«

Sie blickte ihn an, wollte ihm schon widersprechen, als die Aufrichtigkeit in seinen Augen sie innehalten ließ. Sie holte tief Luft, flehte um eine Dosis Reife und schenkte ihm, wie sie hoffte, ein freundliches Lächeln.

Er fuhr mit ihr herum und zeigte ihr einiges von Galway, bevor sie in ihr Hotel eincheckten. Während er sie auf einige Sehenswürdigkeiten hinwies, blickte sie zu ihm hinüber und versuchte, aus ihm schlau zu werden. Er schien die meiste Zeit über sehr beherrscht zu sein, doch hin und wieder erhaschte sie einen Blick auf etwas ganz anderes.

»Haben Sie Probleme mit meiner Aussprache? Sie sehen mich so komisch an«, sagte er plötzlich.

»Nein, gar nicht«, versicherte sie rasch. »Ich habe bloß die Aussicht aus Ihrem Seitenfenster bewundert.«

Dominic warf einen Blick aus dem Seitenfenster. Draußen waren lediglich ein paar ganz gewöhnliche Lagerhäuser zu sehen.

»Ja, eine herrliche Aussicht, stimmt«, sagte er.

Maura, der es schrecklich peinlich war, dass er sie dabei ertappt hatte, wie sie ihn anstarrte, starrte aus ihrem Seitenfenster. Einige Augenblicke später meldete sich Dominic abermals zu Wort. »Im Handschuhfach liegt eine Broschüre, die Sie vielleicht interessiert. Rita hat mir vor dem Aufbruch einen ganzen Stapel davon in die Hand gedrückt.«

Es handelte sich um einen wunderhübsch aufgemachten Stadtführer. Ein ganzer Abschnitt behandelte nur die Geschichte der Claddagh-Ringe.

»Ach, diese Ringe haben mir schon immer gefallen«, rief sie aus, während sie ein Foto von einer besonders zarten Version in Silber bewunderte. Laut las sie die Erklärung für das äußerst schlichte Design. »*Mit diesen Händen übergebe ich dir mein Herz und kröne es mit meiner Liebe*. Das ist wunderschön«, sagte sie leise. Nick hatte sie gebeten, ihm etwas ganz Besonderes für Fran mitzubringen. Ein Claddagh-Ring wäre perfekt.

Sie wollte Dominic gerade fragen, ob es schwierig war, ein entsprechendes Geschäft zu finden, da musste sie beinahe laut lachen. Als sie durch die Haupteinkaufsstraße fuhren, sah sie, dass praktisch jedes zweite Geschäft diese Ringe verkaufte oder mit Schildern wie *Die Heimat des Claddagh-Rings* prahlte. Das Problem war also nicht, einen solchen Ring zu finden, sondern einen, der wirklich etwas Besonderes war.

Galway gefiel ihr, sehr sogar. Es war die lebendigste Stadt, die sie je erlebt hatte. Die gewundenen Straßen und Gässchen wimmelten nur so von Menschen und Autos und Fahrrädern, die alle um ein Durchkommen kämpften. Immer wieder bildeten sich Autoschlangen, weil die Gehsteige überquollen und die Leute einfach gemächlich auf der Straße spazierten, als wäre hier eine Fußgängerzone.

Wie in Dublin gab es auch hier eine Mischung von Menschen aus aller Herren Länder: Geschäftsleute neben staunenden jungen Pärchen, daneben Rucksack-Touristen, Hippies, New Agers, Musiker, Straßenakrobaten und Farmer. Die Straßen von Galway waren der reinste Schmelztiegel für Menschen aller Schichten und Couleur. Schon Dublin war ihr geschäftig vorgekommen, doch das hier war das reinste Tollhaus.

Die Sonne spitzte zum ersten Mal an diesem Tage hervor, als sie schließlich vor ihrem Hotel, dem *Great Southern*, direkt in der Stadtmitte, vorfuhren.

»Morgen steht ganz schön viel auf dem Programm, nicht?«, meinte Dominic, während er ihre Koffer aus dem Kofferraum hievte.

Maura nickte. »Insgesamt fünf Termine«, bestätigte sie. »Aber keine Diavorträge mehr bis Ennis, Gott sei Dank.«

»Schade«, sagte er zu ihrer Überraschung. »Ihr Vortrag hat mir sehr gefallen. Hab selbst einiges gelernt.«

Sie warf ihm einen raschen, verlegenen, aber auch erfreuten Blick zu. Dann betraten sie das Hotelfoyer, und sie wollte gerade etwas sagen, als eine allzu vertraute, weinerlich-gedehnte Stimme an ihr Ohr drang.

»Dominic?«

Beide fuhren herum. Carla kauerte mit hochgezogenen Beinen in einer Sofaecke unweit der Rezeption. Ihre Wimperntusche war verschmiert, ihr Gesicht rotfleckig, und sie sah aus, als ob sie geweint hätte.

Maura musterte sie verblüfft. Wo kam die auf einmal her? Sollte sie nicht schon auf halbem Wege nach Dublin sein? Sie warf einen Blick auf Dominic und sah wieder diesen Muskel in seiner Wange zucken. Seine Selbstbeherrschung war phänomenal.

»Carla, warum bist du nicht im Zug?«, erkundigte er sich in ominös ruhigem Ton.

Carla fing wieder zu weinen an, hievte sich vom Sofa und wankte auf Dominic zu. Mit kindlicher Stimme jammerte sie: »Ich hab's nicht ausgehalten, es war so voll, überall Leute, die gedrängelt und sich angebrüllt haben. Einfach schrecklich. Ich musste den Zug anhalten, und die haben mich rausgelassen, ich konnte einfach nicht ...« Sie brach schluchzend zusammen.

Maura glaubte, weder ihren Augen noch Ohren zu trauen. Die benahm sich wie eine Fünfjährige. Trotz ihrer Neugier wandte sie sich diplomatisch ab. Sie hörte Dominics leise, beruhigende Stimme und sah noch aus den Augenwinkeln, wie Carla sich ihm an den Hals warf. Dominic stand vollkommen reglos und mit hängenden Armen da.

Probleme im Millionärshimmel, dachte Maura gehässig und trat an die Rezeption, insgeheim betend, dass diesmal alles mit der Buchung in Ordnung war. Zu dritt in einem Zimmer wäre denn doch zu viel gewesen.

Mit ihrem Zimmerschlüssel sicher in der einen und ihrem Koffer in der anderen Hand wartete sie höflich auf eine Gelegenheit, mit Dominic zu sprechen. Wenn heute Abend nicht noch ein Zug nach Dublin fuhr und er Carla irgendwie überreden konnte, ihn auch zu nehmen, würde er sie diese Nacht wohl oder übel bei sich behalten müssen. Da hat er ein hübsches Stück Arbeit vor sich, dachte sie, diese hysterische Ziege wieder zu beruhigen.

Plötzlich fing er ihren Blick auf, erhob sich vom Sofa, auf dem er mit Carla gesessen hatte, und kam, nach ein paar raschen Worten an seine widerspenstige Freundin, zu Maura.

»Entschuldigen Sie das Durcheinander«, meinte er und fuhr sich beunruhigt mit den Fingern durch die Haare. »Es geht ihr im Moment nicht sehr gut; sie ist ein bisschen aufgeregt.«

Ein bisschen aufgeregt? Das war die Untertreibung des Jahres, fand Maura.

Dominic schien aufrichtig besorgt zu sein. »Eigentlich wollte ich Sie heute Abend in ein Pub oder Restaurant ausführen, aber daraus wird nun wohl leider nichts.« Er nickte in Richtung Carla. »Es stört Sie doch hoffentlich nicht, sich was beim Zimmerservice zu bestellen oder im Hotelrestaurant zu essen?«

Seine Fürsorglichkeit rührte sie. Er schien sich wirklich Sorgen um Carla zu machen. »Nein, das macht mir überhaupt nichts«, sagte sie lächelnd. »Wenn ich irgendwie helfen kann?«, erkundigte sie sich dann mit einem Blick auf Carla. Sie konnte das Weib zwar nicht leiden, aber wenn es ihr wirklich nicht gut ging …

»Nein«, versicherte Dominic rasch. »Wir kommen schon zurecht. Und sie hat mir versprochen, morgen früh nach Dublin zurückzufahren, also machen Sie sich wegen Ihrer Termine mal keine Sorgen.«

»Das mache ich auch nicht«, sagte sie ehrlich. Es überraschte sie, dass er sich Gedanken darüber machte.

Ein lautes Schnüffeln vom Sofa lenkte ihre Aufmerksamkeit wieder auf Carla.

»Ich gehe wohl besser«, sagte Maura mit Blick auf die andere Frau. »Dann bis morgen.«

»Um zehn?«, fragte er. Sie nickte und wünschte ihm eine gute Nacht.

Oben in ihrem wunderhübschen Zimmer überkam Maura

plötzlich eine tiefe Erleichterung. Was für ein Tag. Und was für ein Reisebeginn. Sie war einfach nur froh, allein sein zu können. Sie würde sich zum Abendessen was beim Zimmerservice bestellen, sich vielleicht einen Film im Fernsehen ansehen oder einfach nur ihre hektischen Gedanken zur Ruhe kommen lassen. Und morgen wäre sie dann bereit für alles. Sogar für Carla.

Beim Frühstück am nächsten Morgen warf sie erneut einen Blick in ihren Tagesplan. Sie mussten heute vier Weinhandlungen besuchen, und am späten Nachmittag gab es dann noch eine Weinprobe mit Geschäftsleuten, Hoteliers und Weinhändlern aus der Stadt sowie der örtlichen Presse. *»Und alle ziemlich einflussreich!«*, hatte Rita danebengekritzelt.

Als Maura nach unten ging, wartete Dominic bereits an der Rezeption auf sie. Carla war nirgends zu sehen.

»Guten Morgen«, sagte sie und wollte sich nach seinem Sorgenkind erkundigen.

Dominic begrüßte sie und ersparte ihr die Mühe. »Carla ist heute früh nach Dublin abgefahren, wie ich mit Freude verkünden kann«, sagte er mit einem kleinen Grinsen. Maura war ein wenig schockiert, ihn das über seine Freundin sagen zu hören, doch nach dem gestrigen Theater konnte man es ihm wohl nicht verübeln, dass er vorerst genug von ihr hatte. »Nochmals Entschuldigung – ich hoffe, Sie hatten trotzdem einen schönen Abend?«, erkundigte er sich.

Sie nickte, abermals überrascht über diese fürsorgliche Seite an ihm, die nun immer öfter zum Vorschein zu kommen schien. Sie musste sich bewusst an die Dinge erinnern, die sie von Cormac über ihn erfahren hatte.

»Ich habe heute früh mal in den Stadtplan geschaut. Die Weinhandlungen sind alle in der Nähe. Wir könnten zu Fuß hingehen, wenn Sie nichts dagegen haben?«

Hatte sie nicht, ganz im Gegenteil. Es war ein klarer, kalter Tag, und nach der gestrigen Fahrerei war sie froh, sich die Beine vertreten zu können.

Der erste *bottle shop* war schnell erreicht. Er war im vorderen Teil eines alten Pubs untergebracht. Maura freute sich, als sie sah, dass die Lorikeet-Hill-Weine ganz vorne im Schaufenster standen, bestrahlt von einer runden gelben Lampe, die langsam eine halbkreisförmige Bahn darüber zog. Sollte wahrscheinlich die australische Sonne darstellen, vermutete sie.

Gerade als sie eintreten wollten, klingelte Dominics Handy. Er sagte rasch etwas, dann bat er den Anrufer, kurz zu warten.

Bedauernd schüttelte er den Kopf. »Ich muss mich schon wieder entschuldigen«, sagte er zu Maura. »Es wird einen Moment dauern – wollen Sie schon mal reingehen?«

Maura nickte und betrat den schmalen kleinen Laden, wobei sie wegen dem dort herrschenden Dämmerlicht die Augen zusammenkneifen musste. Ein Mann mittleren Alters mit einer Pfeife im Mundwinkel kam aus einem kleinen Hinterzimmer hervor.

»Kann ich Ihnen helfen, Miss?«, erkundigte er sich, leicht hustend.

Maura stellte sich vor. »Wollte bloß mal reinschauen und Hallo sagen und mich bei Ihnen für die wunderschöne Schaufensterdekoration bedanken. Wirklich beeindruckend.«

Der Mann strahlte übers ganze Gesicht. »O hallo, Maura. Ich bin Dan O'Shea, und das finde ich richtig nett, dass Sie das sagen. Vielleicht könnten Sie ja ein gutes Wort für mich bei den Preisrichtern einlegen? Ich seh's schon vor mir, wie ich in der Badehose am Strand der Goldküste liege, Sie nicht auch?«

Maura lachte. Dan sah aus, als würde er sich in einem gemütlichen Pub wohl fühlen und weniger an einem heißen

Strand, und nach dem Funkeln in seinen Augen zu schließen, schien er ebenso zu denken. »Werde mein Bestes tun«, sagte sie augenzwinkernd. »Das mit der Lampensonne könnte den Ausschlag geben. Und wie verkauft sich denn nun der australische Wein, besser, hoffe ich? Die Franzosen und Spanier machen uns ja ganz schön Konkurrenz, nicht?«

Dan lehnte sich an den Tresen und paffte an seiner Pfeife. »Na ja, kommt drauf an, was man mag, nicht? Manche Leute mögen französischen Wein, manche Leute spanischen. Dann gibt's solche, die auf italienischen schwören. Und dann gibt's die, die australischen Wein mögen. Das sind Ihre Kunden.«

Sie blinzelte. Seine Logik war bestechend. »Da haben Sie Recht«, sagte sie lahm.

Dann stürzte sich Dan in eine weitschweifige Erläuterung der Unterschiede zwischen den Weinen aus diesen Ländern, und nach einiger Zeit warf Maura einen nervösen Blick auf ihre Uhr und hoffte, dass bald ein Kunde kam, damit sie sich höflich verabschieden konnte. Die Türglocke schellte, und beide blickten auf, als Dominic eintrat.

Maura ergriff rasch die Gelegenheit, Dan zu unterbrechen. »Das ist Dominic Hanrahan«, erklärte sie, »mein Gastgeber von der Weingenossenschaft.«

»Toll, diese Genossenschaft«, meinte Dan. »Schön, Sie kennen zu lernen. Dominic, nicht?«

Dominic nickte und wollte etwas sagen, da nahm Dan auch schon den verlorenen Faden wieder auf. »Also, was die Franzosen angeht, deren Weinqualität ist von Region zu Region unterschiedlich – ich selbst favorisiere die Burgunder ...«

Dan schwafelte mehr als fünf Minuten, ohne Luft zu holen, bis er schließlich mal kurz an seiner Pfeife sog.

Dominic ergriff diese Chance und unterbrach ihn geschickt, während Maura zuhörte und ihm insgeheim applaudierte. »Tut mir Leid, Sie unterbrechen zu müssen, Dan, aber die arme Maura hat noch jede Menge andere Termine, und wenn sie nicht pünktlich auftaucht, ist es mein Kopf, der rollt. Würden Sie uns entschuldigen? Vielleicht schaffen wir es ja, später noch mal vorbeizuschauen.«

»Aber sicher, sicher«, sagte Dan großspurig und wedelte dabei derart ausholend mit der Pfeife, dass Maura schon fürchtete, glühenden Tabak abzukriegen. »War mir ein Vergnügen, Sie beide kennen zu lernen, und, Maura, vergessen Sie nicht, ein gutes Wort bei den Preisrichtern für mich einzulegen, ja?«, sagte er und tippte sich verschwörerisch mit der Pfeife an die Nasenspitze.

Die anderen drei Weinhändler waren nicht ganz so kommunikationsfreudig, aber ebenso freundlich. Maura war gerade in einem Laden angekommen, als ein Kunde reinkam und zwei Flaschen Lorikeet-Hill-Wein kaufte.

»Die Dame hinter Ihnen kommt zufällig aus genau diesem Weingut«, sagte der junge Verkäufer und wies auf Maura.

Der junge Mann drehte sich um. »Im Ernst? Das ist Ihr Wein?«

Maura nickte. »Nun, mein Bruder hat ihn gemacht. Aber ich hab ein paar von den Trauben gepflückt. In diesem Wein steckt jede Menge Schweiß und Arbeit.«

»Nicht zu viel, hoffe ich. Ich wollte einen vollmundigen Roten und keine verwässerte Brühe«, scherzte er. »Hier, würden Sie ihn mir signieren?«

Maura errötete. Das war das erste Mal, dass man sie darum bat. »Gut, wenn Sie unbedingt wollen, gerne«, sagte sie und nahm von dem Verkäufer einen Stift entgegen. »Ist aber nicht wie bei einem Buch, nicht? Ein Abend, und es ist vorbei.«

»Bringt aber viel mehr Spaß als ein Buch«, meinte der Kunde grinsend.

Maura überlegte einen Augenblick, bevor sie mit sorgfältigen kleinen Lettern über das Etikett, auf dem, dank Frans

Entwürfen, immer jede Menge weißer Platz übrig blieb, schrieb: *Ich hoffe, Sie kommen auf den Geschmack* und darunter schwungvoll ihr Name. Dann reichte sie ihm die Flasche zurück. »Es ist mir ernst, ich hoffe wirklich, dass Ihnen unsere australischen Weine munden.«

»Das werden sie«, sagte er. Dann beugte er sich vertraulich vor. »Ich will meiner Freundin heute Abend einen Heiratsantrag machen – mit Hilfe dieses Weins werde ich hoffentlich die Antwort bekommen, die ich mir wünsche.«

»Na ja, falls nicht, können Sie Ihren Kummer ja immer noch mit der zweiten Flasche ersäufen«, meinte der junge Verkäufer trocken.

Es war schon nach sieben, als sich Maura und Dominic endlich auf den Rückweg zum Hotel machten. Die Dunkelheit war hereingebrochen, während sie auf der letzten Weinprobe waren, und nun erstrahlte die Stadt im Licht der Straßenlampen und vorbeifahrenden Autos. Auch jetzt waren die Gehsteige voller Menschen, die von der Arbeit nach Hause gingen oder bereits zu nächtlichen Vergnügungen aufbrachen.

»Das war's für heute, nicht? Keine geschäftlichen Verpflichtungen mehr?«, fragte Dominic, während sie sich auf dem Weg zum Hotel zwischen den Leuten hindurchzwängten.

»Ja, das war's für heute«, bestätigte sie und wich einer Gruppe kichernder Teenager aus. »Ich hoffe, dass ich was erreicht habe. Ich wiederhole mich schon andauernd. Muss anfangen, mir ein paar Varianten einfallen zu lassen, damit die Leute nicht einschlafen.«

Er grinste sie an, und abermals traf sie wie ein Blitzschlag die Erkenntnis, wie fantastisch dieser Mann aussah. Er war noch immer im Anzug, hatte jedoch den Schlips abgenommen, und der weiße Kragen seines Hemds kontrastierte stark mit seiner gebräunten Haut. Auf einmal sah sie ein Bild von ihm vor sich, entspannt, locker, lachend, in weniger formellen Klamotten. Ja, eine ausgewaschene schwarze Jeans vielleicht, dazu ein dicker, dunkelgrüner Wollpulli. Die Haare vom Wind zerzaust.

Das Hupen eines Autos, das einer Gruppe von jungen Männern Beine machen wollte, die gemächlich auf der Straße neben ihnen herspazierten, riss sie aus ihren Träumereien. Sie standen vor ihrem Hotel, und Dominic sagte gerade etwas zu ihr.

»Möchten Sie heute Abend im Hotel essen, oder lieber in ein Pub oder Restaurant ausgehen?«, erkundigte er sich.

Plötzlich hatte sie das Bedürfnis, Grenzen zwischen ihrer Arbeit und ihrer Freizeit zu ziehen. »Sie müssen sich nicht andauernd um mich kümmern«, sagte sie ernsthaft. »Bestimmt gibt es jede Menge anderer Dinge, die Sie lieber täten, und es macht mir überhaupt nichts aus, mir wieder was vom Zimmerservice kommen zu lassen oder allein zum Essen zu gehen.«

Einen Augenblick lang hatte sie den Eindruck, ihn gekränkt zu haben, aber das bildete sie sich wahrscheinlich nur ein. Als er sprach, war seine Stimme sehr leise. »Ich habe der Weingenossenschaft versprochen, für diese Woche Bernadettes Stelle einzunehmen, und Bernadette hätte Sie sicher nicht zwei Abende hintereinander sich selbst überlassen.«

Natürlich, die Weingenossenschaft. Und seine Recherchen. Vielleicht wollte er ja ein paar Tipps von ihr haben, wie man auf dem Land ein Restaurant führte, fiel ihr plötzlich ein.

Er wiederholte seine Einladung. »Möchten Sie heute Abend mit mir ausgehen?« Das klang erstaunlich höflich und ehrlich, und sie hatte beinah den Eindruck, als bäte er sie um eine Verabredung. Eigenartig, der Gedanke gefiel ihr, bis ihr plötzlich Carla durch den Kopf schoss.

Dominic wartete noch immer auf eine Antwort. Maura

musste an all die belebten Pubs und Cafés denken, an denen sie vorbeigekommen waren. Ach, zum Teufel, was konnte er ihr schon tun? Sie beißen? An einen arabischen Ölmagnaten verscherbeln? Ein paar Stunden länger konnte sie die Spannung zwischen ihnen schon noch aushalten, außerdem wollte sie unbedingt ein richtiges Guinness und noch ein schönes irisches Essen probieren.

»Ja, sehr gerne«, sagte sie daher.

Er lächelte.

15. Kapitel

Sie vereinbarten, sich in einer Stunde wieder im Hotelfoyer zu treffen, und Maura ergriff die Gelegenheit, zu duschen und sich umzuziehen.

In blendender Laune kam sie einige Zeit später die Treppe ins Foyer herunter. Ihr Grinsen erstarrte, als sie sah, dass Dominic ebenfalls geduscht und sich umgezogen hatte.

Er trug eine ausgewaschene schwarze Jeans und einen dicken, dunkelgrünen Wollpulli, als hätte er ihre Gedanken gelesen. Sie kam sich vor wie ein Kind mit einer Papierpuppe – wenn sie ihn sich in Footballmontur vorgestellt hätte, wäre er dann so aufgekreuzt? Er sah … ihr fehlte das richtige Wort … stark aus. Ja, das war es. Aber nicht einschüchternd, im Gegenteil. Er sah zum Anbeißen aus. Sie strahlte ihn an.

Auch er schien zu bemerken, dass sie sich umgezogen hatte. Sie hatte sich ein enges, dunkelgrünes Oberteil angezogen, dazu einen langen, bunt gemusterten Rock. Die Haare trug sie offen, und sie ergossen sich in dunkelroter Lockenpracht über Rücken und Schultern.

Er hörte als Erster auf zu starren. »Möchten Sie in ein Restaurant oder lieber in ein Pub zum Essen gehen?«

»In ein Pub, ganz klar. Wissen Sie, ich hab noch nicht mal

ein Guinness probiert. Oder richtige irische Musik gehört. Ich werde mich noch bei der irischen Touristikzentrale beschweren müssen, wegen irreführender Werbung«, scherzte sie, denn es war klar, dass zwischen ihnen nun eine etwas entspanntere Stimmung herrschte.

»Tja, was gute Pubs und gute irische Musik angeht, sind Sie gerade in der richtigen Stadt«, sagte er und lächelte sie an. »Wir laufen einfach los, und wo's Ihnen gefällt, gehen wir rein.«

Zu Mauras Freude wurden sie sofort von den vielen Menschen mitgerissen. Die lebendige Stimmung, die fröhlichen Leute um sie herum, all das ließ Mauras Stimmungsbarometer noch mehr steigen. Anscheinend war hier selbst während der Woche abends die Hölle los. Man schwatzte mit Freunden und verschwand in Restaurants oder Pubs, es war ein ständiges Kommen und Gehen.

Ein Pub mit einem bunten Wandgemälde, auf dem Musiker, Autoren und Dichter dargestellt waren, erregte ihre Aufmerksamkeit. Dominic merkte es und schlug vor, reinzugehen.

Drinnen waren kaum noch Plätze frei, doch ihr fiel auf, dass in einer Ecke noch eine ganze Sitzecke, bis auf ein paar Instrumentenkästen, leer stand.

»Das ist für die Musiker, für später reserviert«, erklärte Dominic und entdeckte gleich neben dem Podium noch einen freien Platz auf der Bank für sie.

Sie lauschte der im Hintergrund spielenden Musik und erkannte sie sofort. Die *Waterboys*, eine ihrer Lieblingsbands. Sie hatte über sie gelesen und wusste daher, dass sie nicht alle Iren waren, aber für sie blieb ihre Musik immer untrennbar mit Irland verbunden. Was für ein schöner Zufall, dass sie ausgerechnet diese Band an ihrem ersten richtigen Ausgehabend hörte.

»Die gehören auch zu meinen Lieblingsbands«, sagte Dominic. Sie blickte auf. »Die Waterboys. Ich hab gesehen, wie Sie lächelten. Ich habe sie ein paarmal live erlebt – absolut brillant.«

Er muss wohl auch eine andere Persönlichkeit übergestreift haben, zusammen mit der Naturburschenaufmachung, dachte sie. Heute Abend kam er ihr überhaupt nicht wie der spießige Zeitungsmogul vor. Oder wie Carlas adleräugiger Aufpasser. Er schien einfach nur der typische, umwerfend gut aussehende, fünfunddreißigjährige Ire zu sein, der er ja auch war. Als er sie schon wieder beim Anstarren ertappte, wandte sie rasch den Blick ab.

Die Dinnerkarte war schlicht, und sie entschied sich rasch für die Meeresfrüchteplatte, die Räucherlachs, Austern aus der Gegend und pochierten Lachs anbot, dazu hausgemachte Sauce Tartare.

»Noch mehr Fisch?«, bemerkte Dominic.

»So viel ich kriegen kann«, grinste sie.

Dominic erbot sich, zwei *pints* Guinness zu holen, und während er an der langen hölzernen Bar stand, nahm sie die Gelegenheit wahr, sich umzuschauen. Jede Wand war mit einem prächtigen, farbenfrohen Gemälde bemalt, auf dem bekannte irische Schauspieler, Musiker und Schriftsteller zu sehen waren. Von der Decke hingen alle möglichen Artefakte: alte Eimer, Waschbretter und irgendwelche Farmgeräte, die an gefährlich dünnen Drähten über den Köpfen der Leute an der Bar baumelten.

Irische Pubs waren in Australien in den letzten zwei Jahren groß in Mode gekommen, und Maura hatte einige davon in Adelaide und auch früher in Sydney besucht. Doch der Sinn dieser Themenkneipen wollte ihr nicht ganz einleuchten – man konnte dekorieren, bis man schwarz wurde, aber die Stimmung und die Atmosphäre des anderen Landes konnte man doch nie einfangen. Jetzt, wo sie in einem echten irischen Pub saß, änderte sich ihre Meinung keineswegs.

Dieses Pub atmete geradezu Geschichte, man konnte sie fast mit Händen greifen. Die nachgemachten irischen Pubs dagegen, die sie in Australien besucht hatte, wirkten alle irgendwie falsch und bemüht: als würde der Besitzer, wenn es mit dem irischen Kram nicht funktionierte, im nächsten Monat einfach einen auf Tausendundeine Nacht oder auf Fünfzigerjahre-Nostalgie machen.

Gerade als sie sich über ihr Essen hermachten, sammelten sich die Musiker in der Ecke. Das Pub füllte sich zusehends. Die paar leeren Sitze waren rasch belegt, und Maura wurde immer dichter an Dominic gedrängt. Was sie prompt an jene unselige Nacht in dem Hotelzimmer erinnerte. Andererseits jedoch genoss sie das Gefühl von Dominics Schenkel an dem ihren. Ich benehme mich wie ein Schulmädchen bei der ersten Verabredung, schalt sie sich beschämt.

Sie brachte das Gespräch auf die Band und fragte Dominic nach den ihr unbekannten Instrumenten, die die Musiker gerade zu stimmen begannen. Er nannte die *Bodhrán*, die irische Rahmentrommel, und die *Uileann Pipes*, eine Art Dudelsack mit sanfterem Klang, und das Akkordeon, und er erzählte ihr von Sharon Shannon, einer jungen Akkordeonspielerin aus dem County Clare, die diesem Instrument einen ganz neuen Stellenwert in der irischen Volksmusik gegeben hatte.

»Na, die *Tin Whistle*, die irische Messingpfeife, erkenne ich wenigstens«, sagte sie, und zu spät fiel ihr die CD ein, die sie bei Dominics und Carlas unglücksseligem Besuch letzten Monat in voller Lautstärke hatte dröhnen lassen. »Sie scheinen ja viel von Musik zu verstehen – spielen Sie selbst ein Instrument?«, erkundigte sie sich daher rasch, in der Hoffnung, dass er die gedankliche Verbindung nicht auch hergestellt hatte.

»Ach, als Kind habe ich jede Menge Stunden gehabt. Mein Vater war ein wunderbarer Fiedler, und er wollte, dass ich es auch lerne. Hab viel gespielt, als ich noch in Irland lebte, dann, in Amerika, kaum noch.«

Maura wollte gerade weiter fragen, als die Musiker zu spielen begannen, eine schmissige Melodie, die sie von Terris Kassetten kannte. Die Musik war so mitreißend, dass Maura unwillkürlich mit den Füßen den Takt schlug. Begeistert blickte sie sich um, um zu sehen, wie die anderen Gäste reagierten.

Maura spürte, wie sich etwas in ihrer Seele öffnete, und wunderte sich über ihre emotionale Reaktion. Vielleicht war es ja erblich, vielleicht rührte diese Musik etwas in ihr auf, je mehr sie sich dem County Clare näherte …

Als das Lied vorbei war, beugte sich Dominic zu ihr und fragte sie, ob sie noch ein Guinness wollte. Sie hatte gerade genickt, als einer der Musiker plötzlich hinter Dominic auftauchte und ihn an der Schulter packte.

»Dominic, bist du das? Dominic Hanrahan?«

Dominic blickte auf, und ein Strahlen glitt über sein Gesicht.

Er erhob sich, um den Mann zu begrüßen. »Gerry Conway, hab dich überhaupt nicht erkannt mit dem Bart! Ich fass es nicht, wie geht's dir?«

»Prima, prima. Was machst du denn hier? Ich dachte, du bist in New York. Und wer ist das – deine wunderschöne amerikanische Frau?« Der Fremde musterte Maura bewundernd.

»Du und deine überschäumende Fantasie. Gerry, das ist Maura Carmody, Winzerin aus der Neuen Welt. Wir sind auf Geschäftsreise unterwegs.«

Maura erhob sich und gab dem Mann die Hand. Gerry hatte sich noch immer nicht von seiner Verblüffung, den alten Freund so plötzlich wiederzusehen, erholt.

»Das ist Gerry Conway, ein alter Schulfreund von mir«, erklärte Dominic. »Wir hatten in Cork zusammen Violinstunden.«

Maura hörte zu, während sich Gerry und Dominic angeregt unterhielten und versuchten, zwanzig Jahre in ein paar Minuten zu pressen.

»Das ist einfach fantastisch«, sagte Gerry strahlend. »Du musst 'n paar Lieder mitspielen, um der alten Zeiten willen.«

»Vergiss es, unmöglich«, wehrte Dominic ab und machte Anstalten, sich wieder hinzusetzen.

»Also, Maura, Sie würden diesen Zaubergeiger doch sicher mal hören wollen, oder?«

»Ganz bestimmt«, meinte Maura, der das Geplänkel zwischen den beiden sehr gefiel.

Dominic schien drauf und dran zu sein, die Herausforderung anzunehmen, als sie hörten, wie irgendwo laut und wiederholt sein Name gerufen wurde. Dominic, Gerry und Maura drehten sich suchend um.

»Dominic Hanrahan, nicht wahr? Wusste ich's doch, Sie sind es! Was für ein Zufall!« Es war Sylvie Rogers. »Wir sind für den Abend von Cork rübergerutscht. Wir mussten einfach einen Abstecher nach Galway machen, wo wir schon mal in Irland sind.«

Alles andere als begeistert sah Maura, wie Sylvie sich an den Leuten an ihrem Nachbartisch vorbeizwängte und zu Dominic trat.

Maura und ihr aufgesetztes Lächeln würdigte sie nur eines oberflächlichen Blickes. »Laura, nicht wahr?«, meinte sie verächtlich.

Maura schluckte eine bissige Antwort hinunter. »Nein, Maura. Hallo, Mrs. Rogers, Mr. Rogers.« Sie nickte dem hinter Sylvie auftauchenden Mann zu. Er verschwand fast hinter einem Berg von Päckchen und Paketen.

Dann machte sich Sylvie über Dominic her. »Mr. Hanrahan, wie schön, Sie wiederzusehen! Ich sagte im Vorbeigehen zu William, nein, das ist doch Dominic Hanrahan, der Herausgeber«, schwärmte sie.

Seinen Namen hat sie natürlich nicht vergessen, dachte Maura gereizt.

Sylvie trat näher an Dominic heran. »Einfach wundervoll, Sie so zufällig zu treffen. Ich hatte ein so nettes Gespräch mit Ihrer charmanten Freundin Carla auf der Cocktailparty am Samstagabend. Sie hat mir alles über ihre Australienreise erzählt und wie Sie die Zeitungswelt dort durcheinander gebracht haben. Wie man so hört, haben Sie hier ja Ähnliches vor. Also dachte ich mir, da ist jemand, der weiß, was er will, der eine Vision hat und voller Energie ist, so wie ich. So setzen Sie sich doch, ich hätte ein paar geschäftliche Dinge mit Ihnen zu besprechen.«

Sie packte ihn am Ellbogen und riss ihn fast mit sich auf die Sitzbank. Gerry Conway erfasste die Situation mit einem Blick, zwinkerte Dominic zu und formte mit dem Mund die Worte »bis später«.

Maura blieb nichts anderes übrig, als sich neben Sylvie zu quetschen, während William Rogers auf ihrer anderen Seite niedersank. Sie saßen wie Sardinen in einer Büchse. Glücklicherweise fing die Band wieder zu spielen an, sodass sie und William etwas hatten, wo sie hinschauen konnten. Er schien kein Interesse an einer Unterhaltung zu haben, obwohl sie sich alle Mühe gab. Unwillkürlich fragte sie sich, was wohl seine Geschichte sein mochte. Sein Vater, Harry Rogers, war in Winzerkreisen eine Legende, einer der wenigen, der in den frühen Tagen der Weinherstellung nicht der Mode nachgegeben und seine Weinberge zu Obstplantagen umfunktioniert hatte. Als Folge davon verfügte die Glen Winery in Neusüdwales über eines der ältesten Weinanbaugebiete von Australien und produzierte dort einen ungewöhnlichen Rotwein, der dem Gut Jahr für Jahr Auszeichnungen einbrachte. Diesen Weinbergen hatte die Familie ihr Vermögen zu verdanken und lebte noch heute sehr gut davon.

William nahm plötzlich einen Pack Spielkarten aus der Tasche. Wollte er etwa mit ihr Karten spielen?, fragte sich Maura. Dann, während sie zusah, begann er mit den Karten herumzuspielen, ließ sie durch die Finger gleiten, außen herum, innen herum, blitzschnell und sehr geschickt.

»Das machen Sie ganz toll«, sagte sie. »Wo haben Sie das denn gelernt?«

»Ich hab nie viel Gelegenheit zum Reden«, meinte er mit einem Blick auf seine Frau. Sylvie redete noch immer laut und ohne Pause auf Dominic ein. Es war unschwer zu verstehen, dass es dabei um die Weine der Glen-Winzerei ging. William fuhr mit seinen Erklärungen und dabei auch mit seinen Kartenkunststückchen fort. »Und wie Sie sicher wissen, muss man bei der Weinherstellung viel rumstehen und warten. Ich hab ein Hobby gebraucht, und das hier ist es.« Auf einmal beugte er sich zu ihr. »Das ist es, was ich wirklich gerne tun würde«, sagte er.

»Kartentricks? Kann man denn davon leben?«, fragte sie erstaunt. Kaum vorstellbar.

»Ich würde es gerne versuchen und auf Kindergeburtstagen und irgendwelchen Partys und Festen auftreten. Aber Sylvies Ansicht nach ist das eines Winzers nicht würdig.« Zu Mauras Überraschung ahmte er die Stimme seiner Frau nach. »›Jetzt spinn nicht, William. Wer nimmt dich denn als Winzer noch ernst, wenn du bei jeder Gelegenheit jemandem eine Kreuz Sieben hinterm Ohr hervorholst?‹ Sie hat natürlich Recht, wie immer.« Er seufzte. »Na, jedenfalls habe ich genug Zeit zum Üben – der Wein macht sich dieser Tage ja praktisch von selbst.«

Da hab ich was anderes gehört, dachte Maura, als ihr die Gerüchte wieder einfielen, die auf der Party kursierten, dass Sylvie auswärtige Winzer anstellte, die ihr den Wein machten.

»Aber wir reisen viel, und Sylvie hat viel zu tun und ist glücklich, und wenn sie glücklich ist, bin ich's auch.«

Maura blickte ihn genau an und merkte, dass es ihm tatsächlich ernst war.

Und das schien das Ende ihres Gesprächs zu sein. Er fragte sie weder nach Lorikeet Hill oder Südaustralien noch nach dem bisherigen Verlauf ihrer Promotiontour, machte sich einfach wieder über seine Karten her.

Sie wandte sich Sylvie und Dominic zu und sah, dass Sylvie gerade dabei war, sich zu erheben, wobei sie noch immer pausenlos redete.

»Also dann, einen schönen Abend noch und danke, dass Sie sich für mich Zeit genommen haben. Ich würde mich freuen, mit Ihnen ins Geschäft zu kommen, Dominic«, sagte sie. Maura sah zu, wie sie Dominics Hand packte und mehrmals kräftig schüttelte.

Maura wurde von ihr abermals kaum eines Blickes gewürdigt, während sie sich an ihr vorbeizwängte und William winkte, der sofort aufsprang und, nachdem er die Pakete zusammengerafft hatte, hinter ihr her trottete. Er winkte Maura kurz zum Abschied zu.

»Was war das denn?«, meinte Dominic. »Zyklon Sylvie?«

»Hat wohl eher Sie platt gewalzt, ich bin nur gestreift worden«, entgegnete Maura lachend. »Was, um alles in der Welt, wollte sie denn?«

»Ach, bloß die Werbetrommel rühren«, antwortete er vage. »Wie sind Sie mit ihrem Mann zurechtgekommen?«

Maura schüttelte fassungslos den Kopf; sie war sich noch immer nicht sicher, ob sie das Gespräch mit ihm nicht nur geträumt hatte. Sie erzählte ihm von den Kartentricks.

»Schade, dass er seine Frau nicht verschwinden lassen kann«, murmelte er.

Gerry Conway hatte sie offenbar im Auge behalten, denn er kam wieder rüber. Doch diesmal weigerte sich Dominic standhaft, zur Band dazuzustoßen, und Gerry holte stattdessen noch eine Runde Guinness und setzte sich zu ihnen.

»Die kommen ein paar Songs auch ohne Fiedel aus«, meinte er grinsend. »Außerdem ist es meine Band – was können sie schon tun, mich rauswerfen?«

Interessiert lauschte Maura dem Gespräch der lang getrennten Schulfreunde. Vielleicht erfuhr sie ja mehr über Dominic, besonders über Dominic und Carla. Doch schon bald erkannte sie, dass er sehr geschickt im Ausweichen war, und so hörte sie mehr über Gerry und den beachtlichen Erfolg, den er mit seiner Band hatte, als über Dominic. Carla schien nicht einmal eine Erwähnung wert zu sein, wie Maura interessiert feststellte.

Als Maura und Dominic später durch die noch immer belebten Straßen zu ihrem Hotel zurückschlenderten, waren sie beide bestens gelaunt. Das gute Guinness und die tolle Musik hatten sie in eine alberne, fröhliche Stimmung versetzt, und so lud sie ihn noch auf einen letzten Drink in die Hotelbar ein.

Er zögerte kurz, dann lächelte er. Sie waren gerade auf dem Weg in die Bar, als sie von der Dame am Empfang aufgehalten wurden. »Mr. Hanrahan?«, rief sie.

Dominic nickte.

»Zwei dringende Nachrichten für Sie, Sir.«

Maura blieb höflich abseits stehen und beobachtete aus den Augenwinkeln, wie er die erste Nachricht las. Er blickte sie an. Seine Stimmung hatte sich schlagartig gewandelt, sein Gesicht verhärtet. Selbst seine Stimme klang ganz anders, nicht mehr locker, sondern fast barsch und kurz angebunden.

»Ich fürchte, ich kann Sie doch nicht mehr auf einen Drink in die Bar begleiten, etwas Dringendes ist dazwischengekommen«, erklärte er.

»Ach, hat Carla kein Taxi gekriegt?« Noch während ihr der Satz herausrutschte, wusste sie, dass sie einen Fehler gemacht hatte. Ihre spöttische Bemerkung kam nicht gut an.

Dominic warf ihr einen langen Blick zu, schüttelte dann den Kopf und wünschte ihr förmlich eine gute Nacht.

Maura blickte ihm nach, wie er die Treppe hinaufging. »Scheiße«, sagte sie laut.

16. Kapitel

Freitagmorgen, beim Frühstück in ihrem Hotelzimmer, wanderten Mauras Augen immer wieder zu ihrer heutigen Route zurück. County Clare, endlich. Sie merkte, wie sie ein bisschen nervös wurde, aber warum, wusste sie nicht. Hatte sie Angst, zu viel herauszufinden oder vielleicht gar nichts?

»Oder Nick das eine wie das andere zu beichten«, sagte sie laut, mit einem trockenen Lächeln. Wenn er nicht so gedrängt hätte, sie hätte die Gelegenheit verstreichen lassen. Sie gab's nur ungern zu, aber er hatte Recht. Jetzt, wo sie so nahe war, musste sie versuchen, so viel herauszufinden, wie sie nur konnte. Aber erst, wenn sie dazu bereit war, nicht vorher.

Sie hatte gestern Abend nach der Rückkehr auf ihr Zimmer noch zu Hause angerufen, viel zu aufgedreht von dem Pubabend und auch brüskiert wegen seines abrupten Endes.

Zu ihrer großen Freude erfuhr sie von Nick, dass es Fran gut ging.

»Es geht ihr zwar allmählich auf die Nerven, dass ich sie dauernd frage, wie's ihr geht, aber abgesehen davon ist sie in bester Verfassung«, erzählte er. »Pass auf, ich hab fantastische Neuigkeiten: Wir sind in der Endausscheidung für die *Australian Restaurant Awards*. Und du errätst nie, wer einer von den Preisrichtern war!«

Maura nannte einige bekannte Kritiker, aber Nick sagte jedes Mal lachend nein.

»Also sag schon«, drängte sie schließlich.

»Erinnerst du dich an das ältere Paar, das gleich nachdem der arme begossene Dominic samt Carla abzog, bei uns auftauchte?«

Maura zog die Stirn nachdenklich in Falten. Ja, sie erinnerte sich an einen eher miesepetrigen alten Herrn mit seiner Frau, die sichtlich unbeeindruckt von der Fröhlichkeit in der Küche gewesen waren.

»Das war der Kritiker vom *OzTaste*, der Tester höchstpersönlich! Er war sowohl in seiner Funktion als Kritiker von der Zeitschrift da, als auch als Preisrichter.«

»Aber wir haben den armen Mann ja kaum beachtet!«

»Ich weiß, aber er begründete unsere Nominierung, warte einen Moment, ich hol's schnell und lese es dir vor.« Nick war gleich wieder da. »Hör dir das an: *Im Lorikeet Hill Winery Café herrscht eine bemerkenswert unverkrampfte und entspannte Atmosphäre; die Speisen sind nicht nur innovativ und ungewöhnlich, sondern auch äußerst schmackhaft. Ein Restaurant wie dieses könnte sich selbst in einer Großstadt einen Namen machen, gar nicht zu reden von einer einsamen, abgelegenen Region wie dieser*. Einsame, abgelegene Region?«, spottete Nick. »Wir sind kaum zwei Autostunden von Adelaide entfernt!«

»Beschwer dich nicht – wenn er's für unglaublich hält, dass es hier draußen im Busch auch Zitronengras und Koriander zu kaufen gibt, dann wollen wir ihm seine Illusionen nicht nehmen. Einfach fantastisch!« Maura war überrascht.

»Gott sei Dank hat Dominic den ganzen Salat abgekriegt, oder wir hätten nicht den Hauch einer Chance gehabt. Wir schulden ihm einen Drink«, sagte Nick lachend.

»Erst mal bringe ich diese Reise hinter mich, und dann sehen wir, wer wem was schuldet«, konterte sie.

»Also, dann komm rasch wieder nach Hause und fang an, an deiner Siegesrede zu feilen. Ich hab ein gutes Gefühl bei dieser Sache.«

Während Maura ihr Gepäck zusammensammelte, schweiften ihre Gedanken abermals zu dem unguten Ende ihres gestrigen Abends mit Dominic. Sie fragte sich, was wohl die Nachrichten besagt haben mochten, und zuckte zusammen, als sie an ihre Bemerkung über Carla und das Taxi dachte. So wie die Dinge liefen, wäre es wohl das Beste, sie gab ihm eine Blankoentschuldigung für den Rest ihrer gemeinsamen Zeit.

Sie dachte an die anderen australischen Winzer, die diese Woche ähnliche Fahrten wie sie unternahmen, besonders Sylvie und William. Sie würde ihren letzten Dollar darauf verwetten, dass die beiden keinen einzigen Gedanken an ihren Fahrer und Gastgeber verschwendeten. Wie der gestrige Abend gezeigt hatte, waren sie viel zu sehr damit beschäftigt, neue Geschäftsverbindungen zu knüpfen und ihren Wein an den Mann zu bringen. In diesem Moment beschloss sie, genau dasselbe zu tun. Genug mit diesem Zirkus. Schluss mit Fräulein Nett. Es war Zeit, die Zähne zu zeigen und sich als professionelle Geschäftsfrau zu geben, die sie ja war.

Sie ging die Treppe hinunter, die Koffer in der Hand, den Rücken kerzengerade, in der Hoffnung, genau das Bild abzugeben, das sie sich vorstellte, wenn Dominic sie erblickte. Aber ihre Mühe war umsonst, wie sie merkte, als sie den Blick durchs Foyer schweifen ließ. Dominic war nirgends zu sehen.

Stattdessen wurde sie an die Rezeption gerufen. »Es tut mir Leid, Madam, aber Mr. Hanrahan musste heute früh überraschend weg. Er hat Ihnen diese Nachricht hinterlassen.«

Maura öffnete rasch den Umschlag und las die handgeschriebenen Zeilen.

Guten Morgen, Maura,
es tut mir Leid, Sie so damit überfallen zu müssen, aber ich muss für heute kurzfristig nach Dublin zurück. Ich habe Rita die Situation erklärt, und sie wird im Verlauf des Vormittags nach Galway kommen, um Sie zu Ihren heutigen Terminen zu fahren. Wir sehen uns dann heute Abend in Ennis.
Dominic Hanrahan

Die Telefonanrufe gestern Abend mussten also wirklich wichtig gewesen sein, dachte Maura. Seltsam enttäuscht hatte sie die Nachricht gerade ein zweites Mal gelesen, als sie abermals an die Rezeption gerufen wurde.

»Sie sind heute ganz schön gefragt, Miss Carmody«, sagte die Dame am Empfang lächelnd. »Ein Anruf für Sie.«

Es war Rita, die vom Auto aus anrief. »Hallo, Maura, haben Sie Dominics Nachricht bekommen? Ich fürchte, Sie müssen sich heute mit mir zufrieden geben!«

Maura hatte nicht das Geringste dagegen. Heute würde ein hektischer Tag werden, und wenn sie ehrlich war, machte sie die dauernde Nähe zu Dominic ziemlich nervös.

Rita freute sich auf den Tag. »Ich bin in einer knappen Stunde bei Ihnen, und dann können wir uns gleich auf den Weg ins County Clare machen. Für Ihren Vortrag haben sich noch mehr Leute angemeldet, und wir mussten erneut einen Ortswechsel vornehmen, ist das nicht fantastisch? Und ich habe für heute Nachmittag in Ennis noch ein Radiointerview für Sie arrangiert.«

Diese Vorstellung beunruhigte Maura. Vor ein paar Leuten in irgendeinem Konferenzzimmer einen Vortrag zu halten, machte ihr nichts aus. Aber ein ganzer Saal voller erwartungsfroher Gesichter, das war eine andere Sache. Und sie hatte noch den ganzen Tag vor sich, um richtig nervös zu werden.

Sie beschloss, die Zeit, bis Rita eintraf, mit einem weiteren Bummel durch die Straßen von Galway totzuschlagen; vielleicht einem raschen Besuch in einem Juwelierladen, um einen Claddagh-Ring für Fran auszusuchen.

Sie fand einen hübschen kleinen, altmodischen Schmuckladen und brachte eine angenehme halbe Stunde damit zu, sich verschiedene Versionen anzusehen, bis sie sich schließlich für eine schmalen aus Gold mit einem winzigen Edelstein in der Mitte entschied.

Auf dem Rückweg zum Hotel erblickte sie auf der anderen

Straßenseite einen der *bottle shops*, die sie gestern mit Dominic besucht hatte. Die morgendliche Wintersonne schien direkt aufs Schaufenster, und sie beschloss, noch rasch ein Foto für Nicks Schaufenstersammlung zu machen.

Als sie vor die Auslage trat und ihre Kamera einstellte, hielt sie verblüfft inne und blickte sich ratlos um. Sie war sich ganz sicher, dass das hier derselbe Laden war – ja, dort hing auch wieder diese sich bewegende Sonne –, aber es stand keine einzige Flasche Lorikeet-Hill-Wein im Schaufenster. Die einzigen australischen Weine, die dort standen, waren Weine aus der Glen Winery von Sylvie und William Rogers. Sie wühlte in ihrer Handtasche herum, fischte ihren Terminplan heraus und überprüfte die Adresse, denn es war ja immerhin möglich, dass es in Galway zwei Weinläden mit sich bewegenden Sonnen gab. Nein, es war eindeutig derselbe Laden.

Nach einem tiefen Atemzug ging sie die Stufen zum Eingang hinauf. Aus dem Hinterzimmer ertönte ein leises Husten, und kurz darauf kam derselbe alte Herr heraus, die Pfeife wie zuvor zwischen die Zähne geklemmt.

»Guten Morgen, Mr. O'Shea«, sagte sie zögernd. »Ich hoffe, Sie erinnern sich noch an mich, ich bin Maura Carmody aus Südaustralien. Ich war gestern hier ...«

»Aber sicher erinnere ich mich an Sie – Sie wollten doch ein gutes Wort für mich einlegen, nicht wahr, Maura?«, meinte er hustend.

»Na ja, ich werde tun, was ich kann«, sagte sie nervös. »Es tut mir Leid, ich hoffe, es macht Ihnen nichts aus, dass ich frage, aber können Sie mir sagen, was aus dem Lorikeet-Hill-Wein geworden ist, den Sie gestern im Schaufenster stehen hatten?«

Er machte ein überraschtes Gesicht. »Ach, ich dachte, Sie wüssten Bescheid. Der Herr, mit dem Sie gestern da waren, kam heute morgen sehr früh her. Natürlich hatte ich noch nicht offiziell geöffnet, Sie verstehen schon, das wäre gegen das Gesetz, hab bloß ein bisschen Inventur gemacht, Sie wissen ja, wie das ist.« Er zwinkerte. »Na jedenfalls, Ihr Bekannter hat gemeint, er müsse den ganzen Lorikeet-Hill-Wein mitnehmen. Aber er schaute noch darauf, dass stattdessen ein anderer australischer Wein ins Schaufenster kommt – sehen Sie! Will schließlich nicht meine Chance auf diese Reise verpassen, nicht?« Er grinste.

»Nein, sicher nicht«, sagte sie, ebenfalls lächelnd, insgeheim aber total verwirrt. Dominic war heute früh hier vorbeigekommen? Ihr kam ein schrecklicher Verdacht, aber sie versuchte, ihn zu verdrängen. »Nochmals vielen Dank«, sagte sie eilig und ging zur Tür, bevor der Mann wieder ins Reden kam. »Und viel Glück beim Wettbewerb«, rief sie ihm noch zu, während sie schon aus dem Laden hastete.

Draußen auf dem Gehsteig konsultierte sie erneut ihren Plan. Sie fand die Adresse des letzten Weingeschäfts, in dem sie gestern gewesen waren, der Laden, in dem ein Kunde die zwei Flaschen Lorikeet-Hill-Wein gekauft hatte. Diesmal vertraute sie ihrem Ortssinn, ging denselben Weg noch einmal zurück und stieß auch prompt auf den Laden. Der junge Mann, der gestern hinter der Ladentheke stand, stand nun vor dem Geschäft und putzte das Schaufenster. Die Scheibe war mit einem schmierigen Seifenfilm bedeckt, sodass sie die Auslage nicht erkennen konnte. Sie trat eilig zu ihm hin.

»Guten Morgen, erinnern Sie sich noch an mich?«

Er wirkte ein wenig überrascht über ihre Frage, lächelte aber freundlich. »Sicher erinnere ich mich an Sie; mein Gedächtnis reicht wenigstens vierundzwanzig Stunden zurück. Wie geht es Ihnen, Maura?«

»Sehr gut. Entschuldigen Sie, dass ich sofort auf den Punkt komme, aber dürfte ich einen Blick auf Ihre Auslage werfen?«

»Sicher dürfen Sie«, sagte er. »Warten Sie einen Moment.« Er wischte rasch den Seifenschaum ab.

Ein Guckloch entstand, und Maura blickte durchs Fenster. Im Schaufenster standen nun alle anderen australischen Weine, ganz vorn in der ersten Reihe ein Cabernet Sauvignon aus der Glen Winery. Nirgends auch nur eine einzige Flasche Lorikeet-Hill-Wein. Blitzartig wurde ihr klar, dass ihr Verdacht richtig sein musste.

Der junge Mann wischte auch den restlichen Seifenschaum fort. »Ihr Begleiter – Dominic, nicht? –, er kam heute früh vorbei und hat Ihren ganzen Wein mitgenommen. Er meinte, es gäbe irgendein Problem damit. Um ehrlich zu sein, ich war selbst noch nicht ganz wach. Er sagte, wir sollten stattdessen diese anderen australischen Weine ins Schaufenster stellen.« Als er sah, wie blass sie plötzlich geworden war, wurde er ganz besorgt. »Sind die Weine nicht in Ordnung? Dominic meinte, sie wären alle recht gut.«

Maura biss die Zähne zusammen. »Ach, meinte er?«, sagte sie laut. Ich wette, das hat er, der Mistkerl, dachte sie.

Ganz klar sah sie es vor sich, wie sich Dominic gestern im Pub mit Sylvie unterhalten hatte. Wie hatte Dominic das noch ausgedrückt, was Sylvie von ihm wollte? Ach ja: »die Werbetrommel rühren«. Und das hatte sie wohl, wie es aussah, das hatte sie wahrhaftig. Und Maura hätte tausend Dollar gewettet, dass auch in den anderen Weinhandlungen die Lorikeet-Hill-Weine auf wundersame Weise verschwunden und durch Weine aus der Glen Winery ersetzt worden waren. Die Sache lag auf der Hand. Sylvie hatte mit Dominic vereinbart, sämtlichen Lorikeet-Hill-Wein in Galway durch ihren Wein zu ersetzen. Wahrscheinlich war der Anruf gestern Abend auch von ihr.

Maura konnte es kaum glauben. Sie war voll auf ihn reingefallen. Deshalb war er auf einmal so charmant gewesen. Was für ein durchtriebener Schurke. Aber sie hätte es wissen müssen! Sylvie hatte im Pub ihr Gespräch mit Carla erwähnt. Wahrscheinlich steckte diese ekelhafte kleine Zicke auch mit drin.

Sie warf einen Blick auf ihre Uhr. Sie musste los, wahrscheinlich wartete Rita schon. Sie verabschiedete sich von dem verwirrten jungen Verkäufer und lief rasch zurück zum Hotel. Ihre Gedanken rasten. Sollte sie Rita erzählen, was sie herausgefunden hatte? Nein, sie würde diese Sache mit Dominic austragen. Rita war Dominic dankbar, dass er für Bernadette eingesprungen war, wahrscheinlich würde sie sich gar nicht trauen, ihn zu verärgern. Nein, sie, Maura, würde die Sache mit dem Mistkerl ausfechten, wenn sie ihn heute Abend in Ennis sah.

Sie zwang ein Lächeln auf ihr Gesicht, als sie Rita im Hotelfoyer warten sah, und begrüßte sie herzlich. Es war eine Erleichterung, sich in Ritas Geplapper zu verlieren und alles über die Fahrten der anderen Winzer zu erfahren. Maura erwähnte, dass Sylvie und William Rogers gestern Abend überraschend aufgetaucht waren, und beobachtete Rita dabei genau, um zu sehen, ob sie es vielleicht schon von Dominic gehört hatte.

Doch ihr Gesicht verriet nichts. Rita lachte nur. »Habe ich Sie nicht gewarnt, dass sie möglicherweise in Ihrem Territorium wildern würden? Also ehrlich, diese Frau ist unglaublich. Würde mich nicht wundern, wenn sie im nächsten Moment auch noch in Belfast oder Longford auftauchen würde!«

Falls Dominic nicht zuerst da ist, dachte Maura grimmig. Wahrscheinlich war er gerade auf dem Weg dorthin, um noch andere nichtsahnende Weinhändler einzuwickeln.

17. Kapitel

Es fing an zu regnen, als sie Galway verließen, und für Maura bedeutete das Geräusch der Wischblätter eine Beruhigung für ihre aufgewühlten Gedanken. Sie waren seit einer halben

Stunde unterwegs, als sie überrascht merkte, dass sie sich der Grenze zwischen den Counties Galway und Clare näherten, was durch ein einfaches Schild gekennzeichnet wurde. Rita drosselte die Geschwindigkeit, damit Maura lesen konnte, was darauf stand. In der letzten Zeile hieß es: Partnerschaft mit Clare, Südaustralien.

»Möchten Sie anhalten und ein Foto machen?«, fragte Rita, über Mauras offensichtliches Interesse erfreut.

Maura schüttelte den Kopf und argumentierte mit dem starken Regen. »Ich warte auf einen besseren Tag«, sagte sie.

»Da müssen Sie aber lang warten«, entgegnete Rita trocken.

In Wahrheit war Maura viel zu durcheinander. Sie hatte gehofft, heute einen klaren Kopf zu haben und vernünftig und sachlich denken zu können, doch in ihr herrschte ein Gefühlschaos.

Sie holte tief Luft und ließ den Blick über die verregnete Landschaft schweifen, um sich wieder ein wenig zu beruhigen.

Sie war im County Clare.

In einem Dorf hier irgendwo in der Nähe war ihre leibliche Mutter, Catherine Shanley, auf die Welt gekommen, aufgewachsen und zur Schule gegangen. Sie hatte dort mit ihren Eltern gelebt, und dann hatte sie ihrer Heimat den Rücken gekehrt und sich dem Strom der Auswanderer nach Amerika und Australien angeschlossen.

Mauras Sinne waren schlagartig geschärft. Aufmerksam besah sie sich die Gegend, unschlüssig, ob sie nun erwartete, dass es hier anders aussah als in den anderen Gegenden Irlands oder ihr nur so vorkommen würde. Das war nicht ihr Zuhause, sagte sie sich trotzig. Ihr Zuhause war Australien. Erwartete sie etwa eine Art Verbundenheit mit dieser Gegend, die ihr in den anderen Teilen Irlands abging?

Rita war in Schweigen verfallen und lauschte einer Radiosendung. Maura lehnte den Kopf zurück und ließ ihre Gedanken weit zurück in die Vergangenheit schweifen.

Sie hatte so gut wie von Anfang an gewusst, dass sie adoptiert worden war. Ihre Mutter Terri war ehrlich mit ihr gewesen. Als Maura alt genug war, um es zu verstehen, hatte Terri ihr behutsam erklärt, dass sie nach Nick keine Kinder mehr hätte bekommen können, sich aber sehnlichst ein zweites Kind gewünscht hatte. »Du warst die Antwort auf all meine Gebete, Morey«, hatte sie oft gesagt.

An Terris Mann konnte sich Maura fast gar nicht mehr erinnern – er hatte die Familie verlassen, als Maura drei Jahre alt war –, aber ihre Erinnerung an Terri war lebendig genug, um die Lücke zu füllen, die er hinterlassen hatte.

Die Vorstellung, adoptiert zu sein, hatte sie als Kind kaum berührt. Als Teenager war sie jedoch zunehmend neugierig geworden.

Am Morgen ihres sechzehnten Geburtstags war Terri dann in ihr Zimmer gekommen, hatte ihr einen Umschlag überreicht und sie ganz fest umarmt.

»Ist das was über meine Mutter?«, hatte Maura Terri leise gefragt.

Terri hatte genickt und Mauras Hand gehalten. »Sie wollte, dass du das hier an deinem sechzehnten Geburtstag bekommst.«

Anschließend hatte Terri sie allein gelassen, aber es hatte eine Weile gedauert, bis Maura den Umschlag öffnen konnte.

Ganz langsam, Wort für Wort, las sie den kurzen Brief von Catherine Shanley. Es war eine Entschuldigung, der Wunsch, dass Maura sie eines Tages suchen würde, und die Hoffnung, dass Maura verstand, wie schwer es ihr gefallen war, sie aufzugeben. Catherine hatte die Nummer eines Pfarrers aus Adelaide angefügt, der immer wissen würde, wo sie zu finden wäre. Daneben gab es noch andere Dokumente. Eine Kopie ihrer Geburtsurkunde – Vater unbekannt. Maura las alles sorgfältig. Dazu eine handgeschriebene Familienhistorie, in der Catherine erklärte, dass sie und ihre Eltern John und Rosa Shanley aus einem kleinen Dorf im Westen des Countys Clare in Irland stammten. Es gab sogar einen grob gezeichneten Lageplan, auf dem das Haus der Shanleys eingezeichnet war. Maura konnte den Namen des Dorfs nicht aussprechen.

Weiß Gott, was Catherine Shanley erwartet hatte. Aber Maura konnte sich noch ganz genau an die überwältigende Wut erinnern, die sie nach dem Lesen des Briefs empfand. Wie konnte es diese Frau wagen, ihr zu schreiben? Wie konnte sie es wagen, anzunehmen, dass sie Lust hätte, sie zu suchen? Sie hatte eine Mutter. Terri war ihre Mutter. Für wen hielt sich diese Frau überhaupt?

Die Wut in ihr war in Sekundenschnelle aufgeflammt, die heiße Wut einer Sechzehnjährigen. Sie war in die Küche gestürmt und hatte den Brief vor Terris Augen in vier Teile zerrissen und auf den Boden geworfen.

»Ich habe eine Mutter. Ich will nicht, dass – dass irgendsoeine Schlampe daherkommt und glaubt, mit einem derart erbärmlichen Brief alles wieder gutmachen zu können!«, hatte Maura gebrüllt.

Rückblickend erkannte Maura, dass Terri wohl ebenso erfreut wie entsetzt über ihre Reaktion gewesen sein musste. Wahrscheinlich hatte sie immer Angst gehabt, dass Maura sofort zu ihrer richtigen Mutter rennen und sie stehen lassen würde. Selbst in ihrer heißen Wut hatte Maura etwas von Terris versteckten Ängsten gespürt, und das erhöhte ihre Wut auf den Brief nur noch.

»Ich will den Wisch nicht – gib ihn her, ich will ihn vor deinen Augen verbrennen!«, hatte sie gebrüllt.

Aber Terri hatte, kopfschüttelnd über Mauras heftige Reaktion, die Fetzen rasch aufgehoben und in ihre Schürzentasche gesteckt.

»Nein, das wäre ein bisschen zu dramatisch, Morey, selbst für dich«, hatte sie gesagt und sie bei ihrem Kosenamen genannt. »Komm, vergessen wir den Brief. Komm her und lass dich umarmen.«

Und da war aus der Sechzehnjährigen ganz plötzlich wieder ein kleines Mädchen geworden, und ihre Tränen waren die Tränen eines Kindes. Maura konnte sich erinnern, wie gut ihr die Umarmung ihrer Mutter getan hatte, und auch an die leisen, tröstenden Liebkosungen, die sie ihr zuflüsterte.

Sie hatten danach nie wieder darüber gesprochen. Maura wollte nicht, und Terri hatte das Thema auch nicht wieder erwähnt. Aber als Terri gestorben war, hatten Maura und Nick Catherines Brief unter ihren persönlichen Sachen gefunden. Sie hatte ihn sorgfältig mit Tesafilm zusammengeklebt und ihn, ohne Kommentar, in ein neues Kuvert gesteckt, auf das sie mit ihrer energischen Handschrift Mauras Namen geschrieben hatte. Maura wusste, dass es Terris Wunsch gewesen war, dass sie diesen Brief fand, und jetzt, als Erwachsene, vielleicht etwas unternahm.

Doch es war zu spät gewesen. Als sie sich, den Angaben im Brief folgend, endlich durchgefragt hatte, musste sie von einer brüsken Oberschwester in einem kleinen Bezirkskrankenhaus in der Nähe von Melbourne erfahren, dass die irische Krankenschwester Catherine Shanley vor zwei Jahren verstorben war.

Maura war zwei Monate lang vollkommen zerstört gewesen. Sie war nicht so versponnen, zu glauben, zwei Mütter verloren zu haben. Terri war ihre Mutter gewesen, Catherine hatte sie nicht gekannt. Worum sie trauerte, war die Vorstellung von Catherine, nicht mehr und nicht weniger.

Aber vielleicht war ihr tiefer Kummer ja eine Erklärung für das, was in den darauf folgenden Jahren mit ihr geschah. Eine Erklärung dafür, warum sie sich von Richard schlecht hatte behandeln lassen, warum sie sich nicht gewehrt hatte.

Sie hatte noch nicht gewusst, wo ihr Platz in der Welt war, geschweige denn, wie es ihn zu verteidigen galt.

Maura war froh, dass die Strecke, die Rita und sie durch die Grafschaft nahmen, nicht durch Catherine Shanleys Dorf hindurchführte. Sie rang noch immer mit sich, ob sie Catherines Eltern aufsuchen sollte oder nicht. Wahrscheinlich hatten sie überhaupt keine Ahnung von ihrer Existenz. Und sie war sich nicht sicher, ob sie wollte, dass sie etwas von ihr erfuhren. »Und was sollte ich ihnen auch sagen?«

»Wem sagen?«, unterbrach Rita ihre Gedanken.

Maura, die nicht gemerkt hatte, dass sie wieder mal laut gedacht hatte, warf ihr einen verwirrten Blick zu.

»Ich dachte, Sie hätten mich was gefragt, irgendwas über jemanden, der was zu jemandem sagt«, erklärte Rita.

Maura errötete. »Ach, ich habe bloß meinen Vortrag für heute Abend geübt, ein paar neue Kommentare zu den Dias, achten Sie gar nicht auf mich«, improvisierte sie.

Sie war froh über die Unterbrechung durch Rita, und sie war froh, zu sehen, dass sie bereits die Außenbezirke von Ennis erreicht hatten, der größten Stadt im County Clare. Rita wies sie auf verschiedene Gebäude hin, und Maura richtete ihre Gedanken wieder auf die Gegenwart.

Als sie durch die gewundenen Straßen von Ennis fuhren, wurde Maura klar, warum das Interesse an ihrem heutigen Vortrag derartige Ausmaße angenommen hatte. Als sie durch die Haupteinkaufsstraße kamen, bemerkte sie, dass in fast jedem zweiten Laden ein Poster mit einer australischen Flagge im Schaufenster hing.

Heute Abend große Weinprobe – freier Ausschank prangte überall in fetten Buchstaben auf den Plakaten. Bei solchen Versprechungen war es kein Wunder, dass der Saal zu klein geworden war. Sie konnte nur hoffen, dass die Zuschauer nicht zu enttäuscht waren über die paar Tröpfchen, die sie ihnen heute Abend anbieten könnte.

Rita fuhr zur ersten Weinhandlung auf der Liste, einem kleinen Laden im Stadtzentrum, der über eine erstaunlich breite Auswahl an australischen Weinen verfügte. Für heute standen drei Weinhandlungen auf dem Programm und dann das Interview beim lokalen Radiosender. Darauf freute sie sich schon, hatte man ihr doch versichert, dass es dabei ebenso sehr um das Clare Valley gehen würde, wie um die heutige Weinprobe.

Die Besuche und das Radiointerview verliefen sehr gut. Maura war froh, dass ihr ihr Wissen über die Geschichte des Clare Valley nun doch noch zugute kam. Kenntnisreich erzählte sie von Edward Gleeson, einem reichen Landbesitzer unweit des Lake Inchiquin im County Clare, der sich um 1840 in einem Tal in Südaustralien niedergelassen und es nach seinem Heimatort benannt hatte.

Der Moderator beendete das Interview mit einer weiteren begeisterten Einladung an alle Hörer, Mauras Vortrag zu besuchen, wobei er Mauras Versuche, die Weinprobe ein wenig herunterzuspielen, fröhlich ignorierte.

Maura hatte gehofft, noch eine halbe Stunde für sich zu haben, um ihre Notizen und die Dias durchzugehen, doch dann kam sie mit einer der Produzentinnen des Senders ins Gespräch, die letzten Sommer in Australien gewesen war und über ihre Ausflüge zu den *Flinders Ranges* und *Kangaroo Island* ins Schwärmen geriet. Rita erinnerte sie schließlich flüsternd daran, dass es schon fast fünf Uhr war und ihr nur noch eine knappe Stunde zum Duschen und Umziehen blieb, bevor sie schon wieder in den Vortragssaal müsste.

Maura sagte sich, dass kein Grund zur Panik bestand – sie hatte ihre Rede oft geübt, und der Diavortrag war derselbe wie in Westport.

Dennoch kam sie ganz schön ins Flattern, als sie mit Rita den Saal betrat und sah, dass er bis auf den letzten Platz besetzt war. Suchend sah sie sich um, ob Dominic schon eingetroffen war. Falls sie einen Augenblick Zeit hatte, wollte sie der Sache mit den ausgetauschten Flaschen auf den Grund gehen. Aber er schien noch nicht da zu sein.

»Mensch«, hauchte Rita, »das müssen an die zweihundert Leute sein.«

Gerald Ramsey, einer der Landräte, begrüßte sie überschwänglich an der Tür und führte sie stolz, den Arm um ihre Schultern gelegt, an den Anwesenden vorbei nach vorne. Maura hatte ihn bereits letztes Jahr kennen gelernt, als er mit einer Gruppe anderer Landräte im Zuge der Städtepartnerschaft im Clare Valley gewesen war.

»Es ist uns eine große Freude und Ehre, Sie in Clare willkommen heißen zu dürfen, Maura. Wie Sie sehen, habe ich alles in meiner Macht Stehende getan, um für den besten Wein von ganz Australien die Werbetrommel zu rühren«, sagte er stolz.

Sie lächelte nervös und dachte an das magere Dutzend Flaschen Lorikeet-Hill-Wein, das ihr im Anschluss an ihren Vortrag zur Verfügung stand. Wenn das so weiterging, konnten die Leute froh sein, wenn sie mal an einem Korken riechen durften, geschweige denn, einen Schluck Wein zu kosten bekamen. Und an einen Verkauf war auch nicht zu denken, außer es gab ein paar Sammler von leeren Flaschen im Publikum.

Sie versuchte, Rita auf ihre Sorge aufmerksam zu machen, doch die unterhielt sich gerade mit einem jungen Mann, der einen Fotoapparat um den Hals trug und ein Notizbuch in der Hand hielt; offenbar ein Reporter der Lokalzeitung. Sie konnte gerade noch hören, wie er sagte, er hätte die ideale Schlagzeile für seinen Artikel – *It's a long way from Clare to here*. Sie musste unwillkürlich grinsen – sie und Nick hatten diese Anspielung auf ein altes irisches Volkslied selbst schon öfter als Werbeslogan benutzt.

Ihr Blick fiel auf die Saaltür. Dominic war soeben eingetroffen, im Arm eine Kiste Wein. Sie sah, wie er die Kiste einem jungen Mann in einem T-Shirt der Weingenossenschaft reichte und dann sein Handy hervorholte, um einen Anruf zu machen.

Das beunruhigte sie. Was hatte er jetzt schon wieder vor? Sie wollte gerade zu ihm gehen und ihn zur Rede stellen, als Rita neben ihr auftauchte und ihr flüsternd viel Glück wünschte. Maura wurde die Stufen zu einem kleinen Podium hinauf und zu einem Stuhl geführt, während Gerald Ramsey ans Mikro trat und alle Anwesenden erst mal herzlich willkommen hieß. Mauras Nervosität wuchs.

Sie hörte kaum ein Wort von dem, was Gerald sagte; fast zwanzig Minuten lang redete er über die Partnerschaft zwischen den beiden Regionen und berichtete in aller Ausführlichkeit von seiner letzten Reise nach Australien. Sie lächelte höflich, als er von seiner ersten Begegnung mit einem Känguru erzählte, und wie er unter der australischen Hitze gelitten hatte. Den Mienen einiger Zuschauer in den vorderen Reihen war zu entnehmen, dass sie diese Geschichten nicht das erste Mal hörten.

Maura versuchte die Zeit zu nutzen, um die Anwesenden zu zählen und zu raten, wer hauptsächlich wegen des kostenlosen Weins gekommen war und wer mehr über das Clare Valley erfahren wollte. Ihr Blick fiel auf ein paar ältere Damen in den vorderen Reihen, und erleichtert dachte sie, dass das sicher keine Weintrinker waren. Da sah sie, wie die eine ihre Freundin anstupste, auf den Tisch voller Flaschen am anderen Ende des Saales zeigte und sich die Lippen leckte.

Sie war heilfroh um die »Generalprobe« in Westport, wo ihre Erklärungen zu jedem Dia gut angekommen waren. Nun ja, so wie Gerald sie hier ankündigte, erwartete das Publikum wahrscheinlich eher, dass sie sich an den Rand des Podiums stellte und Flaschen in den Zuschauerraum warf.

In einem plötzlichen Anflug von Panik hörte sie, wie Gerald sie vorstellte. Mit zitternden Knien erhob sie sich und trat ans Mikro.

18. Kapitel

Maura ließ den Blick über all die erwartungsfrohen Gesichter schweifen und holte tief Luft.

»Ein herzliches Hallo und vielen Dank, dass Sie heute Abend so zahlreich erschienen sind. Wie ich von Gerald gehört habe, wissen Sie sowieso sehr gut Bescheid, doch ich dachte, ich fange trotzdem mit einer kurzen Geografiestunde an, damit Sie alle erfahren, wo das Clare Valley genau liegt.«

Sie drückte auf den Fernbedienungsknopf des Diaprojektors und wandte sich in der Erwartung des ersten Dias, einer Landkarte von Australien, auf der die Lage von Lorikeet Hill in Südaustralien eingezeichnet war, um.

Stattdessen sah sie ein auf dem Kopf stehendes Bild von sich und Nick, wie sie vor dem *Lorikeet Hill Winery Café* standen. Ein paar Zuschauer kicherten.

Maura blieb fast das Herz stehen. Entsetzt dachte sie, dass sie die Dias nach ihrem Vortrag in Westport wohl falsch eingeordnet haben musste. Verzweifelt versuchte sie es mit einem Witz.

»Tja, wie Sie sehen, ist Australien tatsächlich das Land ›Down Under‹. Von Ihnen aus gesehen, sehen wir am anderen Ende der Weltkugel genau so aus.«

Sie wurde mit Lachen belohnt.

»Ich bin heute Abend hier, um Ihnen zu erklären, was das Besondere unseres Weins ausmacht.« Sie drückte auf den Knopf und erwartete das erste Bild, das die Weinherstellung dokumentierte, eine kunstvolle Aufnahme von berstend reifen Rebenstöcken.

Stattdessen war ein Bild vom Gourmet Weekend zu sehen, auf dem eine Gruppe von offensichtlich nicht mehr ganz nüchternen Gästen fröhlich grinsend ihre vollen Weingläser in die Kamera streckten.

Maura, der blitzartig klar wurde, was geschehen sein musste, lief es kalt den Rücken herunter. Carla. Carla musste die Dias absichtlich durcheinander gebracht haben, als sie und Dominic draußen beim Torfmoor waren.

Maura konnte sich nur mühsam davon abhalten, eine laute Verwünschung auszustoßen. Dieses Mistvieh, dachte sie. Bei Gott, Carla und Dominic, die beiden passten wahrhaftig gut zusammen. Sie überlegte blitzschnell. Sie konnte die Leute kaum bitten, zu warten, bis sie ihre Dias wieder richtig eingeordnet hatte.

Sie musste eben einfach improvisieren. »Ja«, sagte sie, einen verzweifelten Blick auf das Dia werfend, »genau das ist das Besondere an unserem Wein: ein gutes Tröpfchen unter guten Freunden in guter Stimmung.«

Dann schaltete sie den Diaprojektor schwungvoll aus, damit die Leute nicht sahen, wie ihr die Hände zitterten, und wandte sich wieder dem Saalpublikum zu.

»Wahrscheinlich erwarten Sie jetzt alle einen höchst komplizierten Vortrag darüber, wie Wein gemacht wird. Es tut mir Leid, aber ich muss Sie enttäuschen; so kompliziert ist es nun auch wieder nicht. Wir pflücken die Trauben, wir pressen sie, der Saft fermentiert und wird gekeltert, und dann drücken wir die Daumen, dass nichts schief geht. Danach wird das Säftchen in Flaschen abgefüllt, und Sie können es trinken. Das ist jetzt natürlich sehr vereinfacht, aber so wird im Grunde überall auf der Welt Wein gemacht, ob in der Alten Welt, in der Neuen Welt, in Chile oder, wer weiß, vielleicht eines Tages sogar auf Hawaii.«

Danke für dieses Witzchen, Cormac, dachte Maura erleichtert, als ein paar Leute im Publikum lachten.

»Und meine Aufgabe heute Abend ist, Ihnen zu erklären, was so besonders am australischen, speziell an unserem Wein in Lorikeet Hill ist, im Unterschied zu den anderen Weinen der Welt.«

Sie setzte sich halb auf den hohen Hocker neben dem Mikro, um eine möglichst lockere Haltung zu demonstrieren, in Wahrheit jedoch, weil sie ihre zitternden Beine nicht mehr länger tragen wollten.

»Mein Bruder macht diesen Wein mit großer Leidenschaft und Hingabe. Das hilft natürlich. Er trinkt auch gerne mal ein Gläschen, und auch das hilft, denke ich. Aber er liebt auch die Gerüche und den unterschiedlichen Geschmack und überhaupt den Zauber, der die Weinherstellung umgibt.

Eines dieser Mysterien war für mich immer die Tatsache, dass der Wein aus den Reben in einem Teil Australiens so ganz anders schmeckt als der aus einem anderen Teil oder dem Rest der Welt. Orangensaft oder Apfelsaft oder Tomatensaft schmeckt immer gleich, egal, woher er kommt.

Vielleicht liegt es ja daran, dass das Clare Valley eine so schöne Gegend ist. Das wurde mir eigentlich erst klar, als ich fünf Jahre lang in Sydney lebte.

Ich hatte meine eigenen Vorstellungen davon, wie Irland aussieht, und Sie haben wahrscheinlich Ihre eigenen Vorstellungen davon, wie Australien aussieht oder aussehen sollte. Südaustralien ist zumeist flach und trocken, und schnurgerade Straßen führen von einem Ort zum anderen. Das ist so ganz anders als die Landschaft, die ich in den letzten Tagen erlebt habe, als wir, von Dublin ausgehend, durch Galway, Sligo und Mayo fuhren.

Sicher sind Sie alle an diese Landschaft gewöhnt und merken gar nicht mehr, wie schön es hier ist. Aber wenn ich die Landschaft so sehe, muss ich immer an die Tausende und Abertausende von Menschen denken, die im Lauf der Jahrhunderte hier gelebt und jeden Flecken Land bearbeitet haben.«

Maura trank einen Schluck Wasser, bevor sie fortfuhr. »Denn das ist es, was mich so an Südaustralien berührt, an ganz Australien. Seine Einsamkeit, seine Isolation und seine geheimnisvolle Weite. Die Aborigines, unsere Ureinwohner, haben eine lange Geschichte, die wir wahrscheinlich nie ganz kennen werden. Und es gibt bei uns immer noch Orte, die vielleicht erst sie und ein einziger anderer Mensch betreten haben.

Ich glaube, dass es an dieser Isolation, an diesem Mysterium unseres Landes liegt, dass unser Wein so anders schmeckt als der französische oder der deutsche Wein. Und natürlich wird bei uns erst seit zweihundert Jahren Wein angebaut, das ist nur ein Wimpernschlag verglichen mit Europa.

Und da ist noch ein Grund. Wenn die ersten Winzer im Clare Valley, Tausende von Meilen vom Land ihrer Väter entfernt, buchstäblich am anderen Ende der Welt, etwas vergaßen, dann konnten sie sich nicht einfach an jemanden wenden und fragen: ›Also, wie war das noch mal?‹ Sie mussten sich wohl oder übel selbst was einfallen lassen. Und das tun wir immer noch.

Auch das erklärt den besonderen Geschmack von australischem Wein. Aber ich glaube, dass vor allem das Land selbst etwas damit zu tun hat. Es ist Zeuge einer uralten Kultur. Tausende von Jahren hat die Sonne unbarmherzig auf dieses Land gebrannt, und wegen seiner schieren Größe lebten immer nur wenige Menschen dort. Es hat Dürren und Buschfeuer erlebt, und alle möglichen seltsamen Tiere bevölkern es. Doch trotz alledem hat es sich eine gewisse Unberührtheit bewahrt. Es ist ein urwüchsiges Land, ein wildes Land.

Und genau das kommt in unserem Wein heraus. Diese Urwüchsigkeit und Wildheit, das Geheimnisvolle dieses weiten Landes, gepaart mit Erfahrung und Technik.«

Maura hielt inne und stellte zu ihrer Verblüffung fest, dass die Zuschauer atemlos lauschten. Sie blinzelte ein paarmal, als würde sie aus einer Trance erwachen. Sie hatte gar nicht gewusst, dass sie so dachte, erst jetzt, wo sie es laut aussprach, wurde es ihr klar.

Sie musste lächeln. »Vielleicht können Sie mir ja helfen, noch ein weiteres Mysterium zu klären. Wieso hat der australische Wein in Irland das Guinness noch nicht verdrängt?«

Alle lachten.

Sie holte tief Luft und blickte sich um. »Tja, das war meine Theorie über den australischen Wein. Und jetzt sollten Sie selbst herausfinden, wie er Ihnen schmeckt – wenn meine Helfer bereit sind?« Sie warf einen Blick ans andere Ende des Saals, wo zwei junge Männer, die von der Weingenossenschaft in letzter Minute engagiert worden waren, hinter einem langen Tisch mit Gläsern standen und warteten. Sie nickten nervös.

»Und jene, die eine detailliertere Erklärung über den Weinherstellungsprozess erwartet haben, dürfen hinterher gerne zu mir kommen, und ich werde all ihre Fragen beantworten. Und jene unter Ihnen, die sich selbst überzeugen wollen, sollten Gerald beim Wort nehmen und dies als meine Einladung an Sie auffassen. Vielen Dank für Ihre herzliche Gastfreundschaft in Ihrem Clare. Ich würde mich freuen, Sie eines Tages auch in meinem Clare begrüßen zu können.«

Geralds überschwängliches Dankeschön und seine laute Aufforderung, man möge sich doch bitte ordentlich hintereinander anstellen, bekam sie nur noch am Rande mit.

Am liebsten wäre sie rausgerannt und hätte den Mond angeheult vor Erleichterung darüber, dass diese Tortur vorbei war. Jetzt, wo ihre Aufregung wieder ein wenig nachließ, merkte sie, wie die Wut auf Dominic und auf Carla, dieses Biest, die ihre Dias durcheinander gebracht hatte, wieder in ihr aufwallte. Sie war nass geschwitzt, und es war noch nicht vorbei.

Die Reihe vor dem Weintisch zog sich durch den ganzen Saal. Maura stieg vorsichtig die Stufen vom Podium hinunter und wurde von Rita mit einem warmen Lächeln und einer herzlichen Umarmung erwartet.

»Das war einfach spitze – gut gemacht! Schade, das mit den Dias, haben Sie sie unterwegs mal fallen lassen, oder was war los?«, fragte Rita.

»Das wäre zu einfach, fürchte ich«, antwortete Maura durch zusammengebissene Zähne und schaute sich nach Dominic um. Sie beschloss, Rita jetzt noch nichts zu sagen. Eigentlich hatte sie erwartet, dass sich Rita mehr Sorgen um die Weinknappheit machen würde, doch die Irin wirkte vollkommen unbekümmert.

Maura blickte sich abermals um. Mittlerweile herrschte eine recht festliche Stimmung im Saal. Alle schienen mindestens ein Glas Wein bekommen zu haben. Erstaunt sah sie, wie viele Leute sich an einem Ende des Tisches drängelten, um sich ein, zwei Flaschen Wein, der zu einem besonders günstigen Preis angeboten wurde, mit nach Hause zu nehmen.

Durch die Reihe Wartender vor dem Weinprobentisch hindurch konnte sie Dominic erkennen, der in einem Hinterzimmer verschwand und mit einer weiteren Kiste Wein wieder hervorkam. Der Vorrat musste doch mittlerweile längst aufgebraucht sein, dachte sie verwundert. Das Ganze kam ihr allmählich so vor wie bei der Hochzeit von Kanaan, wo Jesus Wasser in Wein verwandelte.

Schon wieder verschwand er im Hinterzimmer und kam mit einer neuen Schachtel mit einem halben Dutzend Flaschen heraus.

»Dieses Zimmer ist der reinste Zauberpudding«, sagte sie laut.

»Was sagten Sie?«, fragte Rita zerstreut, die soeben eine weitere, neu eingetroffene Reporterin erspäht hatte.

»Das stammt aus einer bekannten australischen Kindergeschichte – egal, wie viel man aus dieser Puddingschüssel isst, sie wird nie leer. Wie ist es möglich, dass noch Wein zum Verkaufen übrig ist?«, wollte Maura wissen. Es hatte sie erstaunt, dass überhaupt alle etwas zum Probieren bekommen hatten, aber dass auch noch was für den Verkauf da war …

»Dominic meinte, er würde sich darum kümmern«, sagte Rita hastig, richtete ihren Blick auf die soeben angekommene Reporterin und steuerte auf sie zu.

Verblüfft beobachtete Maura, wie ein anderer junger Mann mit noch einer Kiste Wein in den Saal kam. Sie war sich nicht sicher, aber aus der Entfernung sah das Logo fast aus wie das von der Glen Winery. Das Licht war nicht allzu gut, doch sie war sich fast sicher, dass es nicht ihr Etikett war. Sie sah, wie Dominic dem jungen Mann die Schachtel abnahm und ihm ein paar Scheine in die Hand drückte.

Nein, dachte sie schockiert. Das konnte er doch nicht auch noch getan haben. Er hatte gewusst, dass heute Abend sehr viele Leute kommen und ihnen der Wein ausgehen würde. Wahrscheinlich hatte er genau darüber mit Sylvie Rogers geredet, und beide waren zu dem Schluss gekommen, dass dies die perfekte Gelegenheit war, Werbung für den Glen-Wein zu machen. So wie sie die Leute heute Abend einschätzte, war es ihnen im Grunde egal, was für einen australischen Wein sie tranken. Und wie es aussah, waren sie auch scharf darauf, die eine oder andere Flasche zu kaufen.

Jetzt konnte sie sich nicht länger beherrschen. Sie entschuldigte sich hastig bei der Gruppe, bei der sie gestanden hatte, und eilte wutschnaubend zum Weintisch.

»Ich muss sofort mit Ihnen reden«, zischte sie Dominic an. Er blickte seelenruhig vom Auspacken auf und folgte ihr ins Hinterzimmer.

»Schön, Sie wieder zu sehen, Maura«, sagte er ruhig.

Erbost funkelte sie ihn an. Die Beinahe-Blamage von vorhin fiel ihr wieder ein, und sie konnte kaum sprechen vor Wut.

»Was, zum Teufel, ist hier los? Erst tut Carla ihr Bestes, meinen Vortrag zu sabotieren – und erzählen Sie mir ja nicht, dass Sie nichts von ihren fiesen kleinen Spielchen wussten. Dann haben Sie all die Weinhändler in Galway mit dem Glen-Wein überfallen. Und jetzt machen Sie auch noch einen schwungvollen Handel mit dem Konkurrenzwein auf. Sie wissen doch, wie wichtig diese Reise für unser Geschäft ist. Sie waren derjenige, der gemeint hat, wir müssten unbedingt Frieden schließen – aber mir scheint, dass Ihnen mehr daran liegt, auf anderer Leute Kosten zu verdienen! Nun ja, alte Gewohnheiten gibt man wohl nur schwer auf.«

Dominics Augen glitzerten gefährlich, aber sie war viel zu wütend, um die Warnung zu verstehen. Er stand vollkommen reglos da und sagte mit ebenso ruhiger Stimme: »Wovon reden Sie? Was für eine Sabotage?«

»Carla hat hübsch mit meinen Dias rumgespielt und dadurch fast meinen Vortrag ruiniert. Und Sie haben in Galway für mich alles kaputt gemacht, weil Sie ja unbedingt die Werbetrommel für Sylvie Rogers rühren mussten. Also, es ist mir scheißegal, was für eine kranke Beziehung Sie und Carla miteinander haben und was für einen Teufelspakt Sie geschlossen haben, um reich zu werden, aber lassen Sie gefälligst mich und meinen Bruder und unser Geschäft da raus, verstanden?«

Dominic unterbrach sie. »Nein, jetzt hören *Sie* mir mal zu. Ich weiß nichts von irgendeinem Deal mit Sylvie Rogers oder über Ihre Dias und was Carla angeblich damit gemacht hat und was nicht. Und von überfallen und einem schwungvollen Handel mit dem Konkurrenzwein kann auch nicht die Rede sein. Und Sie wissen nichts – aber auch gar nichts –

über meine Beziehung zu Carla, also behalten Sie Ihre Theorien für sich.«

»Ah, ich verstehe«, sagte Maura sarkastisch. »Das sind alles bloß Theorien, was? Dann wollen Sie mir also auch weismachen, dass Sie keine Ahnung haben, warum auf mysteriöse Weise ein Karton Wein nach dem anderen auftaucht? Scheint doch offensichtlich, dass Sie hier nur eine weitere Chance auf ein paar schnelle Scheinchen gesehen haben. Ich hab beobachtet, wie Sie dem Mann Geld gaben.«

In diesem Moment betrat Rita das Hinterzimmer und hörte gerade noch Mauras letzte Worte.

»Ist er nicht einfach fantastisch?«, sagte sie und strahlte Dominic an. »Dann haben Sie ihr also von Ihrem Geistesblitz erzählt. Er wollte nicht, dass ich Ihnen was sage, damit Sie sich nicht unnötige Sorgen wegen Ihres Vortrags machen. Nochmals vielen Dank, Dominic, Sie haben uns wirklich aus der Patsche geholfen. Ja, und Lorikeet Hill hat heute Abend Rekorderlöse erzielt, würde ich sagen, Maura.«

Maura ahnte in diesem Moment, dass sie möglicherweise den größten Bock ihres Lebens geschossen hatte. Rita hielt ihr Entsetzen für Verwirrung.

»Ach, dann hat Dominic Ihnen noch gar nichts gesagt?«, lachte Rita. Sie beeilte sich, Maura aufzuklären. »Als Dominic hörte, wie viele Leute heute Abend kommen werden, war ihm noch vor mir klar, dass wir nicht genug Lorikeet-Hill-Wein haben würden. Er hat jede Weinhandlung und jedes Pub und jedes Restaurant im Umkreis von einer Fahrstunde angerufen und veranlasst, dass der ganze Lorikeet-Hill-Wein von Taxifahrern hierher gebracht wird. Die Läden in Galway hat er sogar selbst noch alle abgeklappert und den Wein mitgebracht. Sie haben uns den Tag gerettet, Dominic.«

Maura schloss langsam die Augen und hoffte inbrünstig, dass sie weit, weit weg wäre, wenn sie sie wieder öffnete. Aber ihr Wunsch erfüllte sich leider nicht. Als sie einen Blick in den noch immer recht vollen Saal hineinwarf, sah sie, dass auf den Weinschachteln zwar alle möglichen Etiketten waren, dass der Wein darin aber ausschließlich Frans auffälliges Vogel-Etikett besaß. Lorikeet-Hill-Wein, nur Lorikeet-Hill-Wein.

»Unser einziges Problem ist jetzt nur, wie wir mit der vorübergehenden Verknappung von Lorikeet-Hill-Wein im Westen Irlands fertig werden, nicht, Maura?«, fragte Rita grinsend.

»Das werden wir schon«, erwiderte eine äußerst kleinlaute Maura.

Total geschockt blickte sie zu Dominic auf, versuchte, sich mit einem flehentlichen Blick bei ihm zu entschuldigen. Sie wünschte aus ganzem Herzen, dass Rita verschwand, damit sie zumindest versuchen konnte, sich bei ihm zu entschuldigen. Aber der Ausdruck in seinen Augen verriet ihr, dass sie zu weit gegangen war und dass sich das nicht durch eine einfache Entschuldigung, wie aufrichtig auch immer, aus der Welt schaffen ließ.

Rita strahlte geradezu über den Erfolg dieses Abends und bestand darauf, dass Maura und Dominic früher gingen; ums Aufräumen würde sie sich selbst kümmern. »Dominic, spendieren Sie dem armen Mädchen ein Glas Champagner – sie hat jede Menge Grund zum Feiern.«

Ja, Champagner wäre toll, dachte Maura. Aber nicht, wenn das Fettnäpfchen noch am Fuß hängt.

Dominic wartete draußen auf sie, während Maura Schal und Mantel holte. Als es wieder zu regnen begann, wickelte sich Maura fester in ihren wollig-weichen Schal. Sie war froh um diesen Schal, konnte sie sich doch ein wenig dahinter verstecken. Die Wut war aus ihr gewichen wie die Luft aus einem Ballon, und jetzt war sie zutiefst beschämt über ihre Attacke. Wie hatte sie das alles nur so falsch verstehen können?

Fast fünf Minuten gingen sie schweigend durch die leeren Straßen, bis Maura es nicht länger aushielt.

»Dominic, bitte, hören Sie mir zu. Ich habe das mit dem Wein vollkommen falsch verstanden, und ich war wütend wegen der Dias, und das habe ich an Ihnen ausgelassen. Es tut mir Leid. Ich kann furchtbar aufbrausend sein, und ich hätte das alles nie sagen dürfen.«

Sie duckte sich unter eine Ladenmarkise, um dem plötzlich heftiger werdenden Regen zu entkommen. Dominic sagte nichts.

»Dominic?«, flehte Maura leise und legte die Hand auf seinen Arm, damit er stehen blieb.

Sie war geschockt, als er ihre Hand wegstieß, als ob er sich verbrannt hätte. Seine Augen glitzerten gefährlich, und die Iris sah im Schaufensterlicht kohlschwarz aus. Er blickte sie, wie es ihr schien, eine Ewigkeit lang an.

»Ich will's gar nicht hören, Maura«, flüsterte er fast, wobei sein irischer Akzent jetzt viel deutlicher zutage trat als sonst. »Sie haben gesagt, was Sie von mir und Carla halten. Ich glaube, dem ist nichts mehr hinzuzufügen.«

»Aber Ihre Beziehung zu Carla geht mich nichts an; ich weiß auch nicht, wieso ich das gesagt habe.«

»Nein, das geht Sie gar nichts an ...«, sagte er leise, seine Stimme war weniger hart als seine Worte. Sie war sicher, dass er noch etwas hinzufügen wollte, und blickte um Verzeihung flehend zu ihm auf.

Beide sahen sich einen Moment lang an, dann stockte ihr der Atem, als er die Hand hob, wie um ihre Wange zu streicheln. Ein eigenartiger Ausdruck huschte über sein Gesicht, doch dann schien er sich einen Ruck zu geben.

»Sie werden nass, wir sollten besser weitergehen«, sagte er leise.

Sie folgte ihm durch die feucht glitzernden, gewundenen Straßen zu ihrem Hotel. Kein Gerangel an der Rezeption, kein Streit wegen der Zimmer. Nur ein leises Gute Nacht.

Maura schloss ihr Zimmer auf und musste an sich halten,

um sich nicht auf ihr Bett zu werfen und in Tränen auszubrechen.

Was half das schon?, sagte sie sich. Carla und damit auch Dominic hatten aus reiner Bosheit versucht, ihren Vortrag zu ruinieren. Die Promotiontour war vorbei. Sie würde während ihrer Kochkurse kaum noch mit ihm zu tun haben. Und der heutige Abend war ein großer Erfolg gewesen, sowohl was die Werbung, als auch was die Verkaufszahlen anging – das hatte Rita jedenfalls behauptet.

Warum war sie dann so niedergeschlagen und traurig?

19. Kapitel

»Also die Fotos werden dir nicht annähernd gerecht, Maura, du siehst in Wirklichkeit viel besser aus«, schwärmte Bernadette, als Maura und Dominic im Ardmahon House eintrafen. Sie umarmte Maura stürmisch.

Maura erwiderte die Umarmung mit ebensolcher Begeisterung, hatte sie doch das Gefühl, als hätte sie eine lang verlorene Freundin wiedergefunden.

Dann löste sie sich aus der Umarmung und lächelte Bernadette an. Auch ihr waren die Fotos, verschwommen und unscharf, wie sie waren, nicht gerecht geworden. Sie hatten dieses schelmische Funkeln in ihren Augen und auch die Herzlichkeit darin nicht eingefangen.

Bernadette war um die Fünfzig, hatte lockige Haare und war – ja, man konnte es nicht anders ausdrücken – ziemlich füllig. Aber das passte zu ihr. Sie sah aus wie eine Frau, die schon vor langer Zeit entschieden hatte, dass es bessere Dinge im Leben gab als das Kalorienzählen. Kochen und gutes Essen und gute Gesellschaft, zum Beispiel.

»Du siehst auch sehr gut aus«, sagte Maura. »Und wie geht's dir? Wie geht's dem Fuß? Ich war mir nicht sicher, ob du mir im Rollstuhl oder auf Krücken oder sonstwie entgegenkommen würdest.«

Bernadette lachte. »Bin schon fast wieder die Alte«, sagte sie und streckte ihren linken Fuß vor. Die weiße Bandage war gerade noch über ihrem bequemen, knöchelhohen Schuhwerk zu sehen. »Ein Wunder, ganz ehrlich, war bloß eine böse Verstauchung, aber jetzt laufe ich schon wieder fast schmerzfrei herum.«

Bernadette umarmte Maura nochmals, und dann bedachte sie Dominic mit einem frechen Grinsen.

»Also, wie um alles in der Welt haben Sie's geschafft, eine ganze Woche lang die Finger von ihr zu lassen? Herrgott, das hätte doch sogar einen Heiligen in Versuchung geführt.«

Maura schnappte erschrocken nach Luft, als sie Bernadettes freche Bemerkung hörte, doch Dominic schien ihren Ton bereits gewöhnt zu sein. Wenn sie wüsste, dass wir in den letzten paar Stunden kaum ein Wort miteinander gewechselt haben, dachte Maura, ganz zu schweigen von den anderen Dingen.

»Ach, gerade mal so«, sagte Dominic mit einem angespannten Lächeln.

Bernadette hob in gespielter Entrüstung die Braue. Ihr Blick wanderte zwischen Dominic und Maura hin und her, und sie spürte die zwischen ihnen herrschende Anspannung.

»Tja, wie's aussieht, werde ich heute wohl nichts Skandalöses mehr aus euch rauskriegen. Also, Maura, du kannst es sicher kaum abwarten, dir dieses wunderschöne Haus anzusehen. Ich bin dir da voraus, bin schon gestern hier eingezogen, und ich sage dir, es ist traumhaft.« An Dominic gewandt sagte sie: »Herzlichen Dank noch mal, dass Sie so ohne weiteres eingesprungen sind, Dominic. Sie müssen ja große Pläne für das Haus haben – unglaublich, wie schön das wieder hergerichtet wurde. Dagegen sieht mein Haus wie der reinste Stall aus.«

Dominic lächelte Bernadette an, sagte jedoch nichts über seine eventuellen Pläne. »Freut mich, dass Sie sich bereits heimisch fühlen. Wann werden Ihre ersten Schüler eintreffen?«

»Nicht vor Montag früh«, antwortete Bernadette, »uns bleibt also noch das ganze Wochenende, um alles vorzubereiten. Haben Sie kurz Zeit auf einen Drink?«

Dominic warf einen Blick auf die Uhr über der Küchentür. »Tut mir Leid, Bernadette, aber ich muss so schnell wie möglich nach Dublin zurück, deshalb lasse ich Sie jetzt besser allein.« Maura fiel auf, dass er seine Worte nur an Bernadette richtete. »Ich bin sicher, Sie finden alles, was Sie brauchen. Falls nicht, Anruf genügt, und ich werde es Ihnen beschaffen.«

Mit einem Nicken an sie beide verschwand Dominic. Maura blickte ihm nach, erleichtert, dass er fort war, aber auch seltsam enttäuscht, dass sie ihn eine Weile nicht mehr sehen würde. Die halbstündige Fahrt heute Vormittag zum Ardmahon House war äußerst angespannt gewesen, schlimmer sogar noch als ihre erste Fahrt vor knapp einer Woche. Maura hatte mehrmals versucht, sich zu entschuldigen oder ein Gespräch in Gang zu bringen, doch Dominic hatte nur einsilbig und abwesend reagiert. Er war nicht einmal unhöflich gewesen, nur distanziert. Und das war noch schlimmer, fand sie.

Bernadette beobachtete Maura, die Dominic nachblickte, mit wissendem Lächeln.

»Er ist einfach umwerfend, nicht?«, sagte sie, Maura aus ihren Gedanken reißend.

Maura merkte, wie sie rot wurde.

Bernadette brach in schallendes Gelächter aus. »Komm, das braucht dir nicht peinlich zu sein. Himmel, wenn ich zehn Jahre jünger wäre, würde ich mich selbst an ihn ranmachen.«

Als Maura schon protestieren wollte, dass nichts zwischen ihr und Dominic war, tat Bernadette dies mit einem weiteren

Lachen ab. »Ich zieh dich doch bloß auf, Schätzchen. Alle hier finden Dominic einfach umwerfend attraktiv. Es hätte mich mehr überrascht, wenn's dir nicht aufgefallen wäre.«

Alle?, dachte Maura. Wer alle? Aber Bernadette war es leid, über Dominics fantastisches Aussehen zu diskutieren, und zog einen Stuhl an den langen Küchentisch.

»Komm und schau dir die Kurse durch und sag mir, was du denkst. Dann können wir mal so richtig durchs Haus schnüffeln, jetzt, wo Dominic wieder weg ist.«

Maura konzentrierte sich auf die Einzelheiten für die nächsten drei Wochen. Bernadette hatte großartige Arbeit geleistet und alles für ihre Kochkurse organisiert. Es kamen drei Gruppen von je acht Leuten für die drei Kochkurse, die Montag, Dienstag, Mittwoch und Donnerstag stattfinden würden. Jeden Freitag und Samstag würde dann das große Esszimmer in ein Restaurant verwandelt werden. Bernadette hatte sogar schon dafür gesorgt, dass ihr Küchenpersonal und ihre Kellner dann nach Ardmahon House übersiedelten.

»Puh, bin ich froh, dass dir alles recht ist«, sagte Bernadette mit einem gespielt dramatischen Seufzer, denn sie wusste, dass Maura nicht zufriedener hätte sein können. »Und jetzt komm, du bist sicher genauso neugierig wie ich. Sehen wir uns die Hütte mal an.«

Sie brauchten beinahe eine halbe Stunde, um sich das ganze Haus und die umliegenden Ländereien anzusehen. Es war wirklich beeindruckend. Während sie die Räume und Flure und den großzügig angelegten, parkähnlichen Garten durchschritten, konnte Maura nur erahnen, wie viel Renovierungsarbeit in dem Haus steckte. Von Cormac und Bernadette hatte sie ja bereits erfahren, in welchem Zustand das Anwesen zuvor gewesen war.

»Toll, nicht?«, sagte Bernadette, während sie sich den letzten Flügel, in dem ein halbes Dutzend wunderschön möblierter Schlafzimmer untergebracht waren, ansahen. »Komisch, wie die Dinge manchmal laufen, nicht? Das Haus hier ist sogar noch besser als meines. Hätte nie gedacht, dass ich das je sagen würde, aber der Sturm hat uns im Grunde einen Dienst erwiesen.«

Bernadette hatte ihr unterwegs erklärt, dass die Renovierungsarbeiten an ihrem Haus zwar voranschritten, aber weit langsamer, als ursprünglich gedacht. Fröhlich gestand sie, dass ihr Dominics Haus jede Menge Ideen für ihr eigenes gegeben hatte.

»Mir gefallen ganz besonders das Esszimmer und die Wohnzimmer«, erläuterte Bernadette, während sie zusammen die breite, geschwungene Treppe hinuntergingen. »Das hier wäre doch ein fantastischer Ort für exklusive Partys oder hoch geheime Regierungskonferenzen, findest du nicht?«

Maura blickte sich um und sah durch die hohen Fenster am Fuß der Treppe auf den tadellos gepflegten Garten hinaus. Sie nickte. Hier war es richtig still und friedlich, als wäre man mitten im Nirgendwo, dabei lag Dublin nur ein paar Fahrstunden entfernt. Und nach London war es auch nur ein Katzensprung, wenn man es genau nahm.

»Wann hat Dominic das Anwesen gekauft?«, fragte sie neugierig.

»Vor etwa einem Jahr. Es war total heruntergekommen – ich glaube, hier hat schon seit Jahrzehnten keiner mehr gewohnt. Es gab hier in Irland früher Hunderte von diesen alten, verfallenen Schlösschen und Herrenhäusern, doch jetzt sind sie fast alle glänzend renoviert. Alle möglichen pensionierten Popstars und Bestsellerautoren haben sie sich unter den Nagel gerissen.«

Maura versuchte, das Gespräch von den Immobilien wieder auf Dominic zu lenken.

»Stammt er aus dieser Gegend?« Das wäre ja mal wieder typisch für ihr Glück, wenn Dominic sich als entfernter Vetter oder gar Neffe herausstellen sollte.

»Nein, er ist nicht von hier. Ich glaube, er ist aus Cork oder irgendwo aus dem Süden. Nicht, dass man es seiner Aussprache noch anmerken würde – hat jetzt eher einen transatlantischen Mix, nicht?«

Maura sagte nichts, sondern dachte mit einem Anflug von Scham an ihre erste Begegnung mit ihm im Clare Valley. Damals war sie überzeugt gewesen, dass es ein amerikanischer Akzent war.

Bernadette warf einen Blick auf ihre Uhr. »Genug rumgeschnüffelt. Gehen wir doch auf ein ausgiebiges Gespräch in die Küche. Außerdem wird's allmählich Zeit, dass ich den Wein von deinem Bruder probiere, nicht wahr?«

20. Kapitel

Bernadette erwartete die erste Gruppe von Kochschülern, die am Montagvormittag mit Mietautos oder mit dem Auto der Eltern oder dem Linienbus eintrafen, an der Haustür des Ardmahon House.

Maura, die in der Küche beschäftigt war, hörte, wie Bernadette die einzelnen Schüler fröhlich plaudernd in ihren Zimmern unterbrachte und sie dann im Haus herumführte, wobei sie sich gab, als würde sie hier schon ewig wohnen und nicht erst seit zwei Tagen.

Da merkt man eben ihre Erfahrung, dachte Maura. Bernadette leitete ihre Kochschule nun schon seit über zehn Jahren, hielt kurze und längere Kurse ab, deren Themen vom Geheimnis, wie man perfekt Kartoffeln kocht, bis zum kompletten Weihnachtsmenü ohne Stress reichten.

Bernadette hatte ihr am Wochenende jede Menge Geschichten erzählt, während sie auf den Märkten und in den Läden der Umgebung Lebensmittel vorbestellten oder, soweit vorhanden, schon mal in ausreichenden Mengen für den

Kochkurs und das kommende Restaurantwochenende einkauften. Sie hatte Maura erklärt, dass ihre Schüler aus ganz Irland kamen, zum Teil sogar aus der ganzen Welt.

»Viele meiner Schüler denken, wenn sie bei mir einen Kurs gemacht haben, dann hätten sie so eine Art Mini-Abschluss, aber zu mir kommen eigentlich Leute aus allen Alters- und Bildungsschichten«, erläuterte sie. »Manchmal habe ich Hausfrauen mittleren Alters da, Mütter, die sich ein bisschen mehr Selbstbewusstsein beim Kochen holen wollen oder die es einfach anödet, jeden Abend Fleisch und drei Sorten Gemüse auf den Tisch zu bringen. Sie wünschen sich ein wenig mehr Pepp in ihrem Leben, und wo besser damit anfangen, als in der Küche?«, meinte sie mit einem Augenzwinkern.

Maura hatte Bernadettes Kursliste für den Rest des Jahres gesehen, und ihre Serie über die neuesten Trends in der australischen Küche – und den australischen Weinen, insbesondere den Lorikeet-Hill-Weinen, natürlich – passte wunderbar zu Bernadettes anderen, noch bevorstehenden Kursen über die kalifornische und die chinesische Küche und die Küche der Cajuns.

Die erste Schülergruppe waren allesamt Mädchen Anfang, Mitte zwanzig, wie Maura schätzte, als sie sich umblickte, während sich jede einen Platz in der geräumigen Küche suchte. Der plötzliche Umzug ins Ardmahon House bedeutete, dass diese Küche nicht direkt als Lernküche ausgestattet war – es gab beispielsweise keine Deckenspiegel –, aber Bernadette hatte ihr versichert, dass das nichts ausmachte. »Ich unterrichte ohnehin immer nur kleine Gruppen, das ist sowohl intimer als auch effektiver, also kann dir sowieso jeder ohne Schwierigkeiten zuschauen. Aber denk daran: Sprich langsam, denn deine australische Aussprache ist manchmal verflixt schwer zu verstehen.«

»*No worries, mate*«, hatte Maura schlagfertig geantwortet.

Maura blickte nervös in die Runde, und acht ebenso nervöse Mädchen erwiderten ihren Blick. Sie brach die Stille, indem sie sich vorstellte und die Schülerinnen bat, sich ebenfalls vorzustellen und ein wenig über sich zu erzählen.

Das war Bernadettes Vorschlag gewesen, die festgestellt hatte, dass dies ein guter Weg war, das Eis zu brechen. »Anfangs sind sie immer ein bisschen scheu«, hatte sie, die Veteranin, gesagt »aber wart's nur ab, am Ende des dritten Tages werden sie dir den Unterricht voll schwätzen und abends die Pubs in der Umgebung unsicher machen und die armen jungen Männer aus der Gegend malträtieren.«

Ciara, Siobhan, Emer und Deirdre stammten aus verschiedenen Gegenden Irlands. Sally kam aus England, Angela aus München. Die beiden schüchternen Mädchen, die sich hinter ihren langen, schwarzen Haaren versteckten, waren Zwillinge namens Regina und Selina und stammten aus Spanien.

Als Maura zu sprechen anfing, drückte sich eine der Zwillinge ein Taschentuch vors Gesicht und begann zu schluchzen.

Es war Selina. Maura blickte sie besorgt an. »Stimmt was nicht?«

Keine Antwort.

»Geht es Ihnen nicht gut, Selina?«, hakte sie nach.

Sie warf Bernadette einen Blick zu, die aufstand, zu dem Mädchen ging und es an der Schulter berührte. »Geht es Ihnen nicht gut? Sind Sie krank?«, erkundigte sie sich besorgt.

Das Mädchen brach erneut in Tränen aus, dann ließ sie einen Wortschwall vom Stapel, der in Mauras ungeübten Ohren wie eine Mischung aus Spanisch, Französisch und Italienisch klang.

Bernadette blickte sich unter den Mädchen um. »Also meine Sprachkenntnisse reichen nur bis Deutsch und Irisch – kann mir jemand von euch helfen? Regina, was sagt Ihre Schwester?«

Regina blickte nervös auf. »Sie will nicht hier sein«, übersetzte sie hilfsbereit. »Sie kann nicht mal an Kochen denken. Ihr Herz ist gebrochen, weil unsere Eltern sie gezwungen haben, hierher zu kommen, um sie von ihrem Freund fern zu halten, den sie wahnsinnig liebt.«

»Ach so, alles klar«, sagte Bernadette trocken. Sanft sprach sie auf das hysterische Mädchen ein. »Möchten Sie vielleicht ein Glas Wasser, Selina, oder vielleicht wollen Sie ja auf Ihr Zimmer gehen und sich ein wenig hinlegen?«

Selina schüttelte den Kopf und ließ abermals ein spanisches Sperrfeuer los. Die ganze Klasse blickte Regina an.

»Sie sagt, sie kann genauso gut hier sein wie irgendwo anders, denn ihr Herz gehört nur Carlos«, sagte Regina, deren ausdruckslose Stimme die romantische Wirkung der Worte ein wenig verdarb.

Maura musste sich ein Lächeln verkneifen und blickte Bernadette an, die ihr zuzwinkerte und nickte.

»Also«, sagte Maura weit zuversichtlicher, als sie sich fühlte. »Fangen wir damit an, dass ich Ihnen erkläre, was wir in den nächsten dreieinhalb Tagen tun werden, und vielleicht lenkt Sie das ja ein bisschen von Carlos ab, Selina.«

Maura erläuterte ausführlich, was sie vorhatte, und freute sich über die Reaktion der Mädchen. Sie und Bernadette hatten lange darüber diskutiert, welche Gerichte sie bringen sollten und welche von den exotischeren Zutaten sie überhaupt nach Irland einführen durfte. Bei Kängurusteaks zog die Zollbehörde einen Schlussstrich – die mochte sie sowieso nicht –, aber den größten Teil des australischen *bush foods* und die entsprechenden Gewürze durfte sie mitbringen, und die machten einen integralen Bestandteil ihrer Kurse aus.

»Ich werde Ihnen die Zubereitung von drei verschiedenen Vorspeisen zeigen, drei Hauptgerichten und drei Desserts«, erklärte sie. »Und da ich von einem Weingut komme, werde ich Ihnen natürlich auch etwas über Wein erzählen und welchen davon man am besten zu welchem Gericht serviert, dazu ein paar Informationen zur Weinherstellung in Australien.« Letzteres könnte ich mittlerweile im Schlaf und auf dem Kopf stehend runterbeten, dachte sie, besonders nach der Rede in Ennis. »Und am Donnerstagvormittag, unserem letzten Tag, wollen wir es dann ein bisschen lockerer nehmen, und ich werde Ihnen ein paar Überraschungen zeigen.«

Die Mädchen nahmen auf den verschiedenen Küchenhockern Platz, und Maura stellte sich vor eine weiße Tafel, die Bernadette zusammen mit einer Riesenmenge Küchenutensilien und dem ganzen Bettzeug samt Bettwäsche aus ihrem Anwesen herübergeschafft hatte. Dreimal mussten sie mit dem großen Laster fahren, hatte sie Maura erklärt.

Maura schrieb die Worte *australische Küche* an die Tafel, dahinter ein großes Fragezeichen. »Die ›australische Küche‹ in dem Sinn gibt es eigentlich nicht; es ist eine Mischung aus thailändischen, italienischen, vietnamesischen, englischen, irischen, ungarischen und chinesischen Einflüssen«, erläuterte sie. »Die australische Küche ist eine Melange aus vielen Kulturen, ein bisschen wie in den Vereinigten Staaten. Natürlich haben die dort ihr *fried chicken* und wir unser Vegemite (ein Hefeextrakt, teilweise aus Braurückständen, der auf keinem australischen Schulbrot fehlen darf). Aber der Ruf einer guten Küche gründet sich natürlich nicht auf solche Gerichte.

In dieser Woche werden Sie etwas aus all diesen Ländern kennen lernen, denn die Gewürze sind es, glaube ich, die die australische Küche ausmachen. Wir beginnen heute mit den Entrées. Zuerst demonstriere ich Ihnen ganz genau, wie man sie zubereitet, und dann, am Nachmittag, sind Sie an der Reihe, das Gelernte für Ihr Abendessen nachzukochen.«

Maura schrieb das Vorspeisenmenü auf die Tafel.

Knusprige Meeresfrüchteröllchen, gefüllt mit Kammmuscheln, Fisch, Garnelen, asiatischen Nudeln, Koriandergrün und frischer Minze, dazu ein Chilidip

Scharfe Suppe nach Thai-Art mit Hähnchenfleisch, Zitronengras, Pilzen und scharfem Pfeffer, gekocht in Kokosmilch

Teigtaschen gefüllt mit Blauschimmelkäse, Walnüssen und wilden Kräutern

Sie hörte das erwartungsvolle Gemurmel der Mädchen, die sich die Liste durchlasen. Bernadettes Daumen zeigte nach oben. Die ersten Klippen waren umschifft.

Am Dienstag ging es dann an die Hauptgerichte, wobei Bernadette mit vier Mädchen arbeitete, und Maura den anderen die Zubereitung demonstrierte. Maura freute sich, zu sehen, dass die Mädchen, die anfangs mit den Gewürzen noch recht vorsichtig umgegangen waren, allmählich etwas abenteuerlustiger wurden und alles gerne ausprobieren wollten, vom Chili bis zum wilden *bush pepper*.

Eines der Hauptgerichte war ein vegetarisches Gericht – ein köstlicher warmer Salat aus Kürbisfleisch, Spinat und Feta. Speziell die irischen Mädchen waren überrascht, dass man Kürbis auch essen konnte.

»Wir verwenden Kürbisse nur an Halloween, und selbst da nur die Schale – das Fleisch kriegen bei uns immer die Hühner«, sagte Emer überrascht, als Maura die Gerichte an die Tafel schrieb.

»Tja, eure armen Hühner werden sich in Zukunft nach was anderem umsehen müssen«, meinte Maura. »Kürbis ist ein wundervolles Gemüse. In Australien verwenden wir ihn in Suppen und Aufläufen, und auch gegrillt schmeckt er wundervoll.«

Die beiden anderen Hauptgerichte bestanden aus Hähnchenfilets, gebacken in einer Kruste aus Kümmel und wildem

Senf, serviert auf einem Bett aus asiatischen grünen Gemüsen und Kartoffelbrei und einer köstlichen Rindfleisch-Pilz-Kasserole, gewürzt mit *bush pepper*, dazu eine ungewöhnlich gewürzte Pfirsichspeise.

»Ich verspreche Ihnen, dass alles ganz leicht zuzubereiten ist, trotzdem appetitlich aussieht und obendrein gut für die Gesundheit ist«, versprach Maura.

Die Schülerinnen gingen förmlich im Kochen auf, selbst Selina, als ihre Tränen getrocknet waren. Maura zeigte alles Schritt für Schritt, und dann durften sich die Mädchen selbst über die Zutaten hermachen.

Maura und Bernadette hatten beschlossen, dass das letzte Gericht an jedem Donnerstag ein typisch australisches sein sollte – ein Barbecue. Bernadette hatte ein Geschäft in Ennis aufgetrieben, in dem man tragbare Grills kaufen konnte, und so stand nun ein entsprechender Metallgrill im Hof.

»Ich fürchte, so richtig werden wir die australische Stimmung wohl nicht einfangen können«, meinte Bernadette am Mittwochabend, als sie den Wetterbericht in der Zeitung gelesen hatte. »Regenschauer und Windböen«, grinste sie. »Hast du deine Sonnenbank dabei?«

Maura blickte vom Kühlschrank auf, wo sie gerade die große Platte mit den eingelegten Steaks für morgen verstaut hatte. »Ich hab ein bisschen Grillengezirpe auf Tonband aufgenommen – das können wir ja als Hintergrundgeräusch abspielen –, wenigstens klingt's dann nach einem australischen Sommer«, schlug sie lächelnd vor. Sie hatte gerade die Kühlschranktür geschlossen, als ein lautes Krachen, gefolgt von einem schrillen Aufschrei, die beiden Frauen erschrocken hochfahren ließ.

»Was war das denn, um Himmels willen?« Bernadette sah zu ihr herüber. »Das war doch nicht etwa eine Katze, die aufs Dach gesprungen ist, oder?«

»Glaube ich kaum, außer hier gibt es Katzen in der Größe

von Tigern«, meinte Maura. Sie warf einen Blick auf die Uhr. Halb elf Uhr abends.

»Die Mädchen sind doch alle aus dem Pub zurück, oder?«, fragte sie. Bernadette nickte. Am Vormittag hatten sie ein paar exotische Desserts zubereitet und am Nachmittag dann verschiedene Lorikeet-Hill-Weine probiert. Beschwipst von dem Wein, waren die Mädchen daraufhin losgezogen, um die Pubs in Ennis unsicher zu machen. Bernadette hatte das letzte Paar, Ciara und Deirdre, erst vor einer halben Stunde ins Haus gelassen.

»Da ist es schon wieder«, flüsterte Maura. Noch einmal ein lautes Krachen, gefolgt von quietschenden Geräuschen.

»Klingt eher so, als würde jemand auf dem Dach des Gewächshauses rumkriechen«, sagte Maura.

Bernadette lauschte ebenfalls. »Ich glaube, das kommt daher, dass tatsächlich jemand auf dem Gewächshaus herumklettert. Wessen Zimmer liegt direkt darüber?«

Maura dachte einen Augenblick nach. »Selinas, oder?«

Bernadette nickte, dann legte sie den Finger an die Lippen und bedeutete Maura, ihr zu folgen. Auf Zehenspitzen gingen sie in die Empfangshalle hinaus und öffneten vorsichtig die Eingangstür – nicht ohne zuvor das Licht im Gang ausgeschaltet zu haben. Der Mond schien gerade hell genug, um das Gewächshaus, das an eine Hausseite angebaut war, in ein schwaches Licht zu tauchen.

Als sie nach oben sahen, bemerkten sie, wie ein Bein aus dem Fenster von Selinas Zimmer auftauchte, gefolgt vom Rest des Körpers. Dann noch jemand, mit einer Reisetasche in der Hand. Beide Gestalten tappten auf Zehenspitzen über das Dach des Gewächshauses.

»Das ist Selina – und ich wette eine Million, dass das mit der Tasche da Carlos ist«, meinte Bernadette, die an sich halten musste, um nicht laut aufzulachen. »Ach Gott, wie romantisch, wie bei Romeo und Julia.«

»Es ist doch hoffentlich stabil genug, um die beiden zu tragen?«, flüsterte Maura erschrocken.

»So weit, so gut«, flüsterte Bernadette zurück. »Ich glaube, es besteht aus einem gusseisernen Rahmen, also sollte es schon was aushalten. Aber wenn wir jetzt rufen, kriegen sie einen Schreck und fallen womöglich runter.«

Mit angehaltenem Atem verfolgten Maura und Bernadette, wie sich die beiden Gestalten Zentimeter um Zentimeter am Rand des Daches entlang vorwärts tasteten, den Glasscheiben tunlichst aus dem Weg gehend.

Das Pärchen hatte gerade glücklich den Rand erreicht, als sich die Schwerkraft bemerkbar machte. Selina verlor plötzlich die Balance, und auch Carlos ging es nicht besser. Als hätten sie es so abgesprochen, kippten die beiden vornüber und fielen die knapp zwei Meter auf den Kies hinunter.

Maura und Bernadette rannten zu dem jungen Paar hin, das sich nun laut ächzend aufrappelte. »Romeo und Julia?«, sagte Bernadette leise zu Maura, während sie ihnen zu Hilfe eilten, »eher Abbott und Costello, würde ich sagen.«

Am nächsten Tag unterhielten sich die Mädchen aufgeregt über Selinas verpatzte nächtliche Flucht mit Carlos.

»Ach Gott, das ist ja so romantisch«, schwärmte Siobhan, während sie Maura bei der Zubereitung eines Kartoffelgerichts half, das sie zum abschließenden Barbecue mit den gegrillten Steaks und Hähnchenbrüsten essen würden. »Wenn ich mir vorstelle, dass Carlos den ganzen Weg von Madrid bis hierher getrampt ist, nur um Selina zu retten.«

Emer höhnte: »Retten? Aber wovor denn? Das hier ist ’ne Kochschule und keine Besserungsanstalt.«

Maura und Bernadette wechselten einen Blick. Gestern Nacht waren sie sich da nicht so sicher gewesen. Selina und Carlos hatten sich bei dem Sturz Schürfwunden und Prellungen geholt. Im Augenblick lagen sie, nicht unbedingt romantisch, in benachbarten Zimmern und warteten darauf, von ihren Eltern abgeholt zu werden. Das war nicht ganz das Ende, das Carlos sich erhofft hatte.

»Zurück zur Realität, Mädchen«, unterbrach Bernadette sie. »Es wird Zeit für ein richtiges *Aussie barbie*!« Bernadette versuchte, mehr recht als schlecht, einen australischen Akzent hinzukriegen. »Und wenn ihr recht brav seid, gibt's als Nachspeise noch ein schönes *lamb tin*.«

Maura lachte laut auf. »*Lamb tin*? Klingt ja schrecklich. Bernadette meint natürlich *lamingtons*, Leute, einer der ganz besonderen australischen Beiträge zur *world cuisine*.«

Wie um ihre Worte zu unterstreichen, zauberte Maura ein Tablett mit ihren Lieblingskuchen hervor – Biskuitwürfel, überzogen mit einer dicken Schokoglasur und mit Kokosnussraspeln bestreut. Für Maura verknüpften sich damit viele Erinnerungen an ihre Kindheit – *lamingtons* waren bei jeglichen Ortsfesten, landwirtschaftlichen Messen oder Schulpausen einfach unerlässlich. »Ein Rezept für *lamingtons* sucht ihr in den besseren australischen Kochbüchern vergeblich«, scherzte sie, während die Mädchen das Kuchenblech überrascht musterten, »aber es gibt nichts Besseres als Abschluss für ein richtiges *Aussie barbie*.«

Später an diesem Nachmittag saßen Maura und Bernadette in der Küche bei einem guten Glas Lorikeet-Hill-Wein. Das Barbecue und die Biskuitschnitten waren ein einfacher Abschluss für diese erste Kurswoche gewesen. Maura hatten die Komplimente und guten Wünsche der Mädchen, als sie sich von ihr verabschiedeten, viel Auftrieb gegeben. Jede Teilnehmerin hatte noch eine Flasche Lorikeet-Hill-Wein auf den Weg mitbekommen, dazu einen Klarsichtordner mit all den Rezepten, die sie in dieser Woche gelernt hatten.

»Gut gemacht, Maura«, lobte Bernadette und erhob ihr Glas.

Maura stieß mit ihr an. »Ebenfalls gut gemacht und vielen

Dank, Bernadette. Es hat mir sehr gut gefallen – wir beide ergeben ein prima Team, nicht?«

»Das kannst du laut sagen«, lächelte ihr Bernadette zu. »Wir könnten diesen beiden Köchen auf BBC Konkurrenz machen. Oder wir könnten uns ›die Schöne und die Schwabbelige‹ nennen, oder ›Dick und Doof‹«, meinte sie lachend.

Maura musste ebenfalls lachen. »Das wär's doch. Weißt du, ich kann kaum glauben, dass wir das hier monatelang geplant haben, und jetzt ist es schon zu einem Drittel vorbei.«

»Wir müssen zusehen, dass du noch ein bisschen mehr von unserem schönen Land zu Gesicht bekommst, bevor der Monat vorbei ist«, sagte Bernadette, während sie sich vorbeugte und Maura nachschenkte. »Gibt es irgendwas Spezielles, das du dir ansehen möchtest?«

Maura machte den Mund auf und wollte schon über all die Sehenswürdigkeiten und schönen Orte im Westen von Irland reden, die sie gerne aufsuchen würde. Doch dann begann sie, zu ihrer eigenen Überraschung, Bernadette alles über ihre Adoption zu erzählen.

Bernadette saß schweigend da und hörte aufmerksam zu, während Maura ihr, zuerst zögernd, dann zunehmend sicherer, die Umstände erklärte. Mit wild klopfendem Herzen erwähnte sie Catherine Shanleys Namen, halb hoffend, dass er Bernadette ein Begriff und dass ihre Suche hier und jetzt zu Ende wäre.

Doch Bernadette schüttelte den Kopf, wie Maura mit einer Mischung aus Erleichterung und Enttäuschung feststellte.

»Vor vierzig Jahren sind die jungen Leute zu Hunderten nach Amerika und Australien ausgewandert. Das war damals nichts Ungewöhnliches. Und oft haben sie jeden Kontakt zur Heimat verloren. War schließlich nicht wie heute, in der Welt der E-Mails, des Internets und der Expresspostdienste«, erklärte Bernadette.

Maura trank einen Schluck Wein, um ihre Gedanken zu

ordnen und um die richtigen Worte zu finden, die Bernadette erklären sollten, mit welchen Gefühlen sie diese Suche betrachtete.

»Weißt du, ich habe mir vorgestellt, wenn ich in Irland ankomme, dann würde ich ganz sicher wissen, ob ich Catherines Familie – na ja, wohl auch meine Familie – suchen wollte oder nicht. Aber ich weiß es immer noch nicht«, sagte sie zögernd. »Jetzt, wo ich von Nick und Fran getrennt bin und mir vorstelle, dass sie bald ein Kind haben werden, fühle ich mich noch enger mit ihnen verbunden – *das* ist meine Familie. Und wenn ich dann doch mal neugierig auf Catherine und ihre Familie werde, habe ich das Gefühl, Terri Unrecht zu tun. Als ob ich, jetzt, wo sie tot ist, endlich freie Bahn hätte, um meine anderen Verwandten zu suchen. Ich würde schon gern was über Catherine rausfinden, aber nur, wenn ich wüsste, dass mich das nicht umhaut.« Sie lachte unsicher. »Ganz schön feige, was?«

Bernadette antwortete nicht gleich. Das gefiel Maura an ihr. Sie überlegte zuerst und gab nicht gleich eine spontane Antwort.

»Nein, feige ist das nicht. Ich finde, das ist ganz normal. Es wäre was anderes, wenn Catherine noch am Leben wäre und du sie dadurch, dass du siehst, woher sie kommt und wie ihre Verwandten sind, besser verstehen lernen könntest.

Aber die Tatsache, dass du ständig darüber nachdenkst, beweist doch, dass du deine Suche noch nicht ganz abgeschrieben hast. Dir bleiben ja noch zwei Wochen, du musst nicht jetzt schon entscheiden. Denk einfach weiter darüber nach, und wenn du das Gefühl hast, gerne dort hinfahren zu wollen, dann sag mir Bescheid, und ich werde alles tun, um dir behilflich zu sein.«

Maura wollte gerade noch etwas sagen, als das Telefon in der Küche klingelte. Bernadette stöhnte. Das Telefon hatte in den letzten Tagen oft geklingelt. Alle wollten Plätze für die

Restaurantwochenenden reservieren, und Bernadette musste leider jedem Anrufer sagen, dass diese Saison bereits bis auf ein, zwei Plätze ausgebucht waren.

Maura nahm ihr Glas und folgte Bernadette in die Küche. Ihr Herz machte einen Satz, als sie hörte, mit wem Bernadette sprach.

»Ach, hallo, Dominic! Ja, alles läuft ganz fantastisch, und Ihre Küche ist das reinste Paradies«, schwärmte Bernadette. Gelegentlich brach sie in fröhliches Lachen aus.

Maura beobachtete sie. Offenbar kam Bernadette in den Genuss von Dominics charmanter Seite. Seine distanzierte Art schien er nur für sie aufzuheben.

»Wir sind morgen total ausgebucht, aber natürlich können wir für Sie noch ein Plätzchen frei machen. Himmel, ich kann ja wohl schlecht den Gastgeber abweisen, nicht? Und für Carla auch, natürlich. Aber sicher sind noch Zimmer für euch frei, wir können euch den ganzen Ostflügel überlassen. Dann also bis morgen, oh, Spätnachmittag, na prima. Bis dann.«

Maura blickte Bernadette mit einem fröhlichen Funkeln in den Augen an. »Und ich dachte, die Restaurantkritiker würden mich schon nervös genug machen. Jetzt kommen die beiden auch noch. Na, das hält mich wenigstens auf Trab.«

»So lange wir dich von den Vasen fern halten, dürfte eigentlich nichts schief gehen.«

21. Kapitel

Aus Gründen, die zu hinterfragen sie tunlichst unterließ, war Maura den restlichen Nachmittag ziemlich nervös. Mehrere Lieferfahrzeuge kamen über die lange Auffahrt zum Ardmahon House, und jedes Mal, wenn sie das Knirschen von Reifen auf dem Kies hörte, verkrampfte sie sich unwillkürlich.

Gegen halb sechs spürte sie eine leichte Verspannung in

den Schultern. Wieder einmal hörte sie das Brummen eines Motors und das Knirschen von Kies. Das hier war bestimmt kein Lieferwagen.

Ganz bewusst arbeitete sie ruhig weiter, den Kopf über die Anrichte gebeugt, wo sie einen Vorrat an Gemüse für den nächsten Tag vorbereitete. Der gleichmäßige Rhythmus der Arbeit beruhigte sie ein wenig, und sie drehte sich nicht einmal um, als hinter ihr die Küchentür aufging.

Jeden einzelnen Muskel angespannt lauschte sie den sich nähernden schweren Schritten. Plötzlich legten sich zwei kühle Hände über ihre Augen.

Eine leise, melodiöse Stimme flüsterte in ihren Nacken. »Ich hab die Trennung von dir keine Sekunde länger ausgehalten.« Sie zuckte zusammen und fuhr herum.

»Cormac!«, rief sie laut. »Du hast mir einen Mordsschrecken eingejagt! Was, zum Teufel, machst du denn hier?«

»Hab's dir doch gesagt, meine schöne Australierin, ich konnte die Trennung von dir keine Sekunde länger aushalten. Ich dachte, fährst mal rüber nach Clare und probierst dieses wundervolle australische Essen, von dem ich schon so viel gehört habe, und führst die liebe Maura ein bisschen herum.«

Maura schüttelte unwillig den Kopf. »Du hättest wirklich anrufen sollen, ich glaube nicht, dass im Esszimmer auch nur noch ein Platz frei ist.«

»Für gute Freunde ist immer ein Platz frei«, sagte Bernadette, die hereinkam und den letzten Satz aufgeschnappt hatte. »Cormac, wie schön, Sie wiederzusehen – wie läuft's in der rauen Welt der Dubliner Weinhändler?«

Maura hatte ganz vergessen, dass Bernadette und Cormac einander über ihre Verbindungen zur Weingenossenschaft kannten. Bernadette gefiel Cormacs überschwänglicher Humor offenbar, und schon bald hatte sie ihm den neuesten Dubliner Klatsch entlockt.

Maura stellte jedoch rasch fest, dass sie, trotz Cormacs blumiger Sprache, nicht der einzige Grund für seinen Besuch war.

»Hab gerade einen Riesendeal mit einem der Spitzenhotels in Galway abgeschlossen, da konnte ich mir die Gelegenheit, hier vorbeizuschauen und dich zu einem ebenso feuchtfröhlichen wie romantischen Abend auszuführen, natürlich nicht entgehen lassen«, verkündete er mit übertrieben theatralischer Stimme und umarmte sie stürmisch.

Maura musste gegen ihren Willen lachen und schmunzelte Bernadette über Cormacs Schulter zu, die angesichts seiner Mätzchen die Augen verdrehte.

Genau in diesem Moment ging erneut die Tür auf, und Dominic kam mit zwei Koffern in der Hand herein.

Maura sprang so erschrocken von Cormac zurück, als wäre sie ein Dienstmädchen, das von der Herrschaft beim Turteln ertappt worden war.

Dominic nahm die Situation mit einem einzigen Blick auf. Seine Miene blieb ausdruckslos. Er nickte dem Trio einen Gruß zu, und Maura hörte durch die offene Küchentür, wie Carla ungehalten nach mehr Hilfe bei ihren Taschen rief.

»Mir scheint, Sie haben für heute Ihren Teil getan, Dominic«, sagte Cormac fröhlich. »Ich übernehme die nächste Schicht.«

Maura, die ihm durchs Fenster nachblickte, sah, dass er sich Carla mit spöttischer Ergebenheit näherte. Aus der Entfernung sah es aus, als würde Carla seine Hilfe als etwas für sie Selbstverständliches annehmen. Maura seufzte. Das hatte ihr gerade noch gefehlt. Schlimm genug, dass er und Carla morgen Abend hier speisen würden, aber jetzt waren sie auch noch am Vortag eingetroffen.

Während Bernadette ein Gespräch begann und Dominic von dem Erfolg der ersten Unterrichtswoche berichtete, kehrte Maura wieder zu ihren Vorbereitungen zurück, ihre Nervosität mit wohl einstudierten Bewegungen überspielend.

»Wir waren ein tolles Team, nicht Maura?«, meinte Bernadette zufrieden.

Maura nickte und lud eine Hand voll geschnittenes Gemüse in den großen Vorratsbehälter.

»Und wie's aussieht, habt ihr heute Abend und auch morgen ein volles Haus«, meinte Dominic mit einem Blick aus dem Fenster auf Cormac, dem Carla immer noch Gepäckstücke auflud.

»Er schläft nicht hier«, sagte Maura rasch, wie um die Dinge zu klären. »Er übernachtet ein paar Kilometer weiter bei Bekannten.«

»Er kann hier jederzeit gerne übernachten, Maura«, sagte er ruhig und musterte sie mit einem langen Blick. »Sie sind kein Dienstmädchen, Sie können einladen, wen immer Sie wollen, selbst Ihren Freund.«

Woher wusste er, dass sie sich vorhin, als er reinkam, genauso vorgekommen war?

»Ich weiß sehr gut, dass ich kein Dienstmädchen bin, und er ist nicht mein Freund«, sagte sie, diesmal in einem etwas schärferen Ton, wurde jedoch von Cormac unterbrochen, der mit einem theatralischen Stöhnen in die Küche gewankt kam. Er hörte ihre letzten Worte.

»Aber nicht, dass ich's nicht versuchen würde, stimmt's Maura?«, sagte er mit einem hoffnungsvollen Grinsen.

Carla folgte ihm in die Küche. Sie warf einen raschen Blick in Mauras Richtung, grüßte jedoch weder sie noch Bernadette.

»Du erinnerst dich sicher an Bernadette, Carla«, mahnte sie Dominic, wie ein Vater es bei seiner fünfjährigen Tochter machen würde. »Und Maura, natürlich.«

Carla schwang sich zu einem mürrischen »Hallo« auf, nur um sich gleich darauf griesgrämig wieder Dominic zuzuwenden.

Maura, die sie genauer unter die Lupe nahm, fand, dass sie

nicht besonders gut aussah. Sie wirkte müde, hatte tiefe Schatten unter den Augen und schien noch dünner als gewöhnlich zu sein. Carla trat zu ihrem Gepäck, wühlte kurz in einer Tasche herum und holte dann eine Schachtel Zigaretten heraus. Ohne nach einem Aschenbecher oder um Erlaubnis zu fragen, zündete sie sich sogleich eine an.

Maura hatte etwas dagegen, dass hier geraucht wurde. Das hier war eine Wirtschaftsküche. Dass Carla rauchte, war unhygienisch und unhöflich obendrein. Sie warf einen Blick auf Dominic und wartete darauf, dass er Carla aufforderte, die Zigarette auszumachen. Schließlich war dies sein Haus. Aber er, Bernadette und Cormac unterhielten sich über die Renovierungsarbeiten und hatten gar nicht gemerkt, was Carla tat.

Maura beschloss, die Sache selbst in die Hand zu nehmen.

»Es wäre mir lieber, Sie würden hier drinnen nicht rauchen, Carla«, sagte sie in ebenso eisigem Ton wie der Blick, den ihr Carla daraufhin schenkte. »Kann sein, dass das normalerweise nichts ausmacht, aber solange ich hier bin, ist das eine bewirtschaftete Küche, da kann ich das Rauchen nicht erlauben.«

»Das ist mir scheißegal«, sagte Carla rüde und zog frech an ihrer Zigarette. »Das bisschen Rauch wird Ihren Fraß schon nicht verderben. Wenn überhaupt, kann er dadurch nur besser werden.«

Mit diesen Worten blies Carla eine lange Rauchfahne in die Richtung von Mauras vorbereitetem Gemüse.

Maura merkte, wie ihr die Galle hochkam. Dieses Mistvieh. »Ich habe Sie einmal gebeten, Carla. Machen Sie bitte die Zigarette aus«, wiederholte sie ruhig.

Carla wandte sich einfach ab, als würde die Auseinandersetzung sie langweilen.

O nein, das wirst du nicht, dachte Maura. Mit wenigen Schritten war sie bei ihr, riss ihr die Zigarette aus den Fingern und warf sie durch die offene Küchentür hinaus.

Carla kreischte laut auf.

Dominic und Cormac blickten sich um und sahen, wie Carla die Hand hob, als wolle sie Maura eine runterhauen. »Wie können Sie es wagen?«, kreischte das Mädchen dramatisch. »Für wen halten Sie sich, verdammt noch mal? Das ist Dominics Haus, und ich rauche hier, so viel ich will.«

Dominics ruhige Stimme durchbrach die darauf folgende, verblüffte Stille.

»Maura hat Recht, Carla. Du solltest hier drin nicht rauchen. Komm, gehen wir nach oben und packen aus. Du kannst im Wohnzimmer rauchen, wenn du willst.«

Carla stolzierte davon, warf Maura im Gehen aber noch einen hasserfüllten Blick zu. Offenbar war sie schon öfter hier gewesen, denn sie schien sich auszukennen, wie Maura trotz ihrer Wut bemerkte.

Cormac und Bernadette warfen einen Blick auf Mauras Gesicht.

»O Mann, du scheinst ja nicht nur einen irischen Namen, sondern auch das dazugehörige irische Temperament zu besitzen«, meinte Cormac grinsend.

»Dieses Weib würde selbst Mutter Teresa auf eine Geduldsprobe stellen«, sagte sie und schüttelte verblüfft den Kopf. »Seit ich sie kenne, tut sie alles, um mir das Leben schwer zu machen.«

»Ach was, beachte sie einfach nicht«, riet Cormac. »Wahrscheinlich ist sie eh bloß eifersüchtig.«

»Eifersüchtig?«, wiederholte Maura. »Aber worauf denn?«

»Ach, das kann man nie wissen«, erwiderte Cormac neckend. »Wahrscheinlich ist ihr aufgefallen, wie Dominic dich manchmal ansieht. Du kennst ja diese reichen Pinkel, können gar nicht scharf genug auf ihre Besitztümer aufpassen.«

Maura blickte ihn verwirrt an. »Was meinst du damit, wie Dominic mich manchmal ansieht?«

Aber Cormac lachte nur. »Vergiss es, vergiss sie. Sie ist's anscheinend gewöhnt, immer ihren Willen durchzusetzen. Wahrscheinlich bist du der einzige Mensch, der ihr je was verboten hat. Und jetzt komm, mach dich fertig und lass uns losfahren. Du musst doch heute Abend nicht mehr kochen, oder?«

Maura schüttelte den Kopf.

»Dann wird's Zeit, dass du einen Abend Ausgang kriegst, oder, Bernadette?«

»Aber sicher«, pflichtete ihm Bernadette bei. »Schaffen Sie sie aus der Küche, Cormac, ich mache hier alles fertig. Geh rauf und zieh dich um, Maura, und dann sieh zu, dass du ein bisschen rumkommst, sonst denkst du noch, unser Irland besteht nur aus Weinhandlungen und Küchen.«

Eine halbe Stunde später, ruhiger, aber mit den Gedanken noch immer bei der Auseinandersetzung mit Carla, stieg Maura in Cormacs kleinen blauen Flitzer. Erleichtert bemerkte sie, dass Dominics teurer Wagen verschwunden war.

Als sie über die lange Auffahrt davonfuhren, zwang sie ein breites Lächeln auf ihre Lippen und schaute zu Cormac hinüber.

»Ich brauch was zu trinken«, verkündete sie.

22. Kapitel

Maura lehnte sich auf der bequemen Sitzbank zurück und nippte dankbar an dem heißen Whiskey, den Cormac ihr von der Bar gebracht hatte. Sie blickte sich in dem kleinen Pub um, einem von nur einer Hand voll in dem Dorf Doolin.

Während der Fahrt hatte Cormac wieder den Fremdenführer gespielt, wies sie auf Steinkreise hin und auf alte Ruinen entlang der gewundenen Landstraße. Dunkle Wolken zogen drohend am blauen Himmel auf, und als sie den Wagen vor dem Pub abstellten, hatte der Wind aufgefrischt, und dicke Regentropfen klatschten vom Himmel.

Es war schön mit Cormac. Er war so unkompliziert, und sein unverblümtes Flirten wirkte sehr geübt; man durfte es nicht allzu ernst nehmen.

»Stell dir einfach vor, du machst hier Ferien mit mir, Maura«, hatte er gesagt, fröhlich in die Rolle des Fremdenführers schlüpfend. »Doolin ist berühmt für gute Musik und gutes Pub-Essen. Das ist das Irland deiner Touristenträume. Und wenn wir Glück haben, sehen wir sogar ein paar richtige, lebendige Iren zwischen all den Deutschen, Schweizern, Franzosen, Australiern und Amerikanern in den hiesigen Pubs.«

Beim Betreten des Pubs wurde ihr sofort klar, was er meinte. An allen Tischen saßen Touristen, ebenso leicht erkennbar an ihren Backpacks und dem Postkartenschreiben wie an ihren fremdländischen Sprachen.

Auch hier war eine lange Sitzbank freigehalten worden. Zu ihrer Freude sah sie dort Musikinstrumente stehen. Die Musik in dem Pub in Galway, das sie mit Dominic besucht hatte, hatte ihr sehr gut gefallen, trotz des eher misslungenen Endes dieses Abends. Und wenigstens musste sie am nächsten Tag keine Vorträge halten. Sie konnte sich entspannen, ein wenig abschalten, wusste sie doch, dass für das morgige Dinner alles vorbereitet war.

Noch bevor sie das erste Glas ausgetrunken hatte, bestellte ihr Cormac einen zweiten heißen Whiskey. Sie fand das Getränk köstlich, denn die Nelken, der Zucker und das Wasser milderten den scharfen Geschmack.

Cormac kam mit den zwei dampfenden Gläsern von der Bar zurück und deutete auf die Musikerbank. Ein halbes Dutzend Männer und Frauen hatte sich nun dort versammelt, nahmen Geigen und Gitarren zur Hand und spielten sich mit ein paar Griffen warm.

Cormac beugte sich zu ihr hinüber und flüsterte ihr zu:

»Die sind gut, kannst dich freuen. Sicher, es ist eine Show für die Touristen, aber nichtsdestotrotz sehr gut.«

Maura lehnte sich zurück und entspannte sich, während die Musiker zu spielen begannen. Sämtliche Postkarten wurden beiseite gelegt, leere Teller abgeräumt, und alle wandten ihre Aufmerksamkeit der Musik zu.

Der Anblick dieser leeren Teller erinnerte Maura daran, dass sie seit dem Frühstück heute Morgen kaum etwas gegessen hatte. Nur ein bisschen Salat zu Mittag, und jetzt war es schon fast neun Uhr. Cormac legte liebevoll den Arm um sie, und in dem zarten Whiskeydunst, der ihr Gehirn umnebelte, fand sie das Gewicht seines Arms recht angenehm. Schade, dass es so gar nicht zwischen ihnen funkte, dachte Maura, denn er war ein netter Kerl.

Aber Cormac schien zu spüren, dass er für sie lediglich ein Freund war, und es schien ihm nichts auszumachen, die Rolle des freundlichen Führers und Gastgebers zu spielen.

Sie erhob sich, um zur Toilette zu gehen, und war überrascht, festzustellen, dass ihr ein wenig schwindlig war. Sie musste Cormac bitten, ihr als Nächstes nur ein Mineralwasser zu bringen – der Whiskey war ihr offenbar zu Kopf gestiegen.

Aber bei ihrer Rückkehr sah sie, dass Cormac ihr bereits einen neuen Whiskey geholt hatte. Na ja, einer mehr wird schon nicht schaden, sagte sie sich. Und dieser ausgeprägte, rauchige Geschmack des Getränks war wirklich gut.

Die Band, die zuvor ein paar Jigs und Reels gespielt hatte, ging nun dazu über, temperamentvoll ein paar irische Folksongs zum Besten zu geben. Überrascht stellte sie fest, dass sie nicht wenige davon kannte und mit einigen der anderen Zuhörer mitsingen konnte.

»Du hast eine hübsche Singstimme«, meinte Cormac, sich zu ihr beugend. »Du solltest was aus deinem Land zum Besten geben.«

Maura schüttelte lachend den Kopf. Ihre Stimme war in Ordnung, aber nichts Besonderes. Doch auch andere im Pub begannen nun, ohne Aufforderung, ein Lied aus ihrem Land zum Besten zu geben, anfangs ohne Begleitung, doch mit einem dankbaren Blick zur Band, als diese die Melodie aufgriff und den Sänger oder die Sängerin begleitete.

Der Bandleader klatschte begeistert, als sich ein Deutscher, der gerade eine äußerst launige Version eines deutschen Volkslieds zum Besten gegeben hatte, mit hochrotem Kopf wieder hinsetzte.

»Noch irgendwelche Freiwillige?«

Zu Mauras Entsetzen erhob sich Cormac und sagte: » Wir haben hier eine Lady aus Australien. Warum singst du nicht einen richtig schönen Song aus dem Outback für uns, Maura?«

Maura protestierte lachend, während die anderen Gäste sie drängten, ein Lied für sie zu singen. Sie wurde kurz abgelenkt, als sie einen Blick ins Hinterzimmer warf. Der Whiskey musste ihre Sicht benebelt haben, denn sie hätte schwören können, Dominic und Carla mit einigen anderen Leuten in dem Raum hinter der Bar sitzen zu sehen. Sie schüttelte den Kopf. Nein, sie wollte nicht singen.

Aber so leicht ließ Cormac sich nicht abwimmeln, und auch ein paar andere Gäste baten sie hartnäckig.

Mit umnebeltem Hirn und wackeligen Beinen erhob sie sich schließlich und schaute sich vergeblich nach ein paar anderen Australiern um, damit sie nicht ganz allein singen musste. Und auf einmal war ihr Hirn wie leer gefegt. Verdammt, sie konnte sich an kein einziges australisches Lied erinnern. Wie viele Whiskeys hatte sie eigentlich schon intus?

Plötzlich fiel ihr ein Lied ein. Mutiger, als im nüchternen Zustand, dachte sie, was soll's, ich probier's einfach. Wer kennt mich hier schon? Sie lächelte und nickte Cormac zu.

»Braves Mädchen«, flüsterte er ermunternd zurück. »Ladies und Gentlemen, Maura Carmody aus Clare, Südaustralien, wird Ihnen jetzt ein australisches Volkslied vortragen.«

Maura stand mit halb geschlossenen Augen da und versuchte, sich an den ganzen Text zu erinnern.

Mit einem Lächeln zu Cormac und leicht schwankend, begann sie zu singen. Mitten in der zweiten Strophe jedoch bemerkte sie die verwirrten Blicke, die einige der Touristen miteinander wechselten, und da hörte sie, plötzlich verlegen geworden, mit dem Singen auf. »Ist das ein australisches Lied?«, hörte sie jemanden am Nachbartisch flüstern, »ich dachte, das wäre schottisch.« Beschwipst wie sie war, versuchte Maura zu überlegen, was sie eigentlich gerade gesungen hatte – irgendwas über Donald und die Isle of Skye und *lassies* und irgendwelche *troosers*. Auf einmal wurde ihr klar, dass sie das schottische Lied »Donald, Where's Your Troosers?« gesungen hatte. Wie, um alles in der Welt, war sie nur darauf gekommen? Das letzte Mal, dass sie diesen Gassenhauer zum Besten gegeben hatte, war auf einem ziemlich verunglückten Klassentreffen im letzten Jahr gewesen. Cormac schien das Ganze zum Schreien zu finden, Maura jedoch schlug entsetzt die Hände vors Gesicht. Daran war nur dieser verfluchte Whiskey schuld.

»Ach Gott, tut mir Leid«, sagte sie lachend, die Hände vors Gesicht geschlagen. »Das war wohl das falsche Lied.«

Den Musikern schien das nichts auszumachen, sie nahmen die Melodie auf und spielten das Lied fröhlich zu Ende. Auf einmal fiel Maura das einzige australische Lied ein, dessen Text sie kannte. Plötzlich mutig geworden – mehr blamieren als ohnehin schon konnte sie sich sowieso nicht mehr –, erhob sie sich abermals.

»Ich versuch's noch mal.« Mit diesen Worten begann sie leise die erste Strophe von »And the band played Waltzing Mathilda« zu singen, ein melancholisches Lied über einen australischen Soldaten, der in den Ersten Weltkrieg zog.

Zu ihrer Überraschung kannte die Band das Lied sehr gut, und ein oder zwei Leute im Publikum sangen ebenfalls mit. Erleichtert ließ sie sich auf ihre Sitzbank zurückplumpsen und nahm verlegen Cormacs überschwängliche Komplimente entgegen.

»Das war einfach toll. Nicht so originell wie das erste, aber trotzdem wunderschön«, flüsterte er ihr zu.

Sie lehnte sich dankbar an ihn, denn ihr schwirrte der Kopf. Nach einer Minute machte sie die Augen wieder auf, und das Erste, was sie erblickte, war – Dominic. Es war keine Einbildung gewesen. Er und Carla waren aus dem hinteren Speisezimmer getreten und mussten, nach Carlas höhnischem Blick zu urteilen, nicht nur ihre Version des Eric-Bogle-Lieds mitbekommen haben, sondern auch das über die »troosers«.

Maura hätte ihr am liebsten die Zunge rausgestreckt. Doch sie war auf einmal viel zu müde – und, um ehrlich zu sein, auch viel zu betrunken –, um sich groß um die beiden zu kümmern. Dominics Blicke noch auf sich spürend, beugte sie sich zu Cormac und flüsterte: »Kannst du mich nach Hause ins Bett bringen?«

»Mein Gott, wie lange warte ich schon darauf, dass du das zu mir sagst!«, lachte Cormac. »Willst du nicht doch noch auf ein Lied bleiben? Die Band ist gerade erst warm geworden.«

»Ich glaube wirklich, ich sollte mich hinlegen«, sagte sie und merkte, wie ihr schlecht wurde.

Cormac sah sie genauer an und erkannte ein wenig verspätet, dass sie den starken Whiskey nicht gewöhnt war.

»Also dann komm, ich bringe dich nach Hause. Bernadette und ich werden dich im Nu im Bettchen verstaut haben, wirst sehen.«

Am nächsten Morgen wurde sie durch ein leises Klopfen an ihrer Zimmertür geweckt. Sie hob den Kopf und stöhnte.

Mann, hatte sie einen Brummschädel! Und als sie einen Blick auf ihren Wecker warf, stöhnte sie erneut. Fünf Uhr früh.

»O nein«, dachte sie, als ihr die Whiskeys und das Singen wieder einfielen. Cormac hatte ihr auf dem ganzen Rückweg zum Ardmahon House zwar immer wieder versichert, dass sie keinen Narren aus sich gemacht hatte und ihm auch überhaupt nicht betrunken vorkam, aber Maura wusste, dass sie viel mehr getrunken hatte, als ratsam war, und hoffte nur, dass sie heute nicht zu sehr dafür büßen müsste. Schließlich hatte sie vierzig erwartungsvolle Essensgäste zu bekochen.

Sie konnte sich kaum erinnern, wie sie das Pub verlassen hatten. Auf dem Weg zum Ausgang waren sie an Dominic und Carla vorbeigekommen. Maura, froh, dass Cormac den Arm um sie gelegt hatte und sie stützte, brachte gerade noch ein schwaches Lächeln zustande. Carla, im Gegenzug, ignorierte sie einfach, und Dominic hatte zerstreut genickt. Die beiden hatten ausgesehen, als hätten sie sich böse gestritten.

Maura lag im Dunkeln und versuchte herauszufinden, wie schlimm es um sie stand. Gerade hatte sie gemerkt, dass der Gedanke an die Blamage schlimmer war als ihr Kater, als es erneut sanft an ihrer Tür klopfte. Sie hörte Bernadettes Stimme, die ihr leise etwas zurief.

»Ich bin wach, kannst reinkommen«, antwortete sie.

»Es ist ein Anruf von Nick«, flüsterte Bernadette. »Er meint, er weiß, wie früh es ist, aber du musst trotzdem kommen.«

Maura sprang mit einem Satz aus dem Bett. Das Baby! Sie vergaß ihre Kopfschmerzen und hetzte die Treppe zum Telefon in der Empfangshalle hinunter.

»Nick, was ist, los, sag schon!«, brüllte sie fast in den Hörer.

Das Grinsen ihres Bruders konnte sie fast fühlen. »Was ist? Ein Junge ist es, hörst du ihn? Ich rufe von der Entbindungsstation, von Frans Zimmer aus an.«

Maura konnte schwach einen Säugling im Hintergrund schreien hören. »Ist alles gut gegangen? Ist Fran in Ordnung, ist das Baby in Ordnung?«, erkundigte sie sich aufgeregt.

Nick lachte laut auf; er klang ebenso glücklich und erleichtert, wie sie sich fühlte.

»Alles prima. Es war zwar alles ein bisschen hektisch, und Fran ist ziemlich fertig, aber wir haben einen kleinen Sohn, und du hast einen kleinen Neffen. Wir wollen ihn Quinn nennen. Das war der Name unseres Urgroßvaters – was hältst du davon?«

Maura fand ihn wunderschön. »Kaum zu glauben, aber ich bin gestern an einem Wegweiser zu einem Dorf namens Quin vorbeigefahren und musste an dich denken. Muss ein Omen gewesen sein.«

Sie sprach noch kurz mit Fran, die gelassen war wie immer, aber müde und sehr, sehr glücklich.

Sanft legte sie den Hörer auf und wandte sich Bernadette zu, die breit grinsend hinter ihr die Treppe herunterkam. Offenbar hatte sie erraten, worum es sich bei diesem Anruf handelte.

»Meine herzlichsten Glückwünsche, Tante Maura. Komm, ich mache uns eine Kanne Tee, dann kannst du mir alles ganz genau erzählen.« Sie musterte Maura eingehender. Maura grinste verlegen, da Bernadette offensichtlich daran dachte, wie sie sie gestern Abend ins Bett gebracht hatte.

»Nein, ich glaube, ein starker schwarzer Kaffee ist wohl besser.«

Sie hatte keine Zeit für Kopfschmerzen oder irgendwelche Schamgefühle, sobald die Vorbereitungen für das Essen in vollem Gang waren.

Mit Feuereifer stürzte sich Maura in die Organisation der beiden Restaurantabende. Hier befand sie sich auf vertrautem Territorium. Es galt, das Küchenpersonal zu begrüßen und anzuweisen, die Speisenfolge zu finalisieren, mit den üblichen, in letzter Minute auftretenden Lieferproblemen fertig zu werden und sich möglichst gut an die Küche anzupassen, um die fünfzig Gäste pro Abend reibungslos bewirten zu können. Das war schon ganz was anderes als die Kochkurse.

Ihr war immer bewusst, dass Dominic und Carla im Haus waren, doch die hektische Aktivität bot Vorwand genug, um sich von den beiden fern zu halten. Dominic behandelte sie seit ihrem Ausbruch in Ennis mit ausgesucht distanzierter Höflichkeit, als hätte er eine Mauer um sich herum errichtet. Maura hatte es aufgegeben, irgendwas zu erklären oder sich weiterhin zu entschuldigen; sie brachte ihm dieselbe reservierte Höflichkeit entgegen. Wenn sie mal miteinander sprachen, was selten genug vorkam, fühlte sie sich immer wie in einem dieser Gesellschaftsromane aus dem achtzehnten Jahrhundert. »Mir geht es gut, Madam. Und wie geht es Ihnen?« – »Mir geht es ebenfalls gut, Sir.«

Wenn es ihr nicht so viel ausgemacht hätte, dann hätte sie das Ganze komisch gefunden. Und sie wusste, dass Bernadette nicht das Geringste entging. Sie schien sie beide genau im Auge zu behalten.

Carla schien die Spannung zwischen ihnen ebenfalls aufgefallen zu sein, und sie genoss sie. Freitag, spätnachmittags, kam sie in die Küche geschlendert, lehnte sich an eine der Anrichten und begann eine schottische Melodie zu pfeifen, um Maura zu ärgern. Aber Bernadette ersparte Maura die Mühe, indem sie Carla gleich wieder hinauswarf.

»Wenn Sie nicht gekommen sind, um beim Karottenschälen zu helfen, dann haben Sie hier nichts zu suchen«, sagte sie mit einem breiten Lächeln, um ihren Worten die Spitze zu nehmen. Zu Mauras Überraschung schlenderte Carla wortlos wieder hinaus.

Der erste Abend war ein voller Erfolg. Maura wusste es,

noch bevor ihre Kellner die letzten Dessertteller hinausgetragen hatten. Cormac streckte gegen Ende des Abends den Kopf herein und rief ihr seine Glückwünsche zu, wobei er begeistert den Daumen hochhielt.

»Die sind alle ganz hingerissen«, grinste er. »Rufen nach der Chefköchin. Du solltest kommen und deinen Diener machen, bevor sie zu beschwipst sind, um noch mitzukriegen, wer du bist.«

Maura war in ihrem Element. Obwohl sie die Weinproben und die Komplimente, die ihr Wein erhielt, genossen hatte, hatte sie dennoch immer das Gefühl gehabt, dies in Nicks Namen zu tun. Diesmal jedoch wusste sie, dass ihr Geschick und ihre Kochkunst gefeiert wurden. Entspannt und selbstsicher ging sie daher mit Bernadette durch die Reihen der Restaurantgäste, unter denen nicht wenige Restaurantkritiker aus Dublin und sogar London saßen.

Als sie sich Dominics und Carlas Tisch näherte, hörte sie, wie Carla, wohl zum x-ten Male, erzählte, welch schreckliche Erfahrungen sie und Dominic in Lorikeet Hill gemacht hatten. Dominic schien mit den Gedanken woanders zu sein und reagierte nicht, als Carla mit ihrem Bericht fertig war, aber Maura zuckte innerlich zusammen, als sie die anderen höflich lachen hörte. Nun, immerhin konnte sie sich damit trösten, dass sie ihre Teller leer gegessen hatten.

Sie musste an ihr Gespräch mit Dominic während ihrer ersten Fahrt denken, als er seine Verachtung für die Trendmacherei in der Lebensmittelindustrie ausdrückte. Sie hatte versucht, ihm zu erklären, dass es nicht immer eine künstliche Welt war, dass gutes Essen und guter Wein manchmal wie ein Zaubermittel wirkten. Die Leute entspannten sich, wenn sie auf diese Weise verwöhnt wurden, und aus den lebhaften Unterhaltungen an den Tischen konnte sie entnehmen, dass genau das heute Abend geschehen war.

Abermals ließ sie den Blick durch den Raum schweifen und

begegnete unvermittelt Dominics Augen. Seltsam, sie hatte das komische Gefühl, dass er genau wusste, was in ihr vorging.

23. Kapitel

Die zweite Woche der Kochkurse ließ sich sehr gut an. Eines der jungen irischen Mädchen hatte sogar ihren ebenso jungen Verlobten mitgebracht.

»Wir sind beide ein Jahr lang mit dem Rucksack durch Australien gereist, und wir lieben das australische Essen«, erklärte Una mit glänzenden Augen am ersten Tag, als sie sich alle vorstellten. »Wir wollen nächsten Monat heiraten, und ich dachte, ich will nicht die Einzige sein, die in der Küche steht, während er vor der Glotze hockt und mit Messer und Gabel auf den Tisch trommelt. Also haben wir uns diesen Kochkurs zum Hochzeitsgeschenk gemacht.«

Maura schaute Brian an, um zu sehen, was er zu alldem sagte, doch der war zu sehr damit beschäftigt, Una anzuhimmeln. Wahrscheinlich hätte er sogar einen Makrameekurs mit ihr belegt, wenn sie es gewollt hätte, dachte Maura.

Zu Mauras und Bernadettes Erstaunen war in dieser zweiten Gruppe ebenfalls eine liebeskranke junge Dame. Louisa ließ den ganzen ersten Tag den Kopf hängen, offenbar litt auch sie unter einem gebrochenen Herzen, und malte wiederholt den Namen ihres Liebsten in eine Sojasoßenlache auf der Anrichte. Und eine Französin schien anfangs mehr am Lesen von Modezeitschriften interessiert zu sein als daran, zu lernen, welchen Unterschied Koriander und Basilikum in asiatischen Gemüsebrühen bewirken.

Aber bis zum dritten Tag waren sie alle dem Zauber der australischen Küche erlegen. Diesmal hatte sich Maura etwas ganz Besonderes ausgedacht, um die Aufmerksamkeit ihrer

Schüler zu erregen: eine Art Blinde-Kuh-Spiel mit Gewürzen.

»Viele der Gerichte, die ich Ihnen in dieser Woche gezeigt habe, bekamen ihren besonderen Geschmack von ein oder zwei speziellen Gewürzen, die ihnen erst den richtigen Pfiff gegeben haben. Und jetzt möchte ich Ihre Kenntnisse dieser besonderen Gewürze noch ein wenig auffrischen, damit Sie sie auch ganz sicher in Ihrem Supermarkt oder Gemüseladen wiedererkennen«, erklärte sie und holte eine Reihe von zugedeckten Schälchen unter der Anrichte hervor.

Noch während sie sprach, ging die Tür hinter ihr auf, und sie drehte sich um. Dominic stand dort mit einer eher streng wirkenden Frau mittleren Alters. Er schaute zu ihr hinüber, und sein Mund verzog sich zu einem schiefen Lächeln. »Ich bitte um Verzeihung«, sagte er. »Ich zeige Eithne hier nur gerade das Haus, es dauert nicht lange.«

Maura war einen Moment lang vollkommen aus dem Konzept gebracht. Carla und Dominic waren schon früh am Samstagvormittag wieder nach Dublin aufgebrochen, und sie hatte nicht gewusst, ob sie ihn überhaupt wiedersehen würde. Sie warf einen Blick auf Bernadette, doch die wirkte nicht im Mindesten überrascht, also musste sie ihn erwartet haben.

Sie warf einen raschen Blick auf Eithne, die diskret den Kühlraum und die Küchenausstattung inspizierte. Maura vermutete, dass sie die künftige Managerin dieser Luxuspension werden würde.

Sie gab sich einen Ruck und wandte ihre Aufmerksamkeit wieder ihren Schülern zu. »Wir beginnen mit einigen visuellen Tests«, erklärte sie.

Sie hielt eine leuchtend rote Chilischote hoch. »Wer kann mir sagen, was das ist?«

Die Schülerinnen entspannten sich. Das war einfach. »Eine Chilischote«, rief Una. »Und man muss besonders vorsichtig mit den Samen umgehen, weil das das Schärfste daran ist, und nachher muss man sich gründlich die Hände waschen und darf sich nicht die Augen reiben, denn das brennt höllisch«, fügte sie in einem Atemzug hinzu.

Maura nickte lächelnd. »Ganz genau. Besonders das mit der Schärfe. Ein bisschen davon genügt schon, aber es ist ein fantastisches Gewürz, besonders für asiatische Gerichte, wie ihr gestern ja selbst gemerkt habt.«

Maura hielt weitere Zutaten hoch – Bok choy, auch Chinakohl genannt, den sie extra bei einem Gemüsehändler in Galway bestellt hatte. Sie zeigte den Schülerinnen auch eine Anzahl unterschiedlicher Nudelsorten, darunter Glasnudeln und Hokkiennudeln, ein unerlässlicher Bestandteil der asiatischen Küche, mit denen man aber auch alle möglichen anderen köstlichen Gerichte zaubern konnte. Sie freute sich, dass sich ihre Schüler an das meiste erinnerten, auch daran, wie man die Sachen am besten zubereitete.

Sie war angenehm überrascht gewesen, die meisten dieser Lebensmittel im Supermarkt in Ennis zu finden, und hatte das auch zu Bernadette gesagt. »Ist es nicht faszinierend, wie all diese Lebensmittel aus aller Herren Länder jetzt überall zu finden sind? Asiatische Lebensmittel in Irland, irische in den Vereinigten Staaten, indische überall auf der Welt. Es wäre doch interessant, diese Spuren zurückzuverfolgen und zu sehen, wie es ursprünglich dazu kam«, hatte sie gesagt.

Aus den Augenwinkeln sah sie, wie Eithne Dominic etwas zuflüsterte, der nickte. Dann schlüpfte sie leise aus der Küche und zog die Tür geräuschlos hinter sich zu, doch zu Mauras Unbehagen blieb Dominic, nahm sich einen Hocker und setzte sich, um zuzusehen. Falls er sie aus der Ruhe bringen wollte, so war ihm das gelungen.

Nach dem Sichttest ging sie dazu über, der Klasse etwas über die bei Australiern zunehmende Beliebtheit von Bushfood, den in der Wildnis vorkommenden Zutaten der Aborigines-Küche, zu erzählen.

Sie hielt ein paar dieser Zutaten hoch und erklärte, wie sie verwendet wurden: *Wattleseeds*, mit denen man alles, von Schokolade bis Kuchenteig und Pasta, würzen konnte; *Mountain Pepper*, den man vor allem für Soßen und Marinaden verwendete; und *Quandong*, ein einheimischer Pfirsich, den man für köstliche Marmeladen und Chutneys verwendete.

Um sich einen Spaß zu erlauben und auch, um Bernadette ein wenig auf den Arm zu nehmen, begann sie nun in einem besonders breiten australischen Akzent zu sprechen. »Dieser *bush tucker* ist echt das Wahre. Sämtliche *blokes* und *sheilas* sind ganz verrückt danach, besonders nach 'nem anstrengenden Nachmittag beim *Footy* oder beim Kricket, wenn die Aussies mal wieder die Poms geschlagen haben.«

Erschrocken stellte sie fest, dass ihre Schüler – und auch Bernadette – keine Miene verzogen. Sie hatten den Unterschied überhaupt nicht gemerkt. Offenbar war ihre Aussprache auch sonst so breit, dass sie den Witz gar nicht erkannt hatten, wie Maura verlegen feststellte. Ein wenig erleichtert sah sie, dass immerhin der Anflug eines Grinsens über Dominics Gesicht gehuscht war. Nun, man muss dem Himmel auch für die kleinen Geschenke des Lebens dankbar sein, sagte sie sich.

Wieder mit ganz normaler Stimme, auch wenn das nur eine geringe Rolle spielte, brachte sie die Sprache auf Kräuter und andere Gewürze.

»Für den nächsten Test brauche ich ein paar Freiwillige – ich werde Ihnen die Augen verbinden. Mal sehen, ob Sie nur mit dem Geruchssinn erkennen können, welche Kräuter, Gewürze oder geheimen Zutaten ich Ihnen unter die Nase halte. Na, wer meldet sich?«

Plötzlich schienen sich alle sehr für ihre Schuhe zu interessieren. »Keine Angst, ich bringe Sie schon nicht um, wenn Sie es nicht schaffen«, lachte sie. »Und schlechte Noten gibt's auch nicht.«

Da trat Bernadette vor. »Da ich doch angeblich hier das Sagen habe, muss ich wohl oder übel ein Machtwort sprechen und ein paar zu ihrem Glück zwingen«, sagte sie. »Also, mal sehen – Una, Rachel, Fiona und, ach ja, wie wär's mit Ihnen, Dominic? Dann können wir mal sehen, was Sie in den letzten fünf Minuten gelernt haben.«

Dominics Kopf schoss hoch, und er machte Anstalten, zu protestieren, doch Bernadette ließ nicht mit sich handeln.

»Nein, ich brauche vier Freiwillige, und die habe ich jetzt.«

Der Rest der Klasse lehnte sich erleichtert, noch einmal davongekommen zu sein, zurück, um zuzusehen, wie die armen Opfer vortraten. Dominic nahm, mit einer leichten Verbeugung des Kopfes, auf dem letzten Hocker in der Reihe Platz. Maura, die vom anderen Ende aus anfing und zu diesem Zweck mehrere Seidenschals bereit gelegt hatte, verband den Kandidaten mit energischen Bewegungen die Augen. Bei jedem überprüfte sie noch einmal, ob die Binde auch fest saß, die Nase musste natürlich frei bleiben. »Sie müssen sich jetzt ganz auf Ihren Geruchssinn verlassen, also konzentrieren Sie sich gut«, sagte sie nervös, denn nun näherte sie sich Dominic.

Als sie mit dem Schal in der Hand hinter ihm stand, konnte sie den Zitronenduft seines Rasierwassers riechen und wurde jäh von der Erinnerung an jene gemeinsame Nacht in dem engen Hotelzimmer überwältigt. Vorsichtig band sie ihm den Schal um, streifte dabei aber versehentlich mit dem Handgelenk seine Wange. Es gab keinen Zweifel: Sie wurde rot. Dann schoss ihr plötzlich der Gedanke durch den Kopf, dass das hier, unter anderen Umständen, genauso gut ein Vorspiel auf ganz andere sinnliche Freuden hätte sein können.

Sie trat zurück und rief sich zur Ordnung. »Also, wenn ich jetzt noch meine geschätzte Assistentin Bernadette bitten dürfte, mir zu helfen, kann es losgehen.«

Maura übertrug es Bernadette, mit den Schüsseln von einem zum anderen zu gehen und die Kandidaten schnuppern zu lassen, während sie selbst in allgemeinen Begriffen erläuterte, wozu das fragliche Gewürz verwendet werden konnte. Wenn alle vier daran gerochen hatten, durften sie sich äußern.

Koriander. Ingwer. Zitronengras. Sojasoße. Basilikum. Kokosmilch. Knoblauch. Zu ihrem größten Erstaunen war es nur Dominic, der das meiste richtig erriet.

»Tja, das wär's«, sagte sie dann, noch immer überrascht. »Ein herzliches Dankeschön den nicht so freiwilligen Freiwilligen. Sie können die Binden jetzt abnehmen.«

Als sie sich erhoben und ihre Binden abnahmen, wandte sich Maura um und stand unversehens Dominic gegenüber.

»Meinen Glückwunsch«, sagte sie, zu ihm aufblickend. »Sie haben mich wirklich überrascht.«

Sie bemerkte das muntere Funkeln in seinen Augen und war froh, endlich etwas anderes dort zu sehen als die eisige Kälte, die seit Ennis zwischen ihnen geherrscht hatte.

»Ich mag ja in einem Kloster aufgewachsen sein«, sagte er, mit einem Halblächeln auf ihre Auseinandersetzung am ersten Tag im Auto anspielend, »aber es war ein sehr kultiviertes Kloster.« Sie lächelte ihn an und wollte gerade etwas darauf sagen, als eine ihrer Schülerinnen an sie herantrat und sich nach dem Nährwert von Kokosmilch erkundigte. Als sie die Frage, so gut sie konnte, beantwortet hatte, war Dominic bereits verschwunden.

Beim Aufräumen am Nachmittag erkundigte sie sich dann ganz beiläufig bei Bernadette nach Dominics Verbleib.

Ebenso beiläufig antwortete Bernadette: »Ach, er musste wieder nach Dublin zurück. Geschäftlich, vermute ich. Und nächste Woche muss er dann nach Glasgow und London und vielleicht auch nach Paris. In der Welt der Zeitungsverleger scheint's ganz schön stressig zuzugehen.«

Alles Ratten, dachte Maura kindisch. Irgendwie glaubte sie, den Duft seines Rasierwassers noch immer in der Nase zu haben, besonders da, wo ihr Ärmel ihn gestreift hatte. Bei diesem Gedanken lief ihr ein angenehmer Schauer den Rücken hinunter. Was war bloß los mit ihr? Sie benahm sich ja wie ein Teenie, der einen Popstar anhimmelt.

Bernadette riss sie aus ihren schönen Gedanken. »Vielleicht hilft dir das ja über die Enttäuschung hinweg«, sagte sie spöttisch und hielt ihr einen großen Briefumschlag hin, der soeben per Expresspost eingetroffen war.

»Nicks Fotos!«, rief sie entzückt. »O komm, lass uns reinsehen.« Sie fiel regelrecht über den Umschlag her, riss ihn auf und zog das knappe Dutzend vergrößerter Aufnahmen heraus, auf denen er selbst mit Fran und Klein-Quinn zu sehen war. Maura merkte, wie ihr die Augen feucht wurden, als sie die drei so zusammen sah. Nach allem, was sie durchgemacht hatten, war es fast ein Wunder, Quinn zu sehen. Sie blickte noch mal in den Umschlag und fand eine hastig hingekritzelte Notiz.

Bilder sagen mehr als tausend Worte, nicht? Wir lieben ihn, und das wirst du auch tun. Wir drei können es kaum abwarten, dich wiederzusehen. Alles, alles Liebe, Nick, Fran und Quinn.

Maura merkte, dass sie einen Kloß im Hals hatte. »Ach, ist er nicht süß, schau, Bernadette«, sagte sie. »Ist das nicht unfassbar?«

Bernadette sah sich jedes Foto genau an.

»Er ist einfach entzückend, wirklich entzückend«, sagte sie. »Sie sehen so glücklich aus.«

Maura sah sich ein Foto an, auf dem Fran zu sehen war, wie sie auf Quinn hinabsah, den sie in den Armen hielt. Ihre Augen blickten sanft und voller Liebe.

Das gab den Ausschlag. »Hast du morgen Nachmittag nach dem Barbecue Zeit?«

Bernadette blickte auf und nickte. Maura hatte das Gefühl, die Frau wusste, worum sie sie bitten wollte.

Sie hatte Recht. Bernadette sprach als Erste. »Natürlich werde ich dich zum Dorf deiner Mutter fahren«, versprach sie leise.

24. Kapitel

Der Himmel war grau verhangen, aber nicht düster, als sie am folgenden Nachmittag, nachdem sie sich von der zweiten Schülergruppe verabschiedet hatten, in Bernadettes Kleinwagen stiegen. Maura hatte sich beim Grillen recht locker gegeben, war jedoch mit den Gedanken ganz woanders.

»Ich habe ein paar Bücher, in denen steht, wie man seine irischen Ahnen ausfindig macht, obwohl, das passt wohl nicht auf deinen Fall, wie?«, meinte Bernadette lächelnd. Mauras Anspannung war ihr nicht entgangen.

Maura schüttelte den Kopf. Sie kannte diese Bücher, hatte sie alle gelesen. Im Allgemeinen wurde man darin auf die Urgroßeltern verwiesen und auf irgendwelche uralten Versanddokumente. Sie wusste ganz genau, woher ihre irischen Vorfahren kamen, wusste sogar, wo ihr Haus lag. Die praktischen Dinge stellten also kein Problem dar – es war vielmehr die emotionale Seite der Angelegenheit, die ihr Kopfzerbrechen verursachte.

»Also, erzähl noch mal, was weißt du über Catherine und ihre Familie«, forderte Bernadette sie auf, als sie von der Landstraße auf eine schmalere und holprige Nebenstraße abbogen.

Maura wandte sich Bernadette zu. »Nicht viel, abgesehen von dem, was sie in ihrem Brief geschrieben hat. Ich habe mit einer Schwester gesprochen, mit der sie am Schluss zusammengearbeitet hat, und die hat mir noch ein bisschen was erzählt. Ich weiß, dass sie Irland im Alter von dreiundzwanzig verlassen hat und nach Amerika gegangen ist und von da aus weiter nach Australien. Ich weiß nicht, warum sie nach Amerika gegangen ist, warum sie Irland überhaupt den Rücken gekehrt hat.«

»Und dein Vater?«, erkundigte sich Bernadette behutsam.

»Nichts, kein Wort. Die Schwester in dem Krankenhaus meinte, Catherine habe zwar manchmal über ihre Tochter gesprochen, aber nie über den Vater. Sie sagte, sie glaubt, dass er vielleicht verheiratet war, aber sie war sich nicht sicher. Und jetzt werden wir's nie mehr erfahren. Sie hat ›Vater unbekannt‹ in meine Geburtsurkunde eingetragen.«

Bernadette sah sie genau an. »Und würdest du's gern erfahren?«

Maura lachte nervös. »Ich finde, etwas über meine lang vermisste Mutter rauszufinden, das genügt erst mal, denkst du nicht? Wenigstens wusste sie, dass sie mich bekommen hatte. Er weiß wahrscheinlich gar nicht, dass es mich gibt. Im Übrigen bin ich sowieso ohne Vater aufgewachsen, also weiß ich gar nicht, wie das ist, einen Vater zu haben. Na ja, ich hoffe zumindest, dass es eine große Liebe zwischen ihnen war, wenn auch nur kurz. Kurz und schön, das hoffe ich. Es wäre schrecklich, mir vorstellen zu müssen, dass es wer weiß was Schlimmes war.« Sie schwieg einen Moment. »Geheult und getobt über das Wie und Warum habe ich genug, das ist vorbei. Ich habe beschlossen, wenn ich heute nichts über sie rausfinde, dann werde ich auch nicht weitersuchen.«

»Dann wollen wir hoffen, dass du heute was rausfindest«, sagte Bernadette. »Also dann, wo sollen wir anfangen zu suchen und wie? Wie alt wäre sie denn, wenn sie noch leben würde? Stand sie in Briefkontakt mit irgendwelchen Freunden in Irland? Was waren ihre Eltern?«

»Kommt mir fast vor, als wäre ich mit Miss Marple unterwegs«, scherzte Maura, um ihre Anspannung zu überspielen. Bernadette grinste.

Maura entfaltete vorsichtig den Brief, den ihr ihre Mutter für ihren sechzehnten Geburtstag hinterlassen hatte. Sie umklammerte ihn, seit sie losgefahren waren. Obwohl sie ihn mittlerweile auswendig kannte, überflog sie nochmals die Zeilen.

»Ihre Eltern hießen John und Rosa, und er war Bauer. Catherine war vierunddreißig, als ich auf die Welt kam, also wäre sie heute zweiundsechzig.«

»Dann suchen wir also nach Leuten um die Sechzig, die mit ihr aufgewachsen sein könnten. Na ja, in einem so kleinen Dorf dürfte es uns nicht schwer fallen, jemanden zu finden, der sich an sie erinnert.«

»Was schlägst du vor? Sollen wir alle Sechzigjährigen zusammentreiben und verhören?«

»Das wäre eine Möglichkeit«, meinte Bernadette mit einem Blick auf Maura. Sie kannte die Australierin mittlerweile gut genug, um zu wissen, dass sie mit ihrem flapsigen Ton nur ihre Nervosität zu verbergen suchte. »Aber wir könnten's auch ein bisschen langsamer angehen.«

Maura holte tief Luft. Jetzt, wo sie so nahe waren, hätte sie sich am liebsten auf den Marktplatz gestellt und gebrüllt: »Hat jemand Lust, Catherine Shanleys uneheliche Tochter kennen zu lernen? Wenn ja, bitte vortreten, denn ich bin's.«

»Möchtest du gern zuerst beim Haus deiner Großeltern vorbeischauen – Catherine hat doch eine Wegbeschreibung beigefügt, nicht?«

Maura schwieg einen Moment. Sie hatte sich oft vorgestellt, wie es wäre, wenn sie bei ihren Großeltern auftauchen würde. Manchmal hatte sie sich vorgestellt, dass sie sie mit offenen Armen empfingen, manchmal waren sie kalt und abweisend gewesen. Nein, sie brauchte noch etwas Zeit. »Ihre

Eltern wären doch bestimmt schon sehr alt, wenn sie noch dort wohnen würden. Könnte ihnen einen Schock versetzen, wenn ich einfach unangemeldet dort auftauche.«

Bernadette gab ihr Recht. »Na, dann schauen wir uns eben erst mal im Dorf um, vielleicht erfahren wir ja was von einem Einheimischen.«

Maura nickte.

»Gut, also wo findet man in einem solchen Dorf Leute um die Sechzig?«, überlegte Bernadette laut.

»Im Krankenhaus?«, schlug Maura vor. »Ärzte oder Schwestern oder Putzfrauen oder Köche.«

»In so kleinen Dörfern gibt's keine Krankenhäuser«, erwiderte Bernadette. »Heutzutage fährt alles nach Ennis.«

»Ladeninhaber, Gastwirte und ihre Frauen«, schlug Maura weiter vor.

»Ja, genau, das ist es«, meinte Bernadette. Sie hatte ohnehin das Gefühl, dass es in diesem Dorf nicht mehr geben würde als ein, zwei Geschäfte und ebenso viele Pubs. »Das machen wir. Wir gehen überall rein, dann kriegen wir einen ersten Eindruck von dem Kaff.«

Maura warf einen Blick auf ihre Uhr. »Ist es nicht ein bisschen früh fürs Pub?«

»Du musst uns ja alle für Säufer halten. Ich hab an eine Tasse Tee gedacht, Schätzchen. Da kommt man meist ins Gespräch. Also, was wollen wir ihnen erzählen? Du willst wahrscheinlich nicht dort reinrennen und laut fragen, ob jemand deine Mutter kannte, oder?«

Maura schüttelte den Kopf.

»Also, Regel Nummer eins in solchen Situationen: Denk dir eine möglichst einfache Geschichte aus und bleib dabei möglichst dicht bei der Wahrheit. Also, sagen wir mal, du hast während deiner Ausbildung zur Chefköchin eine Zeit lang in der Küche eines kleinen Krankenhauses auf dem Lande in Südaustralien gejobbt. Und da hast du diese unheimlich nette Krankenschwester namens Catherine Shanley aus Irland kennen gelernt, die ihr Heimatstädtchen in so glühenden Farben geschildert hat, dass du dir vorgenommen hast, unbedingt mal dort vorbeizuschauen, wenn du mal hier wärst.«

Maura musste gegen ihren Willen lachen. »Da muss ich mir einen Spickzettel auf die Handfläche schreiben, damit ich nichts vergesse.«

»Keine Sorge, wenn du hängen bleibst, helfe ich dir schon weiter«, versprach ihr Bernadette.

Sie erreichten die Ortschaft. Mauras erster Eindruck war, dass es Catherine schwer gefallen sein musste, diesen Ort in verlockenden Farben zu schildern. Es gab eigentlich nichts. Weder war dies eines von den malerischen Küstendörfern, noch schien es hier irgendwelche interessanten alten Häuser oder Ruinen aus ferner Vergangenheit zu geben. Der Ort bestand aus einer schlichten Ansammlung von Häusern, mit ein paar Läden und Pubs an der Durchfahrtsstraße. Ein trauriger, ja deprimierender Anblick im grauen Licht des Nachmittags.

»Was hätte Catherine wohl getan, wenn sie hier geblieben wäre?«, flüsterte Maura.

»Dasselbe muss sie sich wohl auch gefragt haben«, meinte Bernadette, sich umblickend. »Vielleicht hat sie sich ja deshalb aus dem Staub gemacht.«

Sie gingen in den erstbesten Laden und kauften eine Rolle Pfefferminz. Hinter der Theke stand ein mürrischer junger Mann, der kaum ein Grunzen von sich gab, als er ihr Geld nahm.

Bernadette schüttelte beim Gehen bedauernd den Kopf. »Da hast du unsere berühmte irische Gastfreundschaft«, lachte sie. »Und ich wette, er fragt sich, warum die Geschäfte so schlecht laufen.«

»Hüte deine Zunge, immerhin könnte das mein Cousin zweiten Grades sein«, entgegnete Maura gespielt streng.

»Tja, mir ist die Ähnlichkeit auch gleich aufgefallen«, erwiderte Bernadette.

Sie kamen an einem weiteren Geschäft vorbei, das eine Mischung aus Eisenwarenladen und Bestattungsinstitut zu sein schien. Maura schüttelte den Kopf, als Bernadette ihr einen fragenden Blick zuwarf. »Nur als allerletzte Möglichkeit«, sagte sie.

Es gab zwei Pubs zur Auswahl. Als sie das erste betraten, brauchten sie einen Moment, um sich an das düstere Licht zu gewöhnen. Dann sahen sie, dass sie die einzigen Gäste waren. Der ältere Mann hinter dem Tresen servierte ihnen den Tee in stoischem Schweigen; er schien mehr an seiner Zeitung als an einem Schwätzchen interessiert zu sein.

Sie tranken den lauwarmen Tee und blickten sich um, als die Tür aufging und zwei ältere Männer hereinkamen, die sich zu dem schweigsamen Barmann an die Theke setzten. Auch sie nahmen Zeitungen zur Hand und lasen schweigend, während sie an ihren *pints* nippten. Die Ankunft von zwei jungen Kerlen und einem mürrisch dreinblickenden Mädchen brachte ein wenig Leben in die Bude. Die zwei Jungen steuerten auf den Pooltisch zu und setzten ein, wie es schien, schon recht lange andauerndes Turnier fort. Das Mädchen lümmelte sich auf einen Stuhl in der Ecke und beobachtete die Jungen, während sie sich eine Locke ihrer langen Haare um den Finger wickelte.

Maura versuchte, sich Catherine als junges Mädchen in diesem Pub vorzustellen, aber es gelang ihr nicht. Sich selbst konnte sie sich hier ebenfalls nicht vorstellen. Ihre Kindheit im Clare Valley war zwar auch recht geruhsam gewesen, mit dieser Öde aber nicht zu vergleichen.

Bernadette beugte sich zu ihr. »Willst du sie was fragen?«

Maura schüttelte rasch den Kopf.

»Dann versuchen wir's mal in dem anderen Pub und hoffen, dass wir dort mehr Glück haben.«

Sie gingen die paar Schritte zum nächsten Pub, das sich kaum von dem ersten unterschied, außer dass vor einem der beiden Fenster ein Kasten mit leuchtend roten Geranien hing.

Die Begrüßung hätte gar nicht anders ausfallen können. Die Frau hinter der Bar sprach sie sofort an, kaum dass sie hereingekommen waren.

»Dachte mir schon, dass Sie am Ende hier landen würden – hab gesehen, wie Sie ins *Down The Road* gegangen sind«, meinte sie mit einem verächtlichen Kopfnicken in Richtung des Pubs, aus dem sie gerade gekommen waren. »Mein Gott, ich weiß wirklich nicht, wieso dieser Mann sein Pub überhaupt für die Allgemeinheit aufmacht – er redet eh nur mit den Leuten, die er kennt. Ist mehr ein privater Männerverein, so wie der sich aufführt. Also, was darf ich Ihnen bringen?«

Bernadette und Maura tauschten einen Blick. Hier würde es viel besser gehen.

Bernadette antwortete. »Meine australische Freundin und ich hätten gerne einen Tee, bitte.«

»Ach, Sie sind aus Australien«, meinte die Frau und musterte Maura mit einem freundlich-neugierigen Blick. »Herzlich willkommen in Irland. Sie fahren wohl überall rum, wie?«

Maura beschloss, für den Moment bei der Wahrheit zu bleiben.

»Ich bin für ein paar Wochen hier in Clare und gebe ein paar Kochkurse mit meiner Freundin hier im Ardmahon House«, antwortete sie.

»Ach ja, davon hab ich was im Radio gehört, eine australische Kochschule. Was machen Sie denn da – jeden Abend ein Barbecue?« Die Frau lachte laut auf.

»Na ja, ein paar schon«, erwiderte Maura lächelnd und hoffte, sie müsste sich jetzt nicht einen Witz über Känguru-steaks anhören.

Die Dame richtete die Teekanne und ihre Tassen auf der Bar an und stellte sich als Dymphna Hogan vor. Maura und Bernadette nahmen die unausgesprochene Einladung an und setzten sich an die alte, gepflegte Holzbar.

Bernadette hielt das Gespräch mühelos in Gang. »Ja, Maura hat hier in Clare einen bemerkenswerten Eindruck hinterlassen, mit ihrem köstlichen Essen und dem köstlichen Wein.«

Dymphnas Blick glitt über die Regale hinter der Bar, und sie zog eine übertriebene Grimasse. »Hier bei uns auf dem Land ist die Nachfrage nach Wein nicht allzu groß, fürchte ich. Die Einheimischen bleiben beim Bier, und von Touristen kriegen wir hier noch nicht viel zu sehen, vielleicht nie. Was wir hier bräuchten, wäre ein Popstar, der sich hier ansiedelt, oder eine Marienerscheinung, die dieses Kaff zu einem Wallfahrtsort macht. Aber alles, was wir haben, um irgendwelche Besucher zu beeindrucken, ist unser irischer Charme, und was den angeht, ist der alte Kerl im anderen Pub auch nicht gerade eine Hilfe, das kann ich Ihnen sagen.«

Bernadette unterbrach sie. »Hier gibt's wohl nicht viel Abwechslung für die jungen Leute, nehme ich an. Sind Sie von hier?«

Fröhlich sagte Dymphna: »Ach Gott, nein, da müssten schon meine Urgroßeltern hier geboren und aufgewachsen sein, als dass ich mich eine Hiesige nennen könnte. Nein, mein Mann und ich haben dieses Pub hier vor fünfzehn Jahren gekauft. Ich selbst komme aus Wicklow. Unsere Kinder sind natürlich nicht hier geblieben. Eine lebt in Dublin, der andere in London und der dritte ausgerechnet in Nicaragua.«

Maura holte tief Luft und wagte es, eine Frage zu stellen. Sie hoffte, dass man ihr ihre Nervosität nicht allzu sehr anmerkte.

»Ich habe eine Zeit lang in einem kleinen Krankenhaus in Australien mit einer Dame zusammengearbeitet, die von hier kam – vielleicht kennen Sie sie ja? Ihr Name war Catherine Shanley. Ich glaube, sie wäre ungefähr in Ihrem Alter gewesen.«

Die Frau hielt inne und legte nachdenklich den Kopf schief. »Wie sagten Sie, war der Name?«

»Catherine Shanley«, wiederholte Maura.

»Und Sie haben sie in Australien kennen gelernt?«

Maura nickte.

Dymphna überlegte eine Zeit lang. »Shanley ist hier ein recht geläufiger Name, und ich glaube, dass nicht wenige junge Leute aus dem Dorf nach Australien ausgewandert sind. Aber das müsste vor meiner Zeit gewesen sein. Ich kann nicht sagen, ob ich den Namen schon mal gehört hab – tut mir Leid, Schätzchen.«

»Ach, na ja, das ist nicht so schlimm«, sagte Maura rasch und merkte, wie erleichtert sie war. Die Suche würde hier enden, aber zumindest könnte sie Nick – und sich selbst – sagen, dass sie es versucht hatte.

Aber Dymphna überlegte immer noch. »Warten Sie einen Moment, ich frage mal jemand anders, ob sie Ihre Freundin gekannt hat. Sie hat schon immer hier gelebt.« Sie rief eine Frau, die mit Wischmop und Eimer auf der anderen Seite der Bar auftauchte.

»Eileen, erinnerst du dich an eine Catherine Shanley, die vor etwa sechzig Jahren hier geboren wurde? Diese junge Dame hier hat mit ihr in einem Krankenhaus in Australien gearbeitet.«

Die ältere Frau trat näher. »Australien, sagen Sie?«

Maura nickte.

»Bin mit einer Catherine Shanley zur Schule gegangen. Obwohl, sie hat sich manchmal auch Kate oder Katie genannt, je nachdem, wie es ihr gerade in den Sinn kam. Ah, die war vielleicht eingebildet, man wusste nie, mit welchem Namen man sie anreden sollte. Einmal mussten wir sie eine Woche lang Cecilia nennen, weil ihr plötzlich ihr Firmname lieber war als der Taufname. Hat auf keinen anderen Namen reagiert, nicht mal, wenn die Lehrer sie aufriefen.«

Eileen stellte ihren Mop ab und blickte Maura direkt an. »Wo haben Sie sie kennen gelernt, sagen Sie – in einem Krankenhaus? Da hat sie gearbeitet?«

Maura nickte. Sie wagte nicht, zu sprechen, und hoffte inbrünstig, dass sie ihrer Mutter nicht zu ähnlich sah.

Zu ihrer Überraschung stieß Eileen ein unschönes Lachen aus. »Tja, das hätte sie sich sicher nicht vorgestellt, Miss Hochnäsig, dass sie mal als Krankenschwester in einem Krankenhaus landen würde. Hatte immer ganz große Pläne. Ich lande mal beim Film, Eileen, hat sie einmal zu mir gesagt. In Hollywood, wirst sehen. Ein andermal war's die Olympiade – sie wollte die weltbeste Schnellläuferin werden. Oder die beste Malerin. Hat sich ganz schön was eingebildet, die Shanley, o ja.«

»Und wer waren ihre Eltern?«, fragte Dymphna Eileen. Offenbar war sie nun selbst an der Geschichte interessiert. Bernadette schenkte Maura ein beruhigendes Lächeln. Es lief auch ohne ihr Zutun.

»John und Rosa – haben in dem alten Steinhaus gleich am Ortsrand gewohnt«, sagte Eileen. »Du erinnerst dich doch an Rosa, Dymphna, die Alte, die jahrelang die Kirche geputzt hat.«

Maura warf Bernadette einen raschen Blick zu, bevor sie sich wieder zu Wort meldete. »Ja, das ist die Catherine, die ich kannte; sie sagte, ihre Eltern hießen John und Rosa.« Sie hielt kurz inne. »Und leben sie noch?«

Eileen schüttelte den Kopf. »Nein, John ist vor zehn Jahren gestorben, und sie hat's danach auch nicht mehr lange gemacht, mögen ihre armen Seelen in Frieden ruhen.«

Maura verspürte kaum etwas, als sie das hörte.

Eileen war jetzt neugierig geworden, ihren Mop hatte sie

für den Moment vergessen. »Sie haben Catherine als Krankenschwester getroffen, sagen Sie? Kann mich nicht erinnern, dass Rosa je erwähnt hätte, dass sie dort drüben Krankenschwester ist. Aber ich glaub sowieso nicht, dass sie je viel von ihrer Tochter gehört hat. Als Krankenschwester kann ich mir die Shanley wirklich nicht vorstellen. Kam mir nie wie der Typ vor, eher wie jemand, der die Patienten mit Schlaftabletten abfüllt und dann abhaut und sich 'nen schönen Lenz macht.«

Maura merkte, wie Empörung in ihr aufwallte. Sie hatte keine Ahnung, ob Catherine immer Krankenschwester gewesen war, ob nun gut oder schlecht, aber der Ton dieser Frau gefiel ihr nicht.

»Doch, Catherine war eine wundervolle Krankenschwester, sie war zweite Oberschwester in diesem Krankenhaus«, hörte sie sich sagen. »Hat sogar Auszeichnungen bekommen. Es gab einen ganzen Stapel Briefe von Leuten, die ihr für die liebevolle Pflege ihrer Angehörigen dankten.«

Maura merkte, wie Bernadette sie anstarrte.

Eileens Augen verengten sich. »Na, vielleicht hat sie sich auf ihren Reisen ja zum Besseren gewandelt. Alles, was sie zu mir immer gesagt hat, war, ›wart's nur ab, Eileen, aus mir wird noch mal was ganz Besonderes. Aus mir wird mal was Besseres.‹ Ich hatte es satt, mir das anhören zu müssen. War total eingebildet, die Shanley«, wiederholte Eileen mit einem lauten Schnauben.

In diesem Moment ging hinter ihnen die Tür auf und ein dicklicher Mann Mitte sechzig watschelte herein und ging aufs andere Ende der Bar zu. Noch bevor er sich hinsetzte, begann Dymphna ihm ein Bier zu zapfen. Er begrüßte sie alle mit einem gebrummelten Hallo. »Fragen Sie ihn nach Catherine Shanley, er weiß alles über sie«, sagte Eileen überraschend. Mit einem weiteren lauten Schnauben nahm sie ihren Mop zur Hand und ging zur anderen Bar.

Dymphna beugte sich zu ihnen vor. »Das ist Jim McBride,

Eileens Mann«, sagte sie leise zu Maura und Bernadette. »Würde man gar nicht glauben, wie? Sie denkt, er säuft zu viel. Er denkt, sie putzt zu viel. Ich mag die beiden – sie hält meine Fußböden sauber, und er lässt meine Kasse klingeln.«

Dann sagte sie lauter: »Jim, das sind – wie heißen Sie doch gleich?«

Maura und Bernadette stellten sich vor.

»Maura hier hat mit Catherine Shanley in Australien gearbeitet und ist hier, um sich nach ihr zu erkundigen. Erinnern Sie sich überhaupt noch an Catherine?«

Der alte Bursche drehte sich mit einem strahlenden Grinsen um.

»Ah, Catherine«, schwärmte er wehmütig, »das war vielleicht eine.«

Alle hörten Eileens Grunzen aus dem anderen Zimmer. Sie ließ sich kein Wort entgehen.

»Sie waren eine gute Bekannte von Catherine in Australien, sagen Sie?«, fragte Jim Maura.

»Ich kannte sie eigentlich nur ein paar Monate«, erwiderte Maura rasch. »Sie war Krankenschwester in dem Krankenhaus, in dem ich gearbeitet habe. Sie erwähnte, dass sie aus diesem Ort kommt, also dachte ich, schaust mal vorbei, wenn du schon hier bist.«

Jim schüttelte den Kopf. »Ach, was war das für ein tolles Mädel. Sie hatte einen springlebendigen Geist wie Quecksilber – man versuchte, sie einzufangen, und bekam sie doch nie richtig zu fassen.« Er stieß ein fröhliches, melodiöses Lachen aus, das so gar nicht zu seinem Alter zu passen schien.

Bernadette griff unter den Tisch und drückte Maura die Hand.

»Ich wette, sie hat ganz schön für Wirbel gesorgt in diesem Krankenhaus. Kann mir nicht vorstellen, dass Catherine sich von irgendjemandem Befehle geben lässt.« Wieder lachte er sein jungenhaftes Lachen.

Maura fügte dem Bild von Catherines Leben, das vor ihren Augen erstand, noch ein paar Facetten hinzu.

»Na ja, sie war zu der Zeit, als ich dort war, die Oberschwester, also kann ich dazu nicht viel sagen. Aber sie war eine wundervolle Schulschwester, alle ihre Lernschwestern haben nur das Beste über sie gesagt. Sie war so geduldig, hatte immer ein Ohr für die Jungen«, fügte sie einfallsreich hinzu.

»Ehrlich?«, meinte Jim skeptisch. »Na ja, sie konnte schon immer gut mit Leuten umgehen.«

Auf einmal tauchte Eileen wieder hinter Jim auf. »Hab ihr schon gesagt, dass Catherine ziemlich eingebildet war.« Mit einem Schwung ihres Mops verschwand sie in der Herrentoilette, wo sie prompt ein angeekeltes Grunzen von sich gab. Die Tür hielt sie mit einem Barhocker offen.

Jim lehnte sich an die Bar und verdrehte die Augen. »Fünfunddreißig Jahre sind wir nun verheiratet, und sie ist noch immer eifersüchtig auf Catherine.« Wieder brach dieses Lachen aus ihm hervor.

»Eifersüchtig?«, fragte Bernadette.

Jim lachte erneut. »Catherine und ich sind in der Schule miteinander gegangen. Hat nur zwei Jahre gedauert, aber wir waren ja noch fast Kinder. Dann hat sie mich sitzen lassen, und ich musste mich mit der Zweitbesten begnügen, nicht, Eileen?«

Als Antwort knallte die Toilettentür zu.

»Sie sind mit Catherine ausgegangen?«, fragte Maura mit großen Augen.

»Ach ja, in den sonnigen Tagen der Jugend«, schwärmte der alte Mann und schloss dramatisch die Augen. »Aber ich war ihr einfach nicht gut genug. Hat mich verlassen und ist nach Dublin gegangen, dann hab ich gehört, dass sie ausgewandert ist. Sie ist also in Australien gelandet, wie?«

Maura nickte und fürchtete sich schon vor seiner nächsten Frage.

»Wo ist sie denn jetzt, wissen Sie das? Hat sicher geheiratet und einen Stall voller Kinder.«

»Sie ist vor ein paar Jahren gestorben«, sagte Maura leise. »Sehr viel mehr weiß ich nicht – wir haben danach den Kontakt verloren.« Sie war erstaunt, wie leicht ihr die Lügen über die Lippen flossen. Ihr fiel auf, wie sehr Jim diese Nachricht mitnahm.

»Hat sie hier noch irgendwelche Verwandte?«, mischte sich Bernadette ein, die Mauras Unbehagen spürte.

»Ach Gott, nein, ich glaube nicht«, antwortete der alte Mann. »Ihre Eltern sind schon lange tot, und sie war das einzige Kind. Und jetzt ist sie auch von uns gegangen.« Er schüttelte bedauernd den Kopf.

»Es gibt wahrscheinlich nicht mehr viele in diesem Dorf, die sich noch an sie oder an ihre Eltern erinnern«, meinte Dymphna. »Traurig, nicht, der Preis, den man für die Emigration zahlt. Ganze Familien verschwinden einfach, und nichts bleibt von ihnen zurück.«

Maura fühlte sich auf einmal ganz seltsam, brachte kein Wort mehr über die Lippen.

Dymphna fuhr fort: »Wie gesagt, wir kriegen hier nicht viele Touristen zu sehen. In ein paar Jahren werden sogar noch mehr von den Jungen verschwunden sein. Wenn man nicht Bauer werden oder einen Laden oder ein Pub aufmachen will, dann gibt es hier nicht viel, das dich halten könnte.«

Maura fand ihre Sprache wieder. »Nein, wohl nicht.« An Jim gewandt, fragte sie: »Sie haben nicht zufällig ein Foto von ihr? Es würde mich wirklich interessieren, wie sie aussah, als sie noch jünger war.« Sie wusste, dass das eine seltsame Bitte war, doch inzwischen hatte sie jede Vorsicht vergessen. Ihr Herz klopfte, als würde sie gleich eine wichtige Entdeckung machen.

»Tatsächlich?«, sagte der alte Mann. »Ach, ihr Bild ist mir

für immer ins Gedächtnis gebrannt. Goldenes, hüftlanges Haar, ein Gesicht wie ein Engel, eine Stimme wie geschmolzenes Gold …«

Da kam Eileen hereingestürmt. »Was für ein Bockmist! Sie hatte kurze rote Haare und sah einem Engel genauso ähnlich wie du Pierce Brosnan.«

Jim zwinkerte Maura zu. »Ach, bloß ein alter Mann, der die Dinge ein wenig durcheinander bringt.« Er zwickte Eileen zärtlich in die Wange. »Nein, Liebchen, ich hab das schönste Mädel der Stadt abgekriegt, und das weißt du auch.«

Maura und Bernadette musterten Eileen. Es war schwer zu sagen, wie sie als junge Frau ausgesehen haben mochte. Die langen Jahre der Missmutigkeit hatten in ihre Züge ein Spinnennetz von Falten gegraben.

Jim fuhr fort. »Nein, Catherine war ein sehr gut aussehendes Mädchen. Freche Augen. Wie Eileen sagt, kurze rote Haare. Hat sie sich abgeschnitten, als sie noch ein Mädchen war – ihre Mutter wollte, dass sie sie lang trug, und da hat sie sie eines Abends einfach abgeschnitten, nur um sie zu ärgern. Ja, sie war ganz schön mutig. Hat sich von niemandem was sagen lassen, hat immer das Gegenteil von dem gemacht, was man von ihr wollte, einfach so, aus reinem Trotz.« Er seufzte wehmütig. Eileen hatte währenddessen fast die Fliesen weggeschrubbt.

Bernadette brachte das Gespräch wieder in Gang. »Dann haben Sie also kein Foto von ihr?«

»Ach, das muss doch schon vierzig Jahre her sein, oder? Damals hat man noch kaum einen Fotoapparat zu Gesicht gekriegt.«

Eileen grunzte. »Sie könnte auf einem von den Fotos in der Ausstellung sein«, grummelte sie in Mauras Richtung.

Maura fuhr herum und versuchte, sich ihre Erregung nicht zu sehr anmerken zu lassen. Es würde Misstrauen erregen, wenn sie sich noch neugieriger über jemanden zeigte, mit dem sie nur kurz gearbeitet hatte.

»Was ist das für eine Ausstellung?«

Dymphna fiel es jetzt auch wieder ein. »Ja, genau, die Ausstellung im Gemeindehaus. Da sind ein paar alte Zeitungsausschnitte und Fotos und Schulberichte aus den letzten fünfzig Jahren zu sehen. So eine Art Heimatmuseum. Ich sagte ja, wir mussten was tun, um dem Tourismus in dieser Gegend ein bisschen Auftrieb zu verschaffen.«

Bernadette trank ihren Tee aus und warf einen Blick auf ihre Uhr. »Tja, wir haben noch ein bisschen Zeit, bevor wir wieder los müssen – können ebenso gut einen Blick in dieses Heimatmuseum werfen und was für den Tourismus tun, nicht?« Sie lächelte Dymphna zu.

Maura bedankte sich für ihre Hilfe und folgte Bernadette in den milchigen Sonnenschein hinaus. Sie blinzelte heftig.

Bernadette musterte sie. »Sollen wir noch einen Blick reinwerfen, oder willst du lieber fahren?«

Maura holte tief Luft. »Nein, lass uns reinschauen.«

Sie blickten sich um. Über der Tür eines alten Steinhauses hing ein sorgfältig gemaltes Schild mit der Aufschrift *Heimatmuseum*. Bernadette ging als Erste hinein; sie warf mehrere Pfundmünzen in den Korb neben der Tür und lächelte dem offensichtlich gelangweilten Mädchen zu, das in einer Hochglanzzeitschrift las. Sie wirkte erleichtert, als sie ihr Angebot einer Führung ablehnten.

Offenbar hatte das Budget nur fürs Eingangsschild gereicht. Die ganze Ausstellung bestand aus vier Schaubrettern, an denen ein halbes Dutzend vergrößerter Ausschnitte von Zeitungsberichten hing. In einer Ecke stand eine Art Vogelscheuche, die ein Gewand aus alten Zeiten anhatte, und in einer anderen Ecke lagen zwei Heuballen und ein altes Traktorrad.

Maura hatte das Foto rasch gefunden – ein leicht verblasstes, vergrößertes Klassenfoto mit dem Untertitel *Und in zwanzig Jahren?*. Daneben wurde erklärt, dass man die Kinder, Jungen und Mädchen im Alter zwischen zehn und zwölf, aufgefordert hatte, nach ihrem Wunschberuf kostümiert in die Schule zu kommen. Einige hatten sich als Krankenschwestern verkleidet. Ein oder zwei waren als Cowboys erschienen. Eine trug einen Nonnenhabit und blickte unter dem Kopfschleier todernst in die Kamera.

Maura überflog mit angehaltenem Atem die Namenszeilen. Da fand sie den Namen, den sie suchte. Catherine Shanley stand am Ende der ersten Reihe, ganz vorne, und starrte trotzig in die Kamera. Laut Begleittext war sie als Filmstar verkleidet. Sie trug ein viel zu großes Paillettenkleid, dazu Schuhe, in die sie mindestens zweimal hineingepasst hätte, und eine Tiara auf dem roten Lockenschopf. Um den Hals hatte sie sich eine mottenzerfressene Pelzstola geschlungen.

Maura schaute sie sich ganz genau an, versuchte, sich jede Einzelheit einzuprägen, um vielleicht eine Ahnung davon zu bekommen, was für eine Art Frau aus dem Mädchen mit den glänzenden Knopfaugen geworden war. Ihr Magen war wie zugeschnürt, und sie wusste, dass sie ihre Hände zu Fäusten geballt hatte, während sie stillschweigend die schlechte Qualität des Fotos verwünschte.

Bernadette trat neben sie und besah sich das Foto ebenfalls. Als sie die Namen entsprechend zugeordnet hatte, lachte sie laut auf.

»Na, dieser Gesichtsausdruck kommt mir irgendwie bekannt vor. Schau dir nur an, wie frech die schaut.«

Maura war die Ähnlichkeit auch schon aufgefallen, und auf einmal hatte sie einen dicken Kloß im Hals. Jim aus dem Pub hatte Recht gehabt. Dieses Mädchen hatte offensichtlich große Pläne gehabt. Sie wollte etwas aus sich machen. Doch stattdessen endete sie allein und schwanger in Australien und starb auch noch viel zu früh mitten im Nirgendwo des Outbacks.

Ihre Mutter.

»Willst du noch einen Tee trinken gehen oder beim Haus deiner Großeltern vorbeischauen?«, flüsterte Bernadette neben ihr.

Maura, unfähig zu sprechen, schüttelte den Kopf.

»Willst du zum Ardmahon House zurückfahren?«, erkundigte sich Bernadette behutsam.

Maura nickte und ließ sich von Bernadette, die ihr den Arm um die Schultern legte, zum Auto hinausführen.

Nach ein paar Kilometern warf Bernadette Maura einen Blick zu und fuhr sofort an den Straßenrand.

»Alles okay mit dir?«, fragte sie leise.

Maura nickte, versuchte zu lächeln. Doch dann begann ihre Unterlippe zu zittern. Aufschluchzend warf sie sich in Bernadettes Arme.

25. Kapitel

Bernadette lächelte dankbar, als Maura ihr einen Teil der Sonntagszeitung reichte. Die Reste ihres Frühstücks, bestehend aus Schinken und Rührei, standen auf Tabletts zu ihren Füßen. Ihre Sessel hatten sie dicht an den Wohnzimmerkamin gezogen, wo ein warmes Feuer knisterte.

Maura klappte die Farbzeitschrift zu, die sie zuletzt durchgeblättert hatte, und streckte sich ausgiebig, wobei sie die Zehen genüsslich in der Wärme des Kaminfeuers bewegte.

»Mann, bin ich vielleicht fertig«, sagte sie gähnend und schloss die Augen. »Was für ein Abend.«

»Ja, der war wirklich nicht schlecht«, meinte auch Bernadette und warf ihr einen Blick zu. »Wie war das noch, zwei geteilte Suppen, eine miesepetrige Ziege, die sich beschwert hat, und einer hat sein Essen zurückgehen lassen, weil ihm die Mountain-Pepper-Soße zu scharf war. Nichts, was sich nicht durch ein Gläschen vom ausgezeichneten Cabernet Sauvignon deines Bruders, auf Kosten des Hauses, wieder einrenken ließ.«

Maura hielt ihre Augen geschlossen. »Nein, du hast natürlich Recht. Bisher lief's einfach so gut, dass ich direkt überrascht war, als doch ein paar Problemchen auftauchten.«

Den wahren Grund, warum sie so müde war, erwähnte sie jedoch nicht. Seit dem Nachmittag in Catherine Shanleys Dorf konnte sie nicht mehr richtig schlafen. Während des Tages war sie abgelenkt von den hektischen Vorbereitungen für die zwei ausgebuchten Restaurantabende am Freitag und am Samstag.

Aber wenn es dann Mitternacht wurde oder ein Uhr morgens und sie sich müde in ihr Bett fallen ließ, ging ihr wieder und wieder diese Begegnung im Pub durch den Kopf, und sie konnte die Vorstellung von dem kleinen Mädchen in dem Filmstarkostüm einfach nicht abschütteln. Und wenn sie schließlich in einen unruhigen Schlaf verfiel, plagten sie Albträume davon, dass sie schwerkrank in einem kleinen Krankenhaus in Irland läge und von Catherine gepflegt wurde, oder sie tauchte in dem Dorfpub auf und musste feststellen, dass Catherine dort hinter der Bar bediente. Und in der letzten Nacht hatte sie lebhaft von Terris Tod geträumt und war weinend aufgewacht, als wäre es erst gestern passiert.

Bernadette schenkte ihnen Kaffee nach; sie war mit den Gedanken noch immer beim gestrigen Abend. »Der Achtertisch war doch toll, hast du mal mit denen geredet? Die waren ganz verrückt nach deinem Essen – der ältere Mann sagte, er wäre schon dreimal in Australien gewesen, aber das war das beste australische Essen, was er je gegessen hat.«

Maura rappelte sich auf. »Das liegt an den irischen Zutaten«, antwortete sie, »hat nichts mit dem Kochen zu tun.«

»Und Dominic hat's doch wirklich geschmeckt«, sagte Bernadette und warf Maura unter halb geschlossenen Lidern einen Blick zu, um zu sehen, wie sie reagierte. »Die ganzen Restaurants in Dublin müssen dicht gemacht haben – denn das ist schon das zweite Wochenende, dass er herkommt, ist dir das auch schon aufgefallen?«

Maura grinste nur und enthielt sich jeden Kommentars. Ob es ihr aufgefallen war? Ob es ihr aufgefallen war! Sie schien ein zusätzliches Paar Antennen entwickelt zu haben, die immer dann wie wild brummten, wenn Dominic sich innerhalb eines Radius von fünf Kilometern um das Ardmahon House herum aufhielt. Sein plötzliches Auftauchen stellte ihr ohnehin angegriffenes Nervenkostüm natürlich zusätzlich auf die Probe. Sie wünschte, er würde sich wenigstens kurz vorher ankündigen, auch wenn das sein Haus war.

Sie hatte nur ein-, zweimal und immer nur sehr kurz mit ihm gesprochen, doch es hatte sie trotzdem aus der Ruhe gebracht. Sie hatte das Gefühl, dass er ihr ihren Ausbruch in Ennis verziehen hatte. Jedenfalls schien er nicht mehr wütend auf sie zu sein, und auch das Eis zwischen ihnen war wieder aufgetaut. Jetzt herrschte nur noch eine seltsame Verlegenheit zwischen ihnen, die Maura gar nicht gefiel. Es war schlimm genug gewesen, sich durch die Pubertät zu quälen. Eine Wiederholung konnte sie, weiß Gott, nicht gebrauchen.

Sie hatte ihn am Abend zuvor heimlich beobachtet. Carla hatte ihr Essen kaum angerührt, hatte mit großem Tamtam die kleinste Vorspeise bestellt und nichts unversucht gelassen, die allgemeine Aufmerksamkeit auf ihre überschlanke Figur zu lenken. Auch ihre Kleidung diente diesem Zweck, wie Maura aufgefallen war. Sie hatte den Hauch eines Kleidchens angehabt, irgendwas Schimmerndes aus Gaze. Es hatte sie fast überrascht, dass man die winzigen Salatblättchen, die Carla aß, nicht auf ihrem Weg in ihren Magen hatte verfolgen können.

Aber Dominic war auf volles Risiko gegangen und hatte sich die ungewöhnlichsten Gerichte auf der Speisekarte bestellt. Und nicht nur das, er hatte der jungen Kellnerin aus Ennis, die seinen Tisch bediente, extra ein dickes Kompliment an die Köchin aufgetragen.

»Der dunkelhaarige Mann am Fenstertisch meint, ich soll Ihnen sagen, dass das das beste Hühnchen war, das er je gegessen hat«, stieß sie atemlos und mit immer noch roten Wangen von der Aufmerksamkeit, die ihr Dominic offensichtlich geschenkt hatte, hervor. »Er sagt, ich soll Ihnen unbedingt sagen, dass es für seinen Geschmack genau richtig gewürzt war.«

Maura musste gegen ihren Willen grinsen.

»Bitte richten Sie ihm aus, die Chefköchin nimmt seine Komplimente mit größter Dankbarkeit entgegen«, hatte Maura mit gespielt ernster Miene erwidert. »Und bitte fragen Sie ihn, ob er jetzt bereit für ein erfrischendes Glas Wasser wäre.«

Die Kellnerin wollte gerade gehen und das Gesagte gehorsam ausrichten, als Maura sie aufhielt. Wenn sie ihn necken wollte, dann würde sie das selber tun. »Nein, sagen Sie nichts. Danken Sie ihm einfach nur für seine netten Worte«, sagte sie zu dem verwirrten Mädchen.

Maura hatte angefangen zu glauben, dass zwischen ihr und Dominic allmählich wieder eine normale Unterhaltung möglich war, und hatte sich schon darauf gefreut, ihn beim Frühstück zu sehen. Aber als sie am nächsten Morgen herunterkam, hatte Dominics Wagen nicht mehr in der Einfahrt gestanden.

Jetzt streckte sich Maura erneut und schob die Zeitungen und Zeitschriften zu einem ordentlichen Stapel zusammen. »Hast du Lust auf einen Spaziergang?«, fragte sie Bernadette. »Wir haben schließlich den ganzen Tag frei, oder?«

»Ja, das haben wir. Gute Idee – ich soll meinem Fuß sowieso ein bisschen Bewegung verschaffen«, antwortete Bernadette und bewegte ihren linken Fuß, der nun nicht mehr eingebunden war. »Lass uns nur rasch einen Blick in die Anmeldungen für nächste Woche werfen, und dann hält uns nichts mehr.«

Maura holte die Sammelmappen mit den Unterlagen über die Schüler aus der Küche, setzte sich wieder vor den Wohnzimmerkamin und blätterte sie durch. Sie wollte sehen, ob überall die Einführung und die Rezepte und die Namensschildchen beigefügt waren und ob jedem Schüler schon ein Zimmer zugeteilt worden war.

Sie zählte leise die Ordner, runzelte die Stirn und zählte noch mal nach. »Neun? Haben wir denn diese Woche noch einen zusätzlichen Schüler?«

Bernadette blickte ein wenig verlegen auf. »Ach ja, man hat mich gestern Abend gebeten, noch jemanden aufzunehmen. Ich konnte in diesem Fall schlecht nein sagen.«

»Man hat dich gestern Abend gebeten?«, hakte Maura verwirrt nach. »Beim Essen? Das ist ganz schön kurzfristig. Ich meine, es ist natürlich toll, und natürlich haben wir noch Platz für einen mehr, es überrascht mich nur, dass das so plötzlich kommt. Wer ist es überhaupt?«, fragte sie und schaute die Mappen nochmals durch, diesmal auf die Namen der Schüler blickend.

Gerade als Bernadette sich verlegen räusperte, fand sie den neu angelegten Ordner.

»Carla?«, fragte Maura verblüfft.

»Carla«, bestätigte Bernadette ein wenig belämmert.

Maura starrte sie erstaunt an. »Carla will an einem *meiner* Kochkurse teilnehmen? Aber Bernadette, Carla hasst Essen! Das wäre ja, als ob ein radikaler Abstinenzler sich den Anonymen Alkoholikern anschließt! Was sollten wir ihr denn beibringen – wie man Wasser kocht und sich Zigaretten dreht?«

Bernadette erklärte es ihr. »Ich glaube nicht, dass es so sehr um den Kurs geht, als vielmehr um die Gesellschaft.«

Das verblüffte Maura noch mehr. »Gesellschaft? Sie kann mich nicht ausstehen, und dich beachtet sie gar nicht.«

Da fiel ihr wieder ein, dass sie gesehen hatte, wie Bernadette und Dominic sich am gestrigen Abend eine geraume Zeit lang unterhielten. Carla war gleich nach dem Essen auf ihr Zimmer gegangen, und viele der anderen Restaurantgäste waren ebenfalls bereits weg gewesen. Maura hatte sich noch mit einem Weinimporteur aus Dublin unterhalten, wobei ihr Blick immer wieder, fast gegen ihren Willen, zu den beiden geglitten war – nur um zu ihrer Beunruhigung festzustellen, dass Dominics Blick mehr als einmal bereits auf ihr ruhte.

»Dann willst du also Dominic einen Gefallen tun, oder?«, fragte Maura.

»In gewisser Weise«, sagte Bernadette in einem eigenartigen Ton.

Maura war es plötzlich peinlich, so ablehnend auf Bernadettes Entscheidung, noch jemanden aufzunehmen, reagiert zu haben. »Es tut mir Leid, ich habe nicht das Recht, dir vorzuschreiben, wie viele Schüler du aufnimmst. Es überrascht mich bloß, dass es Carla ist, das ist alles.«

»Mich auch«, gestand Bernadette. »Aber Dominic ist die ganze nächste Woche über in England. Carla sollte ursprünglich mitkommen, aber offenbar geht das jetzt nicht mehr, also hat er mich gebeten, ob er sie hier lassen dürfte. Natürlich hab ich nicht nein gesagt. Und es war meine Idee, dass sie am Kochkurs teilnimmt, denn wenn sie hier untätig rumhängt, kommt sie bloß auf dumme Gedanken, du weißt ja, wie das ist.«

Allerdings wusste Maura das. Und sie wusste auch, dass dieses Biest überall auf dumme Gedanken kam. »Nun, ich hab wohl gedacht, sie würde lieber in Dublin bleiben«, sagte Maura mit Unschuldsmiene. »Die Lichter der Großstadt, die Nachtclubs, all ihre Model-Freunde ...«

Bernadette zog die Augenbrauen hoch. »Genau die scheint Dominic zu fürchten, was ich so herausgehört habe.«

Maura lächelte. Falls einer von denen von dem Deal mit ihrem Vater erfahren hatte und aus Versehen etwas ausplauderte, vermutete sie. Nun ja, die kommende Woche würde wohl härter werden, als sie vermutet hatte. Sie hoffte bloß, dass Carla nicht den anderen Schülern die Freude an dem Kurs verdarb.

»Dann ist sie also noch immer hier«, sagte sie mit einem Kopfnicken nach oben.

Bernadette warf einen Blick auf ihre Uhr. Es war fast Mittag. »Ja, das ist sie, aber ich denke, es wird noch eine ganze Weile dauern, bis wir sie zu sehen kriegen. Komm, gehen wir spazieren, und wenn sie bei unserer Rückkehr schon aufgestanden ist, kann sie uns ja beim Herrichten der Zimmer für die anderen Schüler helfen.«

»Ja, das kann ich mir gut vorstellen«, lachte Maura auf dem Weg zur Diele, wo sie sich ihre Mäntel und Schals holten.

Sie waren fast eine Stunde lang unterwegs, den frischen, böigen Wind im Gesicht. Nur selten fuhr ein Auto an ihnen vorbei, als sie über die schmale, baumbestandene Straße, die am Ardmahon House vorbeiführte, fast bis zum *Burren*, diesem eigenartigen, mondähnlichen Landstrich im County Clare, schlenderten. Maura hatte zuvor noch nichts davon gehört. Touristenattraktionen wie der *Ring of Kerry* und *Blarney Castle* waren jedermann bekannt, doch in den Burren hatte sie sich richtig verliebt. Der graue, felsige Landstrich besaß eine eigenartige Schönheit, und der helle Kalkfelsen schien das Licht zu reflektieren und der Umgebung eine größere Schärfe und Klarheit zu verleihen.

»Ich hab schon wieder meinen Fotoapparat vergessen«, stöhnte sie, als sie anhielten, um Atem zu schöpfen und den Blick über die unvergleichliche Landschaft schweifen zu lassen. »Wenn das so weitergeht, werde ich für meinen Artikel ein paar Postkartenansichten kaufen und als meine Fotos ausgeben müssen.«

»Du hast noch eine ganze Woche«, beruhigte sie Bernadette. »Reichlich Zeit, um jede Menge Fotos zu schießen. Und jetzt komm, wir machen uns besser auf den Rückweg. Es sieht nach Regen aus.«

Als sie das Haus betraten, kam Carla gerade aus dem Wohnzimmer geschlendert.

»Guten Morgen«, rief ihr Bernadette, ungeachtet der Tageszeit, fröhlich zu. Überraschenderweise wurden sie diesmal nicht ignoriert.

»Da hat jemand für Sie angerufen, Maura, als Sie weg waren«, sagte die junge Frau und wies auf das Telefon in der Diele. »Ich habe den Namen notiert.«

Maura nahm den Zettel zur Hand und versuchte, ihn zu entziffern. Carlas Gekritzel war beinahe unlesbar, und eine Nummer hatte sie auch nicht aufgeschrieben. »Heißt das Tim McBild?«, riet sie.

Carla schlenderte herüber. Sie ging immer so, als würden tausend Augen auf ihr ruhen. »Konnte seine Aussprache nicht richtig verstehen«, sagte sie näselnd. »Er hieß Tim oder Jim oder so. McDaid oder McIrgendwas. Klang wie'n alter Knacker.«

»Hat er eine Nummer hinterlassen?«, erkundigte sich Maura.

»Nein, er sagt, er ruft später noch mal an«, erwiderte Carla in gelangweiltem Ton und verschwand dann hüftschwingend wieder im Wohnzimmer. Kurz darauf drang laute Musik aus dem Fernseher zu ihnen heraus, dann wurde die Tür mit einem Knall zugestoßen.

»Wer ist denn Tim McDaid oder McBild?«, fragte Maura Bernadette. »Das ist doch nicht ein Vater von irgendeiner Schülerin, oder? Kann mich nicht entsinnen, dass eine einen solchen Nachnamen hatte.«

»Wenn's McBride heißt, dann ist das vielleicht der ältere Mann, den wir am Dienstag kennen gelernt haben – der, der deine Mutter kannte.«

»Ja, natürlich, das muss er sein – Jim McBride«, sagte Maura, erleichtert, dass es ihr wieder einfiel. »Aber was will er von mir?«

Noch während sie das sagte, klingelte das Telefon. »Ich schätze, das wirst du gleich rausfinden«, lächelte Bernadette. »Ich lass dich allein«, hauchte sie ihr noch zu, während Maura schon den Hörer abhob. »Guten Tag, hier ist das Ardmahon House, Maura Carmody am Apparat«, sagte sie fröhlich.

»Hallo, Maura, hier ist Jim McBride.« Er sprach leise, und sie konnte im Hintergrund die Geräusche eines Pubs hören. Sie wollte gerade etwas sagen, als er auch schon nervös fortfuhr: »Wir haben uns am Dienstag im Pub kennen gelernt.«

»Ach, hallo, Mr. McBride«, entgegnete Maura. »Natürlich erinnere ich mich an Sie.«

Es folgte eine kleine Pause, dann sagte er: »Ja, Sie haben sich nach Ihrer Mutter erkundigt.«

Maura rang nach Luft. »Nein, nein, Sie irren sich. Ich habe mich nach einer Frau erkundigt, mit der ich in Australien gearbeitet habe.«

Jims Stimme klang sehr freundlich. »Maura, ich hab's in dem Moment gewusst, als ich Sie sah. Sie sind Catherine wie aus dem Gesicht geschnitten. Und es gibt nicht viele auf der Welt, die diesen dunkelroten Haarton haben. Überrascht mich, dass es Eileen nicht auch gespannt hat. Sie wissen ja, dass sie sich immer ganz schön aufregt, wenn von Catherine die Rede ist – wahrscheinlich hat sie versucht, ihr Gesicht aus ihrem Gedächtnis zu streichen.« Er lachte fröhlich.

Maura wurde von einem schrecklichen Gedanken durchzuckt. »Mr. McBride, sind Sie vielleicht mein Vater? Rufen Sie deshalb an?«

Der alte Mann stieß sein jugendliches Lachen aus. »Nein, Maura, das bin ich nicht. Sie würden nicht so gut aussehen, wenn ich's wäre. Nein, ich bin's nicht. Und nennen Sie mich Jim, nicht Mr. McBride, wären Sie so nett?«

Rasch und mit ernster Stimme sprach er weiter. »Hören Sie, ich hab nicht ganz die Wahrheit gesagt, als ich meinte, ich hätte keine Fotos von Catherine. Ich hab noch das eine oder andere. Hätten Sie vielleicht kurz Zeit, sich mit mir zu treffen? Darf ich sie Ihnen zeigen?«

Sie sagte sofort zu. Jim nannte ihr den Namen eines Dorfs, etwa fünf Meilen von hier, auf der entgegengesetzten Seite seines Heimatortes. »Da gibt's ein kleines Pub namens Moloney's. Man wird uns vielleicht sehen und vielleicht auch über uns tratschen, aber so ist es nun mal auf dem Land, nicht?«, meinte er. »Dann kann sich Eileen 'n paar Extragedanken machen.«

Keine zehn Minuten später saß Maura am Steuer von Bernadettes kleinem Flitzer und folgte der schmalen, gewundenen Landstraße zu dem Dorf, das Jim ihr beschrieben hatte. Bernadette hatte ihr ihre Wagenschlüssel ohne das geringste Zögern ausgehändigt. »Möchtest du, dass ich mitkomme?«, hatte sie sich besorgt erkundigt. Maura hatte einen Augenblick nachgedacht und dann den Kopf geschüttelt.

»Nein, aber danke für das freundliche Angebot«, hatte sie leise geantwortet. »Ich glaube, das hier muss ich allein machen.«

26. Kapitel

Jim saß auf einem Barhocker an der Ecke der Bar, als Maura hereinkam. Sie bemerkte sofort die braune Papiertüte auf dem Hocker neben ihm und hätte sie am liebsten gleich an sich gerissen und wäre damit davongelaufen.

Jim lächelte ihr scheu zu. »Hallo, Maura, was darf ich Ihnen bestellen?« Er starrte sie an und lächelte dann wieder. »Sie sind ihr wirklich wie aus dem Gesicht geschnitten. Setzen Sie sich doch, ich bestelle Ihnen was zu trinken, und wenn wir dann ein wenig ungestört sind, werde ich Ihnen etwas über Ihre Mutter erzählen.«

Maura nahm beim Warten auf die Kanne Tee, die Jim für sie bestellt hatte, ihre Umgebung kaum wahr. Jim schien genauso nervös zu sein, fast scheu, das Gespräch zu beginnen, bevor der Barkeeper ihnen serviert und sich dann in eine andere Ecke verzogen hatte.

Endlich waren sie allein. Maura schaute ihn an. »Danke, dass Sie angerufen haben«, sagte sie leise. »Es war schon ein Schock für mich, das Wenige über Catherine herauszufinden.« Sie konnte sich nicht überwinden, sie »meine Mutter« zu nennen. »Seit Sie mir erzählt haben, dass sie schon so jung nach Australien gegangen ist, konnte ich an nichts anderes mehr denken. Ist ihr als Kind irgendwas Schreckliches passiert?«, fragte sie besorgt.

Jim lachte wieder sein weiches, jungenhaftes Lachen. »Nein, nein, ihr ist nichts Schlimmes passiert. Sie haben wohl *Die Asche meiner Mutter* gelesen, was? Gott, nein, nicht jedes irische Kind aus dieser Generation hatte eine schlimme Kindheit, und Catherine und ich ganz gewiss nicht. Nein, sie suchte einfach nur das Abenteuer, das sie hier nie gefunden hätte. In den Staaten ist sie kaum ein Jahr geblieben, dann ist sie nach Australien abgedampft, wie Sie ja wissen, und dort ist sie dann hängen geblieben.«

»Dann haben Sie also nach ihrer Abreise noch von ihr gehört?«, flüsterte Maura.

Jim sprach noch leiser. »Ein Brief alle paar Monate oder so, die ersten fünf Jahre, nachdem sie fort war. Dann bin ich mit Eileen zusammengekommen, und, na ja, Eileen ist ziemlich eifersüchtig, und es hat ihr gar nicht gefallen, dass ich noch Briefkontakt zu einer Exfreundin hatte, also hat sie's unterbunden.«

»Aber wie sollte sie so was machen?«, fragte Maura erstaunt.

Jim schaute ein wenig belämmert drein. »Sie hat gesagt, dass sie, äh, ihren ehelichen Pflichten nicht mehr nachkommen würde, wenn Sie verstehen, was ich meine, wenn ich mich nicht wie ein anständiger Ehemann benehme und Exfreundinnen Exfreundinnen sein lasse. Also hab ich Catherine ein letztes Mal geschrieben und sie gebeten, mir nicht mehr zu schreiben. Und nach einem letzten Brief hat sie's dann auch gelassen.« Er stieß ein kurzes Lachen aus. »Eines der wenigen Male, dass sie getan hat, worum man sie bittet – die Sonne muss ihr die Birne aufgeweicht haben«, sagte er grinsend.

Mauras Augen wanderten wieder zu der braunen Papiertüte. »Da sind die Briefe aus fünf Jahren drin, die Sie von Catherine bekommen haben?«

Jim nickte beinahe stolz.

»Hat Eileen denn nicht gewollt, dass Sie sie wegwerfen?«

»Na ja, sie dachte, ich hätt's getan, aber mein Freund hier«, er nickte in Richtung Barkeeper, »sagte, er würde sie für mich aufheben, als kleinen Gefallen sozusagen. Ich wusste immer, dass ich sie nicht wegwerfen könnte, und jetzt, wo Sie da sind, bin ich froh, dass ich's nicht gemacht hab. Muss wohl geahnt haben, dass Sie eines Tages auftauchen würden, nicht?« Wieder lachte er leise und trank einen großen Schluck von seinem *pint*.

»Und können Sie –« Maura versuchte es erneut. »Würden Sie mir ein bisschen erzählen, was sie so gemacht hat, was in ihren Briefen steht?«

»Aber sicher, Schätzchen, deshalb hab ich doch angerufen und wollte Sie treffen. Das sind echt tolle Briefe. Sie war ein verrücktes Ding, so lebhaft und voller Lebenslust, und Australien schien der ideale Ort für sie zu sein. Sie haben in einem Krankenhaus mit ihr gearbeitet, sagen Sie? Kann sie mir gar nicht als Krankenschwester vorstellen.« Er schüttelte, noch immer lächelnd, den Kopf.

Maura war es furchtbar peinlich. »Jim, das habe ich mir alles bloß ausgedacht, dass ich mit Catherine im Krankenhaus gearbeitet hab. Das stimmt gar nicht. Ich wollte bloß was über sie rausfinden. Sie war zwar Krankenschwester, aber ich habe sie nie kennen gelernt.«

Jim wandte sich ihr nun voll zu und blickte ihr ins Gesicht. Seine Augen waren voller Mitgefühl. »Ach, Schätzchen, das wusste ich ja gar nicht. Ich wusste zwar, dass Sie auf Informationen über sie aus waren, aber ich dachte schon, dass Sie sie gekannt hätten. Ach, das tut mir so Leid – dann haben Sie ja überhaupt keine Ahnung, wie sie so war? Dann stimmt das alles, was Sie über diese Auszeichnungen und dass sie eine so gute Schwester war, gesagt haben, ja gar nicht?«

Maura schüttelte, noch beschämter, den Kopf. »Ich weiß nicht. Ich habe kurz mit der Oberschwester und mit einer ihrer Kolleginnen im letzten Krankenhaus, in dem sie gearbeitet hat, gesprochen, aber als man mir sagte, dass Catherine vor wenigen Monaten gestorben ist, da war ich so schockiert, dass ich nicht weiterfragen konnte. Und als ich wieder weg war, wollte ich nicht noch mal hin.«

Jim nickte und trank noch einen Schluck. »Ja, kann ich mir vorstellen«, sagte er leise. Dann hellte sich sein Gesicht plötzlich auf. »Hab mir schon gedacht, dass es nicht ganz wahr sein kann, besonders als Sie sagten, sie wäre eine so tolle Schulschwester gewesen. Catherine hätte nie die Geduld dafür gehabt. Sie selbst hatte eine unheimlich rasche Auffassungsgabe, konnte aber nie begreifen, wieso die anderen nicht mithalten konnten. Aber Eileen haben Sie jedenfalls überzeugt. Sie hätten sie an dem Abend hören sollen! ›Dass *die* es doch noch zu was gebracht hat, nicht zu fassen‹«, sagte er, die Stimme seiner Frau imitierend, dann lächelte er wieder. »Wir müssen sie ja nicht unbedingt aufklären, oder?«

Maura schüttelte den Kopf. Plötzlich hatte sie das Gefühl, sich das alles, dieses ganze Gespräch, nur einzubilden. Sie stand an einem Sonntagnachmittag in einem verräucherten Pub im County Clare und ließ sich etwas über ihre irische Mutter erzählen. Ja, so begann sie sie allmählich zu sehen. Nicht als ihre leibliche Mutter oder ihre »richtige« Mutter. Ihre irische Mutter.

Jim sprach weiter. »Sie sind ausgebildete Köchin, das haben Sie doch Dymphna am Dienstag erzählt, oder?«

Maura nickte.

»Catherine hat auch eine Weile als Köchin gejobbt. Vielleicht liegt Ihnen das ja im Blut?«

»Catherine war Köchin?«, fragte Maura erstaunt. »Ich dachte immer, sie wäre nur Krankenschwester gewesen.«

»Nicht, als sie mir noch schrieb. Das muss später gekommen sein, nachdem –« Er sah Maura an, und sie wusste, dass sie beide an Catherines Schwangerschaft dachten. »Na ja, nachdem gewisse Dinge in ihrem Leben passiert sind. Nein, sie hat ein halbes Jahr lang in einem Straßencafé in einem Ort namens Darwin hinter dem Herd gestanden. Wissen Sie, wo das ist?«

Maura nickte. Darwin war die Hauptstadt der Northern Territories, das tropische Ende Australiens. Sie selbst war nie dort gewesen, aber sie kannte den Ruf Darwins als »Frontier Town«. Sie konnte sich nicht vorstellen, wie es dort wohl für ein junges irisches Mädchen in den Sechzigern gewesen sein mochte.

»Wie, um alles in der Welt, ist sie dort gelandet?«, fragte Maura.

»Ach, sie hat sich mit ein paar anderen Reisenden zusammengetan, und ein Fernfahrer hat sie dorthin mitgenommen. Steht alles in den Briefen, mit Fotos und so.«

»Sie haben Fotos von ihr, als sie in meinem Alter war?«, fragte Maura. Jims Eröffnungen waren das reinste Dickicht, man musste sich erst durchwühlen.

»Allerdings«, antwortete er. »Ich hab vier Fotos. Deshalb wusste ich auch gleich, dass Sie ihre Tochter sind. Wie alt sind Sie, Maura?«

»Achtundzwanzig«, erwiderte sie.

»Ein bisschen älter als Catherine damals. Sie hatte ein prägnantes Gesicht so wie Sie. Wahrscheinlich werden Sie mit dem Alter sogar noch besser aussehen. Ich dachte immer, bei Catherine würde es so sein. Natürlich war sie erst sechsundzwanzig, als Eileen einschritt und wir den Kontakt abbrechen mussten«, erinnerte er sich. »Tat mir Leid, keine Briefe mehr von ihr zu bekommen – und das ausgerechnet, als die Dinge für sie interessant wurden, so wie's klang.«

»Hat sie meinen, äh –«

»Vater erwähnt?«, beendete Jim die Frage für sie. »Ich weiß nicht, Schätzchen. Sie hat mal diesen, mal jenen Burschen erwähnt, aber vielleicht wollte sie mich nur eifersüchtig machen, hm?« Wieder lachte er kurz, doch dann fiel ihm die Anspannung in Mauras Gesicht auf. »Nein, hat sie nicht, da bin ich mir sicher. Das alles ist ein paar Jahre später passiert, wohl in Ihrem Alter. Jedenfalls, wie gesagt, sie war viel zu sehr mit Reisen beschäftigt, einem möglichst abenteuerlichen Leben, wie's schien.« Er tätschelte die Briefe.

»Dürfte ich die Fotos vielleicht mal sehen?«, fragte Maura, die es nicht länger aushalten konnte.

Jim zog ein überraschtes Gesicht. »Sie sehen? Mein Gott, Sie können sie behalten. Und die Briefe auch. Ist Jahre her, seit ich sie gelesen habe, aber ob Sie's glauben oder nicht, ich hab sie immer noch fast Wort für Wort im Kopf. Sie können sie haben – wird Ihnen Spaß machen, sie zu lesen, da bin ich sicher. Ach, das war schon ein tolles Mädel, Sie werden's selbst sehen.«

Maura nahm vorsichtig die Tüte zur Hand. Sie wollte sie nicht hier öffnen, in diesem kleinen Pub, wo neugierige Augen sie beobachteten. Das schien Jim zu verstehen. Er tätschelte ihren Arm.

»Gehen Sie nur, Schätzchen. Nehmen Sie sie ruhig mit. Sie gehören jetzt Ihnen.«

»Vielen Dank, Jim«, sagte sie schlicht. Dann beugte sie sich vor und umarmte ihn spontan.

Er tat zwar, als würde er protestieren, aber sie konnte das Lächeln in seiner Stimme hören. »Na los, gehen Sie schon. Und gute Rückreise nach Australien wünsche ich. Vielleicht sehen wir uns dort ja sogar mal.« Er lachte über seinen eigenen Witz.

Draußen im kalten Wind drückte Maura das Päckchen fest an ihre Brust. Ohne recht zu wissen wie, kletterte sie in Bernadettes Wagen und fuhr zurück in Richtung Ardmahon House. Auf halbem Wege sah sie einen Feldweg, der nach rechts abzweigte, geradewegs ins Herz des Burren. Ohne einen Blick in den Rückspiegel zu werfen, riss sie das Steuer herum und fuhr den ungeteerten Weg entlang; die Schlaglöcher und Steine, über die der Wagen holperte, nahm sie kaum wahr.

Da tauchte vor ihr eine Schranke auf, und sie musste anhalten. Zitternd vor Kälte stieg sie aus. Eine plötzliche Böe erfasste die Autotür und riss sie weit auf. Ihre Haare, die sie nur lose mit einem Band zusammengefasst hatte, wurden aus dem Haarband gerissen und peitschten ihr ins Gesicht. Maura schlug mühsam die Wagentür zu, schob das Päckchen in ihren Mantel, raffte diesen fest zusammen und kämpfte sich auf die Felsen zu.

Sie wusste weder, wo sie war, noch wohin sie ging. Sie wusste nur, dass sie laufen musste und dass sie allein sein musste, so allein wie möglich, wenn sie die Briefe las und sich die Fotos anschaute. Sie stolperte mehrmals, und einmal blieb sie fast mit dem Fuß zwischen ein paar Felsbrocken stecken. Als sie um eine Ecke bog, wurde sie jäh vom Wind erfasst und gegen einen meterhohen Felsblock gedrückt. Nach Luft ringend, erblickte sie einen kleinen See. Daneben lagen ein paar riesige Felsbrocken. Dorthin ging sie, dort fand sie Schutz vor dem Wind.

Sie zog das Päckchen aus dem Mantel hervor. Mit zitternden Fingern löste sie die Klebestreifen.

Die Fotos befanden sich in einem separaten Umschlag, und sie nahm sie, eines nach dem anderen, heraus und sah sie genau an. Es waren alte Fotos, mit einem Streifen am Rand. Sie waren überhaupt nicht verblasst. Catherine am Strand, im Badeanzug, grinst in die Kamera. Catherine am Hafen von Sydney, mit der Harbour Bridge im Hintergrund, daneben eine unbekannte Freundin, die sie anlächelt. Catherine, wie sie ein Känguru in einem Wildpark füttert. Und ein Foto war ganz offensichtlich in dem Café in Darwin aufgenommen worden: Catherine, die stolz vor einer riesigen Bratpfanne steht und eine Fleischzange hoch hält. Im Hintergrund zwei strahlende junge Burschen, die, in Erwartung einer Mahlzeit, mit Messer und Gabel wedeln.

Maura musste lachen, und im nächsten Moment füllten sich ihre Augen mit Tränen. Ihr war etwas Besonderes an den Fotos aufgefallen. Catherine hatte auf jedem die Augen weit aufgerissen, als versuche sie krampfhaft, nicht zu blinzeln. Dieser Blick war Maura nur allzu bekannt.

Mühsam mit den Umschlägen hantierend, zog sie einen Brief nach dem anderen heraus und las ihn sorgfältig. Catherine hatte eine schwungvolle, etwas schlampige Schrift mit jeder Menge Orthografiefehler, als wäre sie viel zu sehr mit dem Leben beschäftigt, um sich auch noch um eine korrekte Rechtschreibung zu bemühen. Sie und Jim mussten wirklich dicke Freunde gewesen sein. Das waren keine Briefe eines ausgebüchsten Mädchens an den sitzen gebliebenen Liebsten, es waren die Briefe einer jungen Frau, die vor Erlebnissen geradezu überquoll und diese einem guten Freund zu Hause mitteilen wollte. Eileen hätte keinen Grund zur Eifersucht gehabt, dachte Maura.

Catherine war froh, Amerika hinter sich gelassen zu haben – sie hatte das Leben dort als zu hart, zu schnell und zu beengt empfunden. Sydney dagegen war einfach toll, dort konnte man Spaß haben, dort war was los. Und es war der schönste Ort, den sie je gesehen hatte. Aber sie wollte noch mehr sehen. In Darwin war's brüllend heiß, flach, und man musste hart arbeiten, doch das machte ihr nichts aus; hier hatte sie erst das Gefühl, in Australien zu sein. Gigantische Steaks musste sie für braun gebrannte, freche Kerle braten. Sie machte Witze über deren Aussprache, gab ihrem Erstaunen über die immense Hitze Ausdruck und schrieb, dass sie gelegentlich Heimweh nach Irland hatte.

Ihre Antwort auf Jims Bitte, ihm nicht mehr zu schreiben, weil es Eileen störte, war ebenfalls unter den Briefen. Maura bemerkte mit einem flüchtigen Grinsen, dass er an den Pub adressiert war, nicht an Jims Privatadresse. Catherine schien überhaupt nicht böse zu sein, im Gegenteil, sie zog Jim damit auf, dass dies nur ein Vorgeschmack auf sein künftiges Leben unter Eileens Fuchtel wäre. »Sag bloß nicht, ich hätte dich nicht gewarnt!«, hatte sie in ihrer schlampigen Schrift gekritzelt.

Sie schrieb, dass sie vorhabe, Darwin zu verlassen und es als Nächstes in Melbourne oder Adelaide zu versuchen. Sie hatte gehört, dass irische Barmädchen eigentlich immer gefragt waren. Und irische Krankenschwestern. Das war ein erster Hinweis auf ihre künftige Karriere, wie Maura erkannte. Catherine hatte sich fröhlich verabschiedet, nicht ohne hinzuzufügen, dass sie hoffe, eines Tages zu Besuch nach Irland zurückzukehren. Dann würde sie »in meinem schönsten Kleid, mit dem knalligsten Lippenstift, extra für Eileen!« vor Jims Haus auftauchen.

Als sie den letzten Brief zu Ende gelesen hatte, merkte Maura, dass ihr die Tränen über die Wangen liefen. Ärgerlich wischte sie sie fort und begann noch mal von vorne, las jeden Brief noch einmal sorgfältig Wort für Wort.

Als sie damit fertig war, lehnte sie sich an den grauen Felsblock. Solche Briefe hätte auch sie schreiben können, damals, als sie zum ersten Mal in Sydney lebte. Das waren keine Briefe von einem traurigen, heimwehkranken Mädchen, das vor einer schrecklichen Kindheit floh, oder von einem verängstigten Mädchen in einem fremden Land. Das waren Briefe von einer temperamentvollen, abenteuerlustigen jungen Frau, die kaum fassen konnte, dass sie sich am anderen Ende der Welt befand, und die fest entschlossen war, alles, aber auch alles auszuprobieren.

Und vielleicht ist das mit mir ja auch so passiert, dachte Maura. Vielleicht hatte Catherine auf ihren Reisen einen tollen Typ kennen gelernt, hatte sich bis über beide Ohren in ihn verliebt und am Ende feststellen müssen, dass sie schwanger war und er sie sitzen lassen hatte. Irland war viel zu weit weg, um dorthin zurückzukehren. Außerdem konnte sich Maura gut vorstellen, dass eine ledige, schwangere Catherine in ihrem Heimatdorf wohl kaum willkommen gewesen wäre.

Und so hatte sie Maura zur Adoption freigegeben. Und Terri hatte sie mit offenen Armen empfangen. Jetzt wünschte Maura, den Mut gehabt zu haben, schon eher nach Catherine zu suchen. Als es noch nicht zu spät war.

Plötzlich keimte heiße Wut in ihr auf. Wieso hatte ihre Mutter eigentlich nie nach *ihr* gesucht? War sie zu beschäftigt gewesen, sich von einem Abenteuer ins nächste zu stürzen? Sie blickte die Briefe und Fotos in ihrer Hand an und hatte auf einmal das überwältigende Bedürfnis, sie zu zerreißen. In ganz kleine Fetzchen. Mit zitternden Fingern packte sie die Ecke des ersten Briefs. Sie stellte sich vor, wie die Fetzen vom Wind über den kleinen See und über die grauen Felsen gewirbelt würden.

Aber sie konnte nicht.

Stattdessen sank sie gegen den Felsen, die Briefe an die Brust gedrückt, und vergrub das Gesicht in den Armen.

Es dauerte eine ganze Weile, bis sie den Kopf wieder hob. Sie atmete mehrmals tief ein, sog die kalte, klare Luft in ihre Lungen, nahm langsam wieder die Felsen und den kleinen See wahr. Kurz darauf faltete sie die Briefe behutsam auseinander und las sie erneut.

Es waren Einblicke in Catherines Leben. Maura konnte sich vorstellen, wie eine Begegnung, ein Gespräch mit ihr wohl verlaufen wäre. Vielleicht war sie ja gar nicht jene geisterhafte Gestalt, jene traurige, gramgebeugte alte irische Lady, die Maura sich vorgestellt hatte. Die heimwehkranke, depressive Krankenschwester, die in diesem Provinzkrankenhaus hängen geblieben war. Vielleicht war sie ja bis zum Ende voller Temperament und Lebenslust gewesen. Oder vielleicht bitter geworden. Aber zumindest hatte Maura nun eine winzige Erinnerung an Catherine, hatte eine Ahnung davon, wie Catherine einmal gewesen war.

Da wusste sie plötzlich, was sie mit den Briefen machen würde. Sie hatte kein Recht, sie wegzuwerfen oder zu behalten. Die Briefe gehörten Jim.

Bevor sie zum Auto zurückging, schaute sie sich jedes Foto noch einmal lange an. Ihre Mutter am Hafen von Sydney, im Wildpark, am Strand. Und dann das, in dem sie mit weit aufgerissenen Augen in der Küche des Cafés stand und lachend die Fleischzange in die Kamera hielt.

Auf Mauras Gesicht breitete sich langsam ein Lächeln aus. Sie würde Jim bitten, ob sie dieses Foto behalten könnte.

27. Kapitel

Maura begrüßte ihre letzte Gruppe Kochschülerinnen und bemühte sich dabei, Carlas griesgrämiges Gesicht möglichst zu ignorieren.

Mittlerweile recht routiniert, hielt Maura ihre Einführung über die moderne australische Küche und die bevorstehenden vier Kurstage.

»Wir werden uns sowohl mit Meeresfrüchten befassen, als auch mit neuen, ungewöhnlichen Zubereitungsmöglichkeiten für Rindfleisch und Hühnchen. Und nicht zu vergessen, ein paar typisch australische Desserts«, versprach sie, während sie Blätter mit den Rezepten der nächsten Tage austeilte.

»Ich esse kein Fleisch, ich bin Vegetarierin«, kam Carlas mürrische, näselnde Stimme aus der Ecke.

Maura runzelte die Stirn. »Ach, wirklich, Carla? Haben Sie nicht letztes Wochenende hier das Thai Chicken Kebab probiert?«

Tatsächlich stieg eine leichte Röte in Carlas Wangen. »Ich habe heute früh damit angefangen«, verkündete sie spitz. »Fleisch ist Mord.«

Maura zählte stumm bis zehn. »Also gut, Carla, dann können Sie uns ja bei diesem Teil nur zusehen. Wir werden heute auch noch ein paar fleischlose Gerichte zubereiten. Das müsste Ihnen ja dann Spaß machen«, sagte Maura in einem Ton, den man normalerweise für ein besonders schwieriges Kind reserviert.

Doch dann, im Verlauf des Tages, hatte es den Anschein, als würde Carla plötzlich eine Allergie gegen Eier entwickeln. Und gegen Weizenprodukte. »Sie ist ein medizinisches Wunder«, flüsterte Maura Bernadette zu. »Wenn das so weitergeht, ist sie am Ende des Tages selbst gegen Sauerstoff allergisch.«

»Das wär zu schön, um wahr zu sein«, flüsterte Bernadette zurück. Sie machte sich weniger Gedanken um Carlas Lebensmittelallergien als vielmehr um die Wirkung, die ihre Störmanöver auf die anderen Schüler hatte. Die Jüngeren waren tief beeindruckt von der schönen, glamourösen jungen Amerikanerin und begannen, über ihre gehässigen Bemerkungen zu kichern. In den lebhaftesten Farben schilderte die frisch gebackene Vegetarierin Carla die schrecklichen Zustände in Hühnerbatterien und Schlachthäusern und schien damit einige Schülerinnen gewaltig zu beeindrucken.

In der Mittagspause kam Bernadette dann eine Idee. »Wie wär's, wenn ich einen zweiten Kurs in einer Ecke aufmache?«, schlug sie vor. »Mit ausschließlich vegetarischen, vollwertigen Gerichten, kein Salz, keine Gewürze? Carla wird sicher mitmachen, und wenn ein paar andere auch wollen, dann lassen wir sie, was meinst du?«

Maura nickte. Es war einen Versuch wert. So, wie die Dinge im Moment liefen, hätte Carla die anderen gegen Abend so weit, dass sie mit Plakaten und Spruchbändern vor der nächsten Hühner- oder Schaffarm aufmarschierten und die Freilassung der armen Opfer forderten.

Sie war nicht überrascht, als sich drei weitere Mädchen dem Rebellenkurs anschlossen. Maura machte auf der einen Seite der Küche entschlossen mit ihrem Kurs weiter und erläuterte ihrer Gruppe die Zubereitung so köstlicher Vorspeisen wie knusprigen Meeresfrüchteröllchen und Suppe nach Thai-Art.

Die würzigen Aromen wirkten wie ein unsichtbarer Magnet. Allmählich schlichen sich die Mädchen wieder zurück, um den einen oder anderen köstlichen Happen zu erhaschen und um zu sehen, wie dieses himmlische Essen zubereitet wurde. Schon bald stand Carla allein mit Bernadette in der Ecke und sah sich gezwungen, einen schlichten Linsensalat zuzubereiten.

Am Abend dann erbot sich Carla zu Mauras und Bernadettes grenzenloser Überraschung, die anderen auf eine Kneipentour mitzunehmen.

Bernadette schloss erschöpft die Augen, als die Gruppe in mehreren Taxis abgezogen war. »Wahrscheinlich wird sie die ganze Bande kidnappen und ihnen unter Foltern die Übel des Kochens einbläuen«, stieß sie seufzend hervor.

»Das sind schließlich keine Kinder mehr«, meinte Maura. »Wir können sie ja schlecht auf ihre Zimmer schicken, oder?«

Bernadette schüttelte den Kopf. »Nein. Wenn wir Glück haben, kommen sie alle sturzbetrunken zurück und haben morgen einen höllischen Kater; dann sind sie Wachs in unseren Händen.«

»Sollen wir Carla vierundzwanzig Stunden am Tag im Auge behalten?«, fragte Maura.

»So genau hat Dominic sich da nicht ausgedrückt«, entgegnete Bernadette. »Er meinte nur, es wäre besser für sie, wenn sie hier wäre und nicht in Dublin. Offenbar hat sie sich dort mit einer ziemlich üblen Clique eingelassen.«

Maura zog die Augenbraue hoch. »Vielleicht sollten wir jeden Tag einen Bluttest bei ihr machen, was meinst du? Wir könnten Dominic jedes Wochenende einen schriftlichen Bericht schicken.«

Bernadette grinste. »Jetzt komm, zieh die Krallen wieder ein, Maura.«

Maura, die sich ertappt fühlte, lachte verlegen. »Ach, was«, wiegelte sie ab. Es störte sie nur, dass Dominic sich so viele Gedanken um Carla machte, während die offenbar nur an sich selbst dachte.

In der Nacht zum Dienstag wachte Maura plötzlich auf. Sie war sofort hellwach. Ein Blick auf den Nachttischwecker informierte sie darüber, dass es drei Uhr war. Sie hatte ein eigenartiges Geräusch von draußen gehört und lag nun mucksmäuschenstill da, um zu warten, ob es sich wiederholte. Hoffentlich nicht ein weiteres Romeo-und-Julia-Debakel. Bis auf Carla schien die derzeitige Schülergruppe durchwegs aus fröhlichen Singles zu bestehen – zumindest hatte es bis jetzt noch keine Liebeskummertränen gegeben. Sie wartete, und dann hörte sie ein Motorrad, das in der Auffahrt stand und im Leerlauf lief. Leise stieg sie aus dem Bett und trat an ihr Fenster, ein großes Fenster, das auf die Vorderseite des Hauses hinausging.

Im schwachen Mondschein konnte Maura erkennen, wie Carla von dem kleinen Motorrad abstieg und dabei auch gleich ihren Helm abnahm. Maura sah, wie der Fahrer ebenfalls seinen Helm abnahm. Aus der Entfernung konnte sie lediglich seine kurz geschnittenen, blonden Haare erkennen, die weiß im Mondlicht schimmerten. Sie sah, wie Carla sich an ihn lehnte und ihre Hand an seine Wange legte. Dann drängte sie sich dichter an ihn, und Maura hielt den Atem an, als die beiden plötzlich anfingen, hingebungsvoll zu knutschen, wobei die Hand des jungen Mannes selbstgefällig über Carlas, von dem eng anliegenden schwarzen Kleid bedeckte Kurven strich.

Maura war total geschockt. Das trieb Carla also, wenn Dominic weg war? Sie sah, wie die Hand des Mannes sogar noch weiter unter Carlas Rock kroch und wie ihre Küsse immer leidenschaftlicher wurden.

Peinlich berührt ließ Maura den Vorhang fallen. Sie wollte nichts mehr sehen. Auf Zehenspitzen ging sie zu ihrem Bett zurück und schlüpfte wieder unter die Decke. Das Sprichwort über die Mäuse, die tanzen, wenn die Katze aus dem Haus ist, kam ihr in den Sinn. Sie lag still da und lauschte nach draußen, ob das Motorrad wieder ansprang, sie konnte nicht anders. Doch das Geräusch blieb aus. Stattdessen hörte sie wenig später, wie die Haustür aufging und Carla und ihr Begleiter mit unterdrücktem Kichern langsam die Treppe heraufkamen.

Jetzt war Maura hellwach; sie war nicht sicher, ob sie sich das Ganze vielleicht nur einbildete. Aber die tiefe Stimme des Mannes bestätigte ihren Verdacht. Carla nahm ihn mit auf ihr Zimmer.

Dann war es wieder still im Haus. Aber Maura konnte nicht schlafen. Unruhig wälzte sie sich im Bett herum, fiel schließlich in einen Halbschlaf. Noch vor Morgengrauen wachte sie wieder auf, als draußen das Motorrad ansprang. Sie stieg aus dem Bett und trat abermals ans Fenster. Sie konnte gerade noch sehen, wie das Motorrad durch die baumbestandene Allee der Auffahrt verschwand. Um Carla machte sie sich keine Gedanken; Carla war ihr egal. Aber Dominic, der tat ihr auf einmal Leid. Der Deal, den er mit Carlas Vater abgeschlossen hatte, spielte in dem Fall keine Rolle – sie wusste genau, wie es war, wenn man von seinem Partner betrogen wurde.

An diesem Morgen tauchten die Schüler ein wenig verschlafen auf, waren aber nichtsdestotrotz mit Feuereifer bei der Sache. Carla ließ sich nicht blicken.

Niamh, eines der irischen Mädchen, richtete aus, dass Carla plötzlich Migräne bekommen habe und wahrscheinlich den ganzen Tag lang nicht herunterkommen würde. Maura nahm es mit Erleichterung zur Kenntnis.

Aber dann tauchte Carla später am Nachmittag doch noch auf, gerade als Maura dabei war, die Desserts vorzustellen.

Maura warf einen Blick auf die Amerikanerin, als diese in die Küche kam, und bemerkte die tiefen Schatten unter ihren Augen. Sie lächelte ihr freundlich zu, fest entschlossen, sich von der Göre nicht aus der Ruhe bringen zu lassen.

Bernadette begrüßte sie. »Hallo, Carla, Sie kommen gerade rechtzeitig für den Dessertkurs«, meinte sie fröhlich. »Maura, was erwartet uns denn heute Schönes?« Mit einem Wink forderte sie Maura auf, weiterzumachen.

Maura schrieb die Dessertfolge auf die weiße Plastiktafel:

Vollkornpfannkuchen mit einer Creme aus Mandarinen und Passionsfrüchten

Gegrillte Feigen und Trauben in einer würzigen Joghurtsoße

Pfirsichsorbet mit einer Beilage aus frischen Pfirsichen, gedünstet in tasmanischem Leatherwood-Honig und gerösteten Mandeln

Sie konnte fast hören, wie ihre Schüler sich beim Lesen die Lippen leckten.

Schon bald war die Küche von den köstlichsten Düften erfüllt, und alle Schülerinnen waren über diverse Töpfe und Schüsseln gebeugt. So unglaublich es auch war, doch an den süßen Speisen und deren Rezepten schien sogar Carla interessiert zu sein. Mit Erstaunen beobachtete Maura, wie sie später einen ganzen Pfannkuchen und die Hälfte der gegrillten Feigen aß.

Nach einer kurzen Pause traf man sich im Wohnzimmer zur informellen Weinprobe. Carla war schon wieder verschwunden.

»Sie ist raufgegangen«, sagte eine Schülerin, als Bernadette ihre Abwesenheit auffiel. »Sie hat gemeint, es ginge ihr wieder schlechter.«

Bernadette und Maura tauschten einen Blick. »Ich sehe nur rasch nach, was mit ihr ist«, erbot sich Maura und musste sich auf die Lippen beißen, um sich jeden weiteren Kommentar zu verkneifen. »Bernadette, vielleicht könntest du der Klasse ja schon mal die Verwendung der unterschiedlichen Weingläser erklären.«

Bernadette nickte. Sie hatte längst einen Zusammenstoß zwischen Maura und Carla erwartet. Warum also nicht jetzt?

Maura ließ Bernadette, die den Schülern als Erstes den Unterschied zwischen einem Rotwein- und einem Weißweinglas erläuterte, zurück und erklomm die Treppe. Carlas Zimmer lag im Ostflügel, den sie mit Dominic teilte, wenn sie hier waren. Es war eine wunderschöne Zwei-Schlafzimmer-Suite mit einem Wohnzimmer dazwischen, dessen Fenster auf die umliegenden Felder hinausführten.

Die Tür stand ein wenig offen, und Maura klopfte leise an. Als daraufhin keine Antwort kam, wollte sie gerade wieder runtergehen, als sie im Bad ein würgendes Geräusch hörte, gefolgt von den unmissverständlichen Geräuschen des Erbrechens.

»Carla?«, rief Maura, die sich plötzlich Sorgen machte. »Geht es Ihnen nicht gut?« Keine Antwort. Rasch ging sie auf das Bad zu. Wieder hörte sie dieses Würgen, dann wurde die Klospülung betätigt. Maura wollte gerade an die Badezimmertür klopfen, als Carla auftauchte. Sie zuckte heftig zusammen, als sie Maura sah.

»Was haben Sie hier zu suchen?«, fauchte sie.

Maura war gekränkt. »Ich wollte nur sehen, ob mit Ihnen alles in Ordnung ist. Tut mir Leid, dass ich einfach so reingekommen bin, aber ich hab gehört« – sie wählte ihre Worte sorgfältig –, »ich hab gehört, dass es Ihnen nicht gut geht. Sind Sie vielleicht krank?«

Zu ihrer Überraschung ignorierte Carla ihre Anspielung auf die Geschehnisse im Bad. »Mir geht's gut«, sagte sie trotzig, doch Maura fiel auf, dass ihre Augen verweint, ihre Wimperntusche ein wenig verwischt war. Sie schien ein Röhrchen Tabletten hinter dem Rücken zu verstecken. »Um diese Zeit des Monats ist mir immer leicht übel«, sagte sie und starrte Maura ins Gesicht. Hüte dich, weiter zu fragen!, schien ihre Miene auszudrücken.

Maura bedachte diese Antwort mit einem knappen Nicken. »Also, wir wollten gerade mit der Weinprobe anfangen, falls Sie sich dazu in der Lage fühlen. Sie können aber auch gerne kommen und nur zusehen, wenn Ihnen das lieber ist.«

Carla musterte sie kalt. »Den Wein Ihres Bruders?«, fragte sie mit gedehnter Stimme, die Verachtung in ihrem Ton war unüberhörbar.

Maura merkte, wie ihr allmählich der Geduldsfaden riss. »Nicht bloß sein Wein – wir werden auch italienischen und französischen probieren. Möchten Sie mit runterkommen?«

Carla zuckte die Schultern. »Hab im Moment eh nichts Besseres zu tun.« Sie trat beiseite. »Nach Ihnen.«

Später am Abend, Maura war gerade mit dem Aufräumen der Küche fertig geworden, erhielt sie einen überraschenden Anruf von Joel, ihrem Journalistenfreund. In Sydney war es früher Vormittag, und Maura konnte sich vorstellen, dass er höchstwahrscheinlich in einem Liegestuhl auf seinem Balkon lümmelte und den Blick über den Bondi Beach schweifen ließ.

»Jetzt halt dich fest, Maura«, brüllte er ins Telefon, »aber ich fliege noch heute nach London! Zwölftausend Meilen, nur wegen einer einzigen Story. Werde nur drei Tage da sein, also musst du unbedingt kommen und mich besuchen – keine Ausreden.«

Maura lachte und ließ sich das Ganze noch mal erklären.

»Es ist 'ne Story für den *Sydney Morning Herald* über die Beliebtheit der australischen Köche in Übersee. Kam wie aus heiterem Himmel. Sie wollen, dass ich mir die Restaurants ansehe, das Essen dort probiere, mit ein paar Leuten rede, die Besitzer interviewe, so was alles«, erklärte er begeistert.

Erneut drängte er sie: »Ich bin nur für drei Tage da, Darling. Du musst unbedingt rüberfliegen und dich mit mir treffen, da gibt's keine Entschuldigung.«

»Ich werde mein Bestes versuchen«, lachte Maura und versprach ihm, sofort zurückzurufen, wenn sie mit Bernadette gesprochen und einen Blick in ihren Terminplan geworfen hatte.

»Aber sicher geht das«, erklärte Bernadette sofort. »Und

du solltest dir ohnehin London anschauen, wenn du schon mal hier bist. Du kannst Donnerstagabend nach dem Kursende rüberfliegen, dich mit Joel treffen und dann am Freitag zum Kochen wieder zurück sein. Um die Vorbereitungen kümmere ich mich schon – so schwer ist das mit den australischen Gerichten nun auch wieder nicht, jetzt, wo ich Bescheid weiß!

Und ich hab auch genau das richtige Hotel für dich, liegt mitten im besten Teil von London. Dominic übernachtet auch dort, und er sagt, es ist einfach toll. Ja, diese Woche ist er auch da, vielleicht trefft ihr euch ja zufällig«, fügte sie wie beiläufig hinzu, während sie schon nach ihrem Adressbuch griff.

Maura schrieb sich Adresse und Telefonnummer des Hotels auf. Bernadettes Bemerkung über Dominic hatte sie kaum mitbekommen. Rasch rief sie Joel an und vereinbarte ein Treffen mit ihm.

»Dann also bis Donnerstagabend im Restaurant. Das wird toll, ich freu mich. Kann's kaum erwarten«, sagte sie begeistert.

Als sie sich, noch immer lächelnd, vom Telefon abwandte, tauchte unversehens Carla aus dem Wohnzimmer auf.

»So so, Sie fliegen also nach London«, sagte sie in ihrem näselnden Tonfall und ohne sich für ihr Lauschen zu entschuldigen. »Ein Treffen mit einem alten Freund, wie's sich anhört.«

Was hatte diese Frau bloß an sich, dass Maura ihr jedes Mal am liebsten eine gescheuert hätte? »Ja«, konterte sie, »ein sehr guter und sehr alter Freund. Kann's kaum erwarten, ihn zu sehen.«

»Es ist ein Liebhaber, stimmt's?«, meinte Carla. Der verächtliche Blick, mit dem sie Maura dabei von Kopf bis Fuß maß, schien zu sagen, dass ihr die Vorstellung, ein Mann könne sich zu Maura hingezogen fühlen, über den Verstand ging.

»Ach, viel besser«, antwortete Maura, die zunehmend wütender wurde. »Ein Mann, der mich um meiner selbst willen liebt und nicht wegen meiner Herkunft oder meines Vermögens.«

Carlas Augen verengten sich. »Solche Männer gibt's gar nicht.«

»Überrascht mich nicht, dass Sie das denken«, entgegnete Maura ebenso kalt.

Bernadettes Ruf aus der Küche verhütete Schlimmeres. Kopfschüttelnd und erleichtert dachte Maura an den Überraschungstrip nach London. Nach allem, was sie in den letzten drei Wochen erlebt hatte, war sie so erschöpft wie schon lange nicht mehr. Ein Abend mit einem alten Freund war da genau das, was sie brauchte.

28. Kapitel

Bernadette bestand darauf, Maura zum nahe gelegenen Shannon Airport zu bringen. Sie drängte sie, die kurze Pause so richtig zu genießen. »Du weißt, dass du dich voll und ganz auf mich verlassen kannst, was die Vorbereitungen betrifft – und falls was schief geht, wir haben ja jede Menge Dosen in den Schränken, nicht?«

Der Flug dauerte nicht einmal eine Stunde, und als sie im Flughafen Heathrow angekommen war und sah, wie sich die Massen zur U-Bahn drängelten, beschloss sie spontan, sich ein Taxi zu leisten und direkt zu dem Restaurant in der Innenstadt zu fahren, in dem sie sich mit Joel treffen wollte.

Als sie die grandiose Treppe zum großen Speisesaal hinunterging, war sie froh, dass sie ihr rotes Kleid angezogen und sich während der langen Taxifahrt frisch geschminkt und die Haare zu einer eleganten Frisur hochgesteckt hatte.

Das war das luxuriöseste Restaurant, das sie je gesehen hatte.

Jede Wand war mit erlesenen Wandgemälden bemalt und mit kostbaren Spiegeln behangen. Die Stühle waren richtige kleine Kunstwerke. Alle Kellnerinnen waren bildschön und trugen eine Uniform, die sich selbst auf einem Catwalk gut gemacht hätte.

Soeben war sie von einem solchen Supermodel zu ihrem Tisch gebracht worden, als sie eine vertraute Stimme hinter sich hörte. Es war Joel, perfekt herausgeputzt und mit einem Gesichtsausdruck wie ein Kater, der den Sahnetopf erwischt hat. »Eine Heimat fern der Heimat, nicht, Darling?«, lachte er, als Maura ihn freudig begrüßte.

Er setzte sich und bestellte zwei Gläser Champagner für sie beide. »Der reinste Traumjob, Süße«, sagte er, von einem Ohr zum andern grinsend. »Der weite Flug, nur um mit sechs Aussies zu reden. Hätte sie auch von Sydney aus anrufen und das Ganze in 'ner halben Stunde erledigen können. Das mögen ja ausgezeichnete Köche sein, aber als sprachgewandt kann man sie wahrhaftig nicht bezeichnen. Der reinste Albtraum für jede Talkshow.« Er verdrehte die Augen.

Während sie wie von selbst ins Reden kamen und über den neuesten Sydneyer Tratsch und die Vorkommnisse im ländlichen Irland plauderten, legte Joel demonstrativ sein Handy auf den Tisch, was Maura zum Lachen brachte.

»Ich versuche doch nur, mich wie die Eingeborenen zu verhalten«, verteidigte er sich. Maura ließ den Blick zu den anderen Tischen schweifen, und, tatsächlich, neben fast jedem Teller lag so ein Ding. Wegen der deckenhohen Spiegel, in denen sich die Tische endlos spiegelten, wirkte das Ganze noch bizarrer.

Sie wandte ihre Aufmerksamkeit wieder Joel zu, der gerade dabei war, ihr seine Recherchen für die Story näher zu erläutern. »Seit ich weiß, dass ich herkomme, versuche ich, einen Interviewtermin mit dem Besitzer dieses Restaurants auszumachen«, vertraute er ihr an, »aber der scheint der beschäftigste Mann in ganz London zu sein. Ich hoffe, dass er mir morgen zwanzig Minuten einräumt – seine PR-Beraterin meint, sie würde mich wegen der Bestätigung noch anrufen.«

Doch während des Essens blieb das Telefon dankenswerterweise still. Das Menü war nicht anders als das Dekor – kunstvoll und köstlich, mit geradezu erstaunlicher Liebe zum Detail.

Beim Essen erzählte Maura Joel alles über den Besuch des Testers in Lorikeet Hill und über die peinliche Verwechslung. Ganz besonders erstaunt war er über die Neuigkeit, dass Dominic in Dublin aufgetaucht war.

»Darling, ich hoffe, ich hab dich nicht reingeritten«, meinte Joel erschrocken. »Ich hätte rausfinden sollen, wie der Tester genau aussieht. Ich und mein großes Mundwerk. Ich hätte kein Sterbenswörtchen über die Übernahme rauslassen dürfen.«

Maura wischte seine Besorgnis beiseite. »Ach, ist doch egal, das alles spielt doch gar keine Rolle mehr. Hat sich ja in Wohlgefallen aufgelöst«, schwindelte sie. »Und wie's scheint, hast du genug Arbeit. Vergessen wir die Sache – erzähl, was ist so los in Sydney?«

Joel ist der beste Gesellschafter, dachte Maura, die sich Lachtränen abwischen musste, nachdem er ihr eine besonders skandalöse Geschichte über einen Journalisten aus demselben Ressort erzählt hatte. Er passt perfekt hierher, dachte sie, seine exzentrische, überschwängliche Art passt genau in diese Atmosphäre.

Sogar die Toiletten waren außergewöhnlich, wie Maura einige Zeit später feststellte. Wie in der Puderdose eines Hollywood-Starlets sah es dort aus. Selbst hier war eine Schönheit stationiert, die den weiblichen Gästen die Wasserhähne aufdrehte, Seife verteilte und einen Spritzer von diversen, sehr exklusiven Parfüms anbot. Maura musste lachen, als sie daran dachte, wie es wäre, wenn sie diese Idee auch in Lorikeet Hill einführen würde. Sie konnte sich den Schrecken einiger Stammgäste ausmalen, wenn sie sich beim Betreten der kleinen Toilette plötzlich einer Kellnerin gegenübersähen, die ihnen Handtuch und Klopapier entgegenstreckte.

Joel hatte ihr gerade eine Geschichte aus zweiter oder dritter Hand über Richards Arbeit in London erzählt, als sein Handy schließlich doch noch klingelte. Grinsend ließ er es ein paarmal läuten, ehe er das Gespräch annahm, um die anderen Gäste auf sich aufmerksam zu machen.

Es war die persönliche Assistentin des Inhabers, die ihm mitteilte, dass die einzige Gelegenheit für ein Interview innerhalb der nächsten Stunde sei, da ihr Arbeitgeber morgen früh unerwartet nach Paris fliegen müsse.

Maura winkte ab, als Joel sich überschwänglich wegen des frühen Endes ihres Abends entschuldigte. »Ach, komm, das verstehe ich doch. Du kannst wohl kaum nein sagen – deshalb bist du schließlich hier, oder?«

Nachdem sich Joel total zerknirscht von ihr verabschiedet hatte, nahm sich Maura ein Taxi zu ihrem Hotel, das nur wenige Meilen entfernt lag. Bernadette hatte Recht – es war wirklich wunderhübsch. Sie hatte sich gerade beim Empfang angemeldet und wollte schon auf ihr Zimmer gehen, als die sanfte Musik aus der kleinen Hotelbar an ihr Ohr drang.

Ein Blick auf ihre Uhr überzeugte sie davon, dass es noch viel zu früh war, um schon ins Bett zu gehen. Immerhin war sie in London. Wie oft passierte das schon? Sie würde sich ein Glas Champagner bestellen, ein paar längst überfällige Postkarten schreiben und sich die Londoner mal etwas genauer ansehen.

Als sie sich einen ruhigen Platz an einem Fenstertisch gesucht hatte, blickte sie sich erst einmal um und genoss das elegante, kultivierte Erscheinungsbild der Gäste. Es gab einige Pärchen in Abendgarderobe. Eine gut gekleidete Familie. Ein Trio von Geschäftsmännern in Anzügen. Und Dominic Hanrahan.

Dominic? Nein, das konnte nicht sein. Sie blickte erneut hin und wurde jäh von Verlegenheit erfasst. Er war es. Bernadette hatte ihr zwar gesagt, dass Dominic auch hier wohnte, aber sie hatte es verdrängt, hatte nicht wirklich erwartet, ihn zu treffen. Er schien in einem Geschäftsmeeting zu sein und hatte sie offenbar noch nicht bemerkt.

Maura, die nicht sicher war, was sie tun sollte, drehte sich rasch wieder um und schaute hingebungsvoll aus dem Fenster. Sie hoffte, Dominic würde sie nicht erkennen, wenn sie ihm den Rücken zuwandte.

Sie hatte ihr Glas schon fast ausgetrunken und schrieb gerade eine Postkarte an Gemma, als sich eine Hand auf ihre Schulter legte. Erschrocken zuckte sie zusammen.

»So so, du hast die Restaurants also sausen lassen und ins Fach der Edelnutte übergewechselt, wie's scheint. Na, wahrscheinlich hast du dafür sowieso mehr Talent, als du's fürs Kochen je hattest.«

Geschockt blickte sie auf. Selbst nach drei Jahren hatte sie die Stimme ihres Ex sofort erkannt. »Richard, was machst du denn hier?«

»Kannst dich bei deinem guten Freund Joel dafür bedanken«, sagte er überraschend. Ihren abweisenden Blick ignorierend, zog er sich einen Stuhl heran und nahm, unangenehm dicht, bei ihr Platz. »Ich war mit diesem Restaurantbesitzer zusammen, den Joel interviewen wollte, und hab ihn getroffen, als er dort auftauchte. Und du kennst ja Joel und sein Riesenmundwerk – ist ihm doch tatsächlich rausgerutscht, dass du in London bist und in welchem Hotel du wohnst. Also bin ich sofort hierher gekommen. Ich wusste, du würdest mich irgendwann suchen – überrascht mich nur, dass es so lang gedauert hat.«

Als Maura seine undeutliche Aussprache hörte, war ihr klar, dass Richard ziemlich betrunken war. Auch glänzten seine Augen auf eine Weise, die vermuten ließ, dass Alkohol nicht die einzige Substanz war, die er sich zugeführt hatte. Als Richard noch näher an sie heranrückte, konnte Maura unschwer erkennen, dass ihm die letzten paar Jahre nicht sehr gut bekommen waren. Er bekam allmählich eine Stirnglatze und war um die Mitte deutlich fülliger als früher. An der arroganten Haltung seines Kinns hatte sich jedoch nichts geändert.

»Immer noch allein, wie ich sehe«, höhnte er, und als er sich vertraulich vorbeugte, roch sie seine Alkoholfahne. »Hab deiner blöden Freundin gesagt, dass es ein Fehler war, mich zu verlassen«, nuschelte er. »Wie hieße noch gleich? Gemma, nich?«

Sie machte sich nicht einmal die Mühe, zu nicken. Richard kannte Gemmas Namen sehr gut.

»Wie geht's der lieben Gemma? Hat sie wieder 'nen Job gefunden? War schon 'ne Schande, dieser Artikel, nich? Und wie ich höre, tischst du in irgendso 'ner Fußballkantine auf dem Lande den Bauerntrampeln Rippchen und Kartoffelbrei auf. Hast wohl deine wahre Berufung gefunden, wie?«

»Lass mich in Ruhe, Richard«, sagte sie, die Nerven zum Zerreißen gespannt.

Richards Stimmung schlug sofort um. »Lass mich in Ruhe, Richard«, imitierte er sie gehässig. »Was fällt dir ein, so mit mir zu reden. Und wie konntest du es wagen, mich einfach so sitzen zu lassen? Du weißt wohl gar nicht, dass ich der Beste war, den du je abbekommen wirst, du dumme Kuh.« Er beugte sich gefährlich nahe zu ihr vor und musste die Hand auf ihren Schenkel legen, um sich abzustützen.

Maura saß stocksteif da. In einer solchen Stimmung hatte sie ihn schon öfter erlebt. Er legte ihr die Hand an die Stirn. Aus der Entfernung musste diese Geste wie eine Liebkosung wirken, doch sie keuchte auf, als er eine Haarlocke packte und fest daran zog.

»Hat's dir die Sprache verschlagen, Mauraschatz? Brauchst wohl immer noch deine Freunde, um dich hinter ihnen zu verstecken, was?«, lallte er.

Da merkte sie, wie kalte Wut in ihr hochschoss, ganz anders als die zögerliche Verwirrung, die sie früher immer in ähnlichen Situationen mit ihm empfunden hatte.

»Finger weg, oder ich rufe den Sicherheitsdienst«, sagte sie mit ruhiger, fester Stimme.

»Ach, spielst jetzt die Mutige, wie?«, verhöhnte er sie. »Komm schon, Schätzchen, denk an die alten Zeiten. Ich weiß, dass du mich vermisst.«

»Ich meine es ernst, Richard. Du bedeutest mir gar nichts. Verpiss dich, oder ich rufe die Polizei«, warnte sie ihn.

Richard zog erneut an ihrer Haarlocke. »Jetzt pass mal auf, du dumme …«

Eine ruhige Stimme unterbrach ihn.

»Belästigt Sie dieser Mann, Maura?«

Dominics Stimme.

Richard hatte sich noch vor ihr umgedreht. »Wer, zum Teufel, sind Sie?«, knurrte er den Neuankömmling an.

Maura blickte schnell zu Dominic auf. Er war allein – von den anderen Geschäftsleuten keine Spur. Sein Meeting musste zu Ende sein.

Das plötzliche Auftauchen eines potenziellen Konkurrenten lenkte Richard immerhin soweit ab, dass sich sein Griff um ihre Haare lockerte. Sie packte sein Handgelenk, drehte es und grub ihm dabei ihre Nägel ins Fleisch. Aber in seinem Zustand spürte er es kaum.

»Nein, er belästigt mich keineswegs«, antwortete sie. »Und bekannt machen brauche ich euch auch nicht. Er ist ein alter Säufer, der sowieso gerade gehen wollte.«

Maura erhob sich und sammelte rasch ihre Sachen zusammen. Sie setzte ein Lächeln auf und kehrte Richard den Rücken zu, was ihr ein immenses Vergnügen bereitete. Dann überraschte sie sowohl Dominic als auch sich selbst damit, dass sie sich auf Zehenspitzen stellte, ihm einen Kuss auf die Wange gab und seine Hand ergriff.

»Wie schön, dich zu sehen, Liebling«, sagte sie laut genug, dass Richard es hören konnte. »Ich hoffe, dein Meeting ist gut gelaufen.«

Aus den Augenwinkeln sah sie, dass Richard mit bestürzter Miene zwischen ihnen hin und her schaute und sich dabei sein malträtiertes Handgelenk rieb. Er machte Anstalten, etwas zu sagen, doch Maura unterbrach ihn.

»Einen schönen Abend noch. Und ein schönes Leben«, fügte sie höflich hinzu und zog Dominic forsch nach draußen ins Foyer.

Doch sobald sie im hellen Foyer standen, verließ sie der Mut.

»So springst du also mit einem ›alten Säufer‹ um?«, sagte Dominic und blickte sie mit einem Lächeln an. »Ich sollte in deiner Gegenwart wohl besser nüchtern bleiben.«

Sie sagte nichts dazu, war viel zu geschockt, um auf seine Bemerkung zu reagieren. Auch die Tatsache, dass sie zum vertraulichen Du übergegangen waren, registrierte sie kaum. Dominic bemerkte den unnatürlichen Glanz in ihren Augen, und da wurde ihm klar, wie ernst die Situation für sie gewesen sein musste.

»Das war Richard, der Chefkoch, liege ich da richtig?«, fragte er leise.

Sie blickte zu ihm auf. Er hatte ein gutes Gedächtnis. »Ja«, antwortete sie schlicht.

Er warf einen Blick auf ihre Taschen. »Du übernachtest auch hier, nicht?«

Sie nickte. Bernadette musste angerufen und es ihm gesagt haben. »Nur bis morgen. Hab mich mit einem alten Freund aus Sydney getroffen. Aber so hatte ich mir unseren gemeinsamen Abend wahrhaftig nicht vorgestellt ...« Ihre Stimme verklang. Sie konnte noch immer nicht fassen, was gerade passiert war.

In besorgtem Ton, sie eingehend musternd, sagte er: »Maura, fehlt dir was? Soll ich dich auf dein Zimmer bringen?«

Sie nickte benommen, in Gedanken immer noch bei der Begegnung mit Richard. Sie war zwar geschockt, aber dennoch stolz darauf, wie sie mit der Situation fertig geworden war. Es hatte nie einen klaren Schlussstrich zwischen ihnen gegeben. Nach dem letzten hässlichen Streit hatte sie sich verleugnen lassen, hatte sich für eine abschließende Auseinandersetzung nie stark genug gefühlt. Der Trennung hatte der Abschluss gefehlt. Doch jetzt nicht mehr.

Wortlos folgte sie Dominic, der sie auf ihr Zimmer führte. Er hatte ihr gerade eine gute Nacht gewünscht, als er merkte, wie ihre Hände zitterten. Sie schaffte es kaum, den Schlüssel ins Schloss zu stecken.

»Du scheinst einen größeren Schock bekommen zu haben, als dir bewusst ist«, sagte er sanft. »Möchtest du einen Drink?«

Sie überlegte kurz, dann nickte sie, mühsam lächelnd. »Aber in die Bar würde ich lieber nicht mehr gehen.« Sicher hockte Richard noch dort herum.

Das schien Dominic zu verstehen. »Ich habe eine Minibar auf meinem Zimmer, es ist nur einen Stock höher. Möchtest du ein Glas Wein oder vielleicht was Stärkeres?«, erkundigte er sich.

Maura nickte. Sie folgte ihm die Treppe hinauf und versuchte, ihm alles zu erklären, doch Dominic winkte ab.

»Trink erst mal einen Schluck, dann kannst du mir alles erzählen, wenn du willst.«

Sein Zimmer wurde von zwei roten Lampen erhellt, die

ein warmes Licht verbreiteten. Die Decke des Doppelbettes war vom Zimmermädchen zurückgeschlagen worden, und auf dem Sofa lag sein Gepäck.

Dominic führte sie behutsam zum Bett. »Setz dich kurz da hin, ich mache schnell das Sofa frei und hole dir was zu trinken.«

Als sie in der Stille seines Zimmers saß, setzte plötzlich eine verspätete Reaktion auf Richards Beleidigungen ein. Sie musste daran denken, wie er sie an den Haaren gezogen hatte, an sein wutverzerrtes Gesicht, als er sich zu ihr vorbeugte. Bevor sie wusste, wie ihr geschah, kamen ihr die Tränen.

»Ach, Maura«, sagte Dominic mitfühlend. Er ging sofort zu ihr und setzte sich dicht neben sie. Ohne ein Wort zu sagen, barg sie den Kopf an seiner Schulter.

»Sch«, sagte er und nahm sie in die Arme, »denk nicht mehr an ihn, hier bist du in Sicherheit, hierher traut er sich nicht, ich passe schon auf dich auf, ist ja alles gut ...«

So redete er auch immer auf Carla ein, erinnerte sie sich. Es war ein rhythmisches Murmeln, sanfte Worte, die sie ebenso schnell zu beruhigen schienen, wie sie das bei Carla beobachtet hatte. Doch ausnahmsweise machte ihr der Gedanke an Carla nichts aus. Carla schien weit, weit weg zu sein.

Sie versuchte, sich aufzusetzen; er hielt sie noch in den Armen. »Tut mir Leid«, sagte sie verlegen. »Es war bloß der Schock, ihn so plötzlich zu sehen, das hätte ich als Allerletztes erwartet. Man möchte doch meinen, in einer so großen Stadt wie London –«, sie unterbrach sich. »Ich dachte, ich wäre über ihn hinweg, ich meine, ich bin über ihn weg, ich hätte bloß nicht erwartet, dass er so ... so ...«

»Widerlich ist?«, sagte Dominic mit einem Lächeln.

»Widerlich«, echote Maura leise und hätte beinahe gelächelt. »Ja, widerlich.« Wieder versuchte sie, sich aufzusetzen, und da fiel ihr eine Haarlocke in die Augen.

Beinahe abwesend strich sie ihr Dominic aus dem Gesicht.

Doch dabei beließ er es nicht. Langsam glitt sein Finger über ihre Schläfe, den Wangenknochen und über ihre Lippen.

Maura hielt den Atem an und blickte ihm in die Augen.

»Er ist ein Dummkopf«, flüsterte Dominic.

Sie wurde ganz still.

»Und ich war ein Dummkopf«, sagte er, und dann küsste er sie.

Maura schloss die Augen, während all ihre Sinne explodierten. Sie roch seinen ganz speziellen Duft: eine Mischung aus Moschus und frischem Shampoo und dem Rasierwasser, das sie bereits mit ihm assoziierte. Ihr stockte der Atem, als seine Lippen weiter zu ihrem Hals wanderten.

»Jetzt bin ich dran – jetzt darf ich dich im Dunkeln bewundern«, flüsterte er. Sie riss die Augen auf. Er lächelte sie an. »Aber mir fehlt der grüne Schlafanzug.«

Ihre Wangen brannten, als sie an jene Nacht in dem Hotel in Mayo dachte. »Du warst wach?«, flüsterte sie entsetzt.

»Sehr wach sogar. In jeder Beziehung«, fügte er leise hinzu. Er blickte ihr tief in die Augen, während er sie abermals küsste.

Ehe sie wusste, wie ihr geschah, war aus dem sanften Kuss ein leidenschaftlicher geworden. Ihre Reaktion auf ihn erschreckte sie. In der Nacht im Hotel hatte sie sich selbst eingeredet, dass sie an Dominic nur als an einem attraktiven Fremden interessiert war. Jetzt jedoch war es Dominic, nur Dominic, der dieses Feuer in ihr entzündete.

Der Kuss schien gar nicht mehr enden zu wollen. Es lag sowohl Leidenschaft, als auch eine sanfte Süße in diesem Kuss. Lautlos sanken sie aufs Bett. Ihre Kleidung schien wie von selbst von ihnen abzufallen. Im gedämpften Licht des Zimmers ließ sie ihre Blicke über Dominics nackten Körper wandern. Mit glühend heißen Fingerspitzen strich sie über seinen Körper. Er rang entzückt nach Luft, und sie lächelte. Sie sprachen nicht. Es gab nichts zu sagen, nur zu fühlen. Das einzige Geräusch im Zimmer war das ihrer Körper, die sich an den Laken rieben, und ihr leises Stöhnen, während sie sich gegenseitig erforschten.

Irland schien plötzlich am anderen Ende der Welt zu liegen, ihre gemeinsame Fahrt Jahrzehnte her zu sein. Alles, was sie jetzt wollte, war, seinen harten Körper an sich, in sich zu spüren. Und als es dann geschah, war es, als hätte sie sich nie etwas anderes gewünscht. Sie bäumte sich ihm entgegen, wieder und wieder, fast ohnmächtig vor Entzücken. Sie hatte das Gefühl, ein reines Sinnenwesen zu sein, nur noch zu fühlen, zu schmecken, zu berühren. Es war unvergleichlich.

Im Augenblick der Ekstase blickte sie ihm in die Augen, und er sah ihr ebenfalls in ihre weit aufgerissenen, staunenden Augen.

»Maura«, hörte sie ihn noch flüstern, bevor sie beide die Augen schlossen und sich von der Ekstase mitreißen ließen.

Mitten in der Nacht erwachten sie wieder.

»Was ist mit Carla?«, flüsterte sie.

»Was ist mit Cormac?«, flüsterte er zurück. Er lachte über ihre Empörung. »War bloß ein Witz. Ich weiß, dass zwischen dir und Cormac nichts ist.«

»Aber du und Carla?«, flüsterte sie und versuchte dabei, neckisch zu klingen, doch der Ernst ihrer Situation war ihr viel zu bewusst.

Er wurde mit einem Mal ernst. Sie hörten auf, sich zu küssen, und er stemmte sich ein wenig hoch und musterte sie mit einem langen Blick.

»Ach, Maura, Carla hat damit wirklich gar nichts zu tun«, sagte er ruhig, beugte sich vor und gab ihr einen sanften Kuss auf die Lippen. »Glaub mir, wenn ich dir sage, dass ich das zwischen uns nicht auf die leichte Schulter nehme.« Sein Ton bekam plötzlich etwas Drängendes. »Das hier, das mit uns, habe ich mir schon gewünscht, seit ich dich zum ersten Mal sah. Carla ...«, er stockte. »Ich muss dir alles über Carla erzählen, aber nicht jetzt, nicht heute Nacht. Ich habe ihrem Vater ein Versprechen gegeben, und das ist eine lange, sehr komplizierte Geschichte. Ich verspreche dir, alles so bald wie möglich zu erklären. Vertraust du mir?«

Sie blickte zu ihm auf, blickte ihm forschend in die Augen. Dann stimmte das mit dem Deal mit Carlas Vater also. Aber vielleicht war doch mehr dran, als sie dachte. Zu oft schon hatte sie ihn falsch eingeschätzt, hatte Situationen mit ihm falsch interpretiert. Sie nickte lächelnd, mit den Gedanken bereits bei den wundervollen Dingen, die seine Hände mit ihr anstellten.

»Ich werde dir alles bald erklären, ich versprech's. Aber für heute Nacht vertrau mir bitte, ja?«, flüsterte er.

Und das tat sie. Im Grunde ihres Herzens vertraute sie ihm ohnehin. Und im Moment wollte sie etwas ganz anderes, als an Carla denken.

29. Kapitel

Sie erwachte durch das köstliche Gefühl eines sanften Fingers, der die Konturen ihres Gesichts nachzeichnete, dann hinab zu ihrem Hals strich und noch weiter hinab, unter den Saum der kühlen Bettdecke. Langsam öffnete sie die Augen. Ein Lächeln umspielte ihre Lippen.

Dominic lag auf der Seite, hatte sich auf den Ellbogen gestützt und zeichnete mit seinem Finger ihre Kurven nach.

Sie lächelte zögernd. »Guten Morgen, Dominic.«

»Guten Morgen, Miss Carmody«, grinste er. »Wie ich sehe, sind wir wieder zur alten Förmlichkeit zurückgekehrt. Und ich dachte schon, zwischen uns wäre gestern das Eis gebrochen.«

Ganze Eisplatten, ja Gletscher, dachte Maura.

Sie verspürte ein Kribbeln, wenn sie nur daran dachte.

Während sie wach wurde, versuchte sie, die Ereignisse zu begreifen. Sie war mit Dominic in einem Hotelzimmer. Sie hatte mit Dominic geschlafen. Mehrmals. Natürlich mit Kondom, also brauchte sie sich darum keine Sorgen zu machen. Dennoch konnte sie es kaum fassen. Ach du meine Güte, dachte sie.

Letzteres hatte sie offenbar laut geäußert, denn Dominic blickte sie plötzlich besorgt an.

»Maura«, sagte er leise, »bitte bereu's nicht, es war wunderschön. Ich war sicher, dass du's genauso wolltest wie ich.«

Sie blickte ihn an. Es war zwecklos, das zu bestreiten. »Vielleicht sogar mehr als du«, gestand sie. Es war Zeit, die Karten auf den Tisch zu legen. »Du hast mir auf Anhieb gefallen, als ich dich zum ersten Mal sah, in Lorikeet Hill.« Sie musste plötzlich grinsen.

»Na klar, selbstverständlich. Das dachte ich mir gleich, als du uns diesen Fraß vorgesetzt hast. Und ich nehme an, die Vase mit dem kalten Wasser diente nur dazu, dass ich mir über deine wahren Gefühle klar wurde«, sagte er gespielt ernst.

»War wohl zu offensichtlich, wie?«, meinte Maura. »Ich muss wirklich lernen, ein bisschen subtiler zu sein.«

Da zog er sie an sich, und mit einem seltsam entrückten Gefühl erlebte Maura, wie sich aus einem zärtlichen Kuss erneut mehr entwickelte. Es war einfach zu seltsam. Sie lag im Bett mit Dominic – und es war herrlich. Da schoss ihr plötzlich wieder Carla durch den Kopf.

Maura beendete widerwillig den Kuss; ihr Körper protestierte vor Enttäuschung. Rasch, sich fast überschlagend, versuchte sie, ihre Gefühle zu erklären. »Dominic, ich muss dir unbedingt was sagen. Ich will, dass du weißt, dass ich mich normalerweise nie in eine Beziehung hineindränge. Ich weiß, wie das ist, es ist mir selbst passiert, und es war schrecklich. Ich kann nicht so tun, als ob ich sie mögen würde, und ich habe jetzt auch nicht unbedingt Lust, die Notbremse zu ziehen, aber das ist wirklich nicht das, was ich normalerweise tun würde, mit dem Mann einer anderen schlafen.«

Auf einmal fiel ihr Carlas nächtliches Stelldichein mit dem Motorradfahrer ein, aber sie beschloss, das lieber für sich zu behalten. Es war so schon kompliziert genug, da brauchte sie nicht noch einen anderen Mann ins Spiel bringen.

Dominic schaute sie an; seine anfängliche Verwirrung verwandelte sich in ein Lächeln, das in seinen Augen begann und allmählich seine Lippen erreichte. »Maura, redest du über Carla?«

Sie nickte.

»Maura, kann sein, dass dich das jetzt überrascht, aber Carla und ich sind nicht zusammen. Ich weiß, dass es manchmal so aussieht und dass es vielen Leuten in den Kram passt, so was zu denken, aber wir sind kein Paar. Waren wir nie.«

Sie konnte ihr Erstaunen nicht verbergen. Er lächelte sie noch mal an und unterstrich seine Worte mit raschen kleinen Küssen.

»Maura, ich will dir ja gern alles über mich und Carla erzählen, aber das kann nicht ich allein entscheiden. Zuerst muss ich mit ihr reden. Ich schulde ihr Loyalität – und nicht nur ihr, auch dem Versprechen, das ich ihrem Vater gegeben habe.«

Wieder diese Sache. Sie hatte gehofft, es sich bloß eingebildet zu haben, dass er es gestern Abend kurz erwähnt hatte und dass Cormac sich möglicherweise irrte. Aber jetzt hatte Dominic es schon wieder erwähnt. Es war, als hätte eine düstere Wolke die Sonne im Raum verdunkelt. Maura wollte nicht an Carla denken oder an Carlas Vater oder irgendwelche Deals, ganz besonders nicht einen wie diesen, der immer mysteriöser und komplizierter zu werden schien.

Dominic schien es ebenso zu gehen.

»Ich hab eine Idee«, sagte er und gab ihr einen schnellen

Kuss. »Bevor ich nicht mir ihr gesprochen habe, wollen wir weder über Carla, noch ihren Vater, ja nicht mal über Ardmahon House reden.«

Maura lächelte zustimmend, kuschelte sich an ihn und genoss das herrliche Gefühl seiner Hand, die ihren nackten Rücken streichelte.

»Maura.« Er ließ ihren Namen langsam auf der Zunge zergehen. »Ich wollte dich schon immer fragen, wie ein australisches Mädchen wie du zu einem irischen Namen kommt?«

Maura schloss die Augen, ihr Gesicht warm an seiner nackten Brust. Leise erzählte sie ihm von Catherine Shanley, und wie Terri einen irischen Namen für ihre Adoptivtochter ausgesucht hatte, damit sie ihre Wurzeln nicht vergaß.

Er ließ sie nicht aus den Augen, und sie konnte sein Interesse und seine Neugier förmlich spüren. Er hatte eine klare, ruhige Art, sie anzusehen, ihr zuzuhören.

»Deine Mutter war Irin?«, fragte er sanft. »Woher kam sie?«

Maura wartete einen Moment, und dann wurde ihr klar, dass sie wirklich das Bedürfnis hatte, Dominic alles zu erzählen. Sie schaute ihn nicht an, lag an seiner Brust und erzählte ihm langsam und stockend alles, was seit ihrer Ankunft in Irland geschehen war. Seine sanften Hände, die ihren Rücken streichelten, beruhigten sie ebenso wie seine sanfte Stimme, mit der er ihr Fragen stellte.

Als sie fertig war, sagten sie eine Weile gar nichts. Aber seine Hände sprachen eine eigene Sprache. Maura fühlte sich geborgen und beschützt. Er küsste sie sanft aufs Gesicht, dann leidenschaftlicher. Wieder einmal vergaßen sie alle Worte, während sie sich dem Spiel ihrer Hände und Körper hingaben.

Etwas später murmelte Dominic in ihr Haar: »Wann geht dein Rückflug nach Shannon?«

Herrgott, den hatte sie vollkommen vergessen. Und das

Restaurant auch. Die arme Bernadette würde womöglich allein dastehen mit all den vorbereiteten Sachen. Sie sprang, sehr zur Freude Dominics, dessen Blicke ihr folgten, nackt aus dem Bett und lief zum Sofa, wo sich ihre Tasche befand.

»Um drei«, las sie laut, als sie ihr Ticket gefunden hatte.

Dominic streckte sich und nahm seine Armbanduhr vom Nachtkästchen. »Da bleiben uns noch ein paar Stunden. Worauf hätten wir Lust, was meinst du?«

»Wie meinst du das?«, fragte sie ein wenig verwirrt.

»Na ja, so gern ich auch den ganzen Tag mit dir im Bett verbringen würde, aber dafür haben wir künftig noch genug Zeit.«

Das gefiel ihr, sehr sogar.

»Nicht wahr?«, hakte er leise nach.

Sie lächelte auf ihn hinab und nickte.

Da zog er sie wieder zu sich ins Bett. »Also, was möchtest du denn heute machen?«, fragte er und zeichnete mit einem Finger träge den sanften Schwung ihrer Schulter nach, was es ihr schwer machte, sich richtig zu konzentrieren. Sie spürte, wie sie schon wieder anfing, dahinzuschmelzen.

Mit rauer Stimme sagte sie: »Ich wollte mir London ansehen; schließlich komme ich nicht alle Tage hierher. Eine Stadtrundfahrt, vielleicht. Irgendwas, das nicht zu lange dauert.«

»Hättest du was dagegen, wenn ich mitkomme?«, fragte er plötzlich.

»Aber nein, das wäre wundervoll«, sagte sie begeistert. »Aber hast du denn keine Meetings und so?«

»Habe heute früh, als du noch schliefst, alles verschoben. Einer der Vorteile, wenn man der Boss ist«, erklärte er mit einem Grinsen.

»Dann bin ich für heute also ganz in deinen Händen«, sagte Maura, die dies durchaus doppeldeutig meinte.

Dominic machte ihren Satz wahr, indem er sie zuerst zärtlich berührte und dann fest an sich zog. »Na, wenn du's so ausdrückst«, flüsterte er, »will ich dir nicht widersprechen.«

Gegen elf stiegen sie aufs Oberdeck eines Touristenbusses, wo sie gegen den kalten Wind die Mantelkrägen hochklappten.

Maura wurde das Gefühl nicht los, dass das alles nur ein Traum war, doch sie genoss jede Sekunde davon in vollen Zügen. Als der Bus losfuhr, begann die Führerin mit ihren Erklärungen, wies auf interessante Gebäude hin und erzählte etwas über die Geschichte der Stadt.

Das nahm Maura jedenfalls an. Viel bekam sie davon nicht mit, war sie doch zu sehr in ihr leises Gespräch mit Dominic vertieft. Die Themen Carla und Ardmahon House mochten ja tabu sein, doch gab es noch tausend andere Themen, über die sie reden konnten, wie sie feststellte. Sie war erstaunt, ihn so locker und entspannt zu sehen und genoss das Kribbeln in ihrem Bauch, während er zärtlich ihren Handrücken streichelte. Sie lachten und plauderten so viel, dass die Führerin anfing, ihnen ärgerliche Blicke zuzuwerfen.

»Hast du einen ungefähren Eindruck bekommen?«, erkundigte sich Dominic leise.

Maura nickte. Händchen haltend sprangen sie aus dem Bus, als dieser langsam um eine Ecke am Hyde Park bog. Sie kam sich vor wie ein ungebärdiger Teenager.

»Ich gehe sowieso lieber zu Fuß mit dir«, sagte er, den Arm um ihre Taille legend. Als sie durch den Hyde Park spazierten, kamen sie an einem Andenkenstand vorbei.

»Wartest du kurz?« Er legte seine Hand auf ihren Arm. Sie blieb stehen, wo sie war, zog den Mantel fester um sich und sah zu, wie er sich angeregt mit dem Standbesitzer unterhielt und über etwas lachte, das der junge Mann sagte. Sie wusste bereits, dass Dominic eine kleine Falte in der rechten Wange bekam, wenn er lachte. Und dass sein Lachen immer zuerst in seinen Augen begann, die Lachfältchen bekamen.

Und dass seine schwarzen Haare Ansätze von Grau zeigten. Das alles war ihr in den letzten zwölf Stunden aufgefallen, und sie barg diese Beobachtungen wie einen kostbaren Schatz in ihrem Herzen.

Er trat auf sie zu und hielt ihr eine Papiertüte hin. »Ein kleines Geschenk für dich. Du kannst schließlich nicht nach London kommen und ohne ein Souvenir wieder abfliegen. Ganz besonders nicht ohne so was ausgesucht Seltenes.«

Lächelnd nahm sie das Geschenk an. Es war eine knallrote Brosche in Form eines Londoner Doppeldeckerbusses, komplett mit lächelnden Passagieren, die aus den Fenstern winkten. Sie lachte, als sie das sah. »Einfach atemberaubend, geradezu exquisit«, erklärte sie mit gespieltem Ernst. »Vielen Dank, Dominic, ganz ehrlich. Ich werde die Brosche immer aufbewahren.«

»Das dachte ich mir«, grinste er.

Er bestand darauf, sie zum Flughafen Heathrow zu begleiten, und stieg trotz ihrer Proteste ins Taxi mit ein.

»Würde ein wahrer Kavalier seine Dame allein dem teuflischen Londoner Verkehr aussetzen? Nein, natürlich nicht.« Er gab ihr einen sanften Kuss auf den Mund. »Ich fliege morgen Abend wieder nach Irland zurück – wir haben viel zu bereden, Maura«, sagte er leise.

Plötzlich wurde sie von starken Gefühlen überrollt. Sie brachte kein Wort heraus, küsste ihn nur bewegt zum Abschied.

Er stand immer noch da und blickte ihr nach, als sie durch den Abfertigungsschalter und die Abfluglounge ging. Dabei warf sie einen Blick in einen der Wandspiegel. Es ließ sich nicht anders ausdrücken: Sie glühte.

30. Kapitel

Bernadette holte sie vom Shannon Airport ab.

»Na, dir hat die kleine Pause ja offensichtlich gut getan«, sagte sie lachend, als sie Mauras funkelnde Augen sah. »Die Lichter der Großstadt scheinen dir prima bekommen zu sein.«

»So was in der Art«, sagte Maura mit einem Lächeln. Es war zu früh, um ihr Geheimnis mit jemandem zu teilen. Sie befriedigte Bernadettes Neugier mit Geschichten über Joel und das atemberaubende Restaurant. Den Rest behielt sie für sich.

Bernadette hatte Wort gehalten. Alles war für die zwei Restaurantabende vorbereitet. Maura lachte, als Bernadette ihr die Extratische im Esssaal zeigte, allesamt eilig von einem der größeren Hotels in Ennis ausgeliehen.

»Ich konnte einfach nicht nein sagen. Wie könnte man den Herausgeber einer der wichtigsten Gourmet-Zeitschriften ablehnen? Oder drei berühmte Popstars? Wir haben schließlich genug Futter da, nicht?«, sagte sie mit einem Grinsen.

Von Carla war nichts zu sehen.

»Sie hat gesagt, sie will einen Abend in Galway verbringen«, erklärte Bernadette, während sie sich in der Küche zu schaffen machten. »Ich hab versucht, ihr möglichst diplomatisch zu verklickern, dass Dominic das nicht gern sähe, aber davon wollte sie nichts hören.« Bernadette lachte. »Sie ist gestern gar nicht lange nach dir fortgefahren. Ein Kerl auf einem Motorrad hat sie abgeholt, ein alter Freund aus ihrer Fotoagentur, sagte sie, glaube ich.«

Maura, die gerade frische Kräuter aus dem Garten unter dem Wasserhahn wusch, sagte nichts dazu. Bernadette plauderte gut gelaunt weiter.

»Aber morgen kommt sie wieder. Hat einen ganzen Trupp Freunde aus Dublin zum Essen vormerken lassen.«

»Wie schön«, sagte Maura fröhlich. Das störte sie nicht im Mindesten. In ihrer derzeitigen Stimmung hätte sie jedem, den Carla je kennen gelernt hatte, persönlich das Essen an den Tisch gebracht.

Bernadette warf ihr einen eigenartigen Blick zu, als wundere sie sich über ihre plötzliche Begeisterung für Carla. »Und Dominic hat vorhin angerufen und gemeint, er würde morgen Abend mit dem letzten Flug kommen, rechtzeitig zum letzten Gang«, sagte sie.

Maura senkte rasch den Kopf, damit man ihr Gesicht nicht sah. Es überraschte sie, welch starke Gefühle die bloße Erwähnung seines Namens bei ihr auslöste. »Was du nicht sagst«, meinte sie unbestimmt. Sie dachte an ihr kostbares Geheimnis. Einerseits hätte sie Bernadette gerne alles erzählt, doch andererseits wollte sie es unbedingt noch eine Weile ganz für sich behalten.

Der Samstagabend war kalt, und die Gäste, die in kleinen Grüppchen eintrafen, waren froh, sich erst einmal im Wohnzimmer am offenen Kamin aufwärmen zu können, wo sie einen Aperitif vor dem Dinner genossen.

Maura bewegte sich wie selbstverständlich zwischen ihnen, hellwach, vibrierend vor Leben, mit funkelnden Augen und leuchtenden Wangen. Sie wusste, dass das teilweise daher kam, weil dies ihr letztes Restaurantwochenende war, doch hauptsächlich lag es an Dominics unmittelbar bevorstehender Rückkehr.

Sie hatte sich an diesem Abend besonders große Mühe mit ihrer Erscheinung gegeben, trug ein elegantes grünes Kleid, das ihre dunkelroten Haare besonders gut zur Geltung brachte. Es war zwar kein praktisches Kleid, aber sie wollte unbedingt gut aussehen, wenn sie sich unter die Gäste mischte, selbst wenn das bedeutete, dass sie sich in der Küche mit einer riesigen Schürze schützen musste.

»Du siehst umwerfend aus«, sagte Bernadette liebevoll. »Wer hätte gedacht, dass das letzte Wochenende so schnell da sein würde – kommt einem irgendwie irreal vor, nicht?«

Maura umarmte spontan ihre Freundin. »Es war einfach toll«, sagte sie, »und es war toll, mit dir zu arbeiten, Bernadette. Ich darf gar nicht davon anfangen, sonst werde ich gleich furchtbar sentimental und verkoche das Essen.«

Sie unterhielt sich kurz mit einem Journalisten von einer Dubliner Zeitung, der sie wiederum mit einem Zeitschriftenredakteur aus Glasgow bekannt machte. Cormac war überraschend noch einmal aufgetaucht, diesmal mit einer jungen Dame im Schlepptau, die weitaus empfänglicher für seinen Charme und seine Flirterei zu sein schien, als Maura es je war. Diesmal bedachte er Maura nicht mit ganz so viel Aufmerksamkeit, doch es reichte noch, um sie mit den schamlosesten Komplimenten zu überschütten.

Wie auch an den vorangegangenen Abenden hielt Maura zuerst einmal eine kleine Einführungsrede, in der sie ein wenig über die Besonderheiten der australischen Küche erzählte, das bevorstehende Menü beschrieb und dann alle einlud, in den Speisesaal zu kommen.

Sie und Bernadette hatten sich an diesen letzten zwei Abenden für etwas ganz Besonderes entschieden – anstatt drei Hauptgänge wollten sie fünf kleinere Gänge anbieten, um den Gästen noch mehr Einblicke in die Vielfalt der australischen Küche zu verschaffen. Das bedeutete zwar viel mehr Arbeit für die Kellnerinnen, die, kaum hatten sie einen Gang aufgetragen, schon wieder abservieren mussten, aber wie gesagt, es war eine gute Methode, die Leute mit der Vielfalt der australischen Küche und ihren verschiedenen Einflüssen bekannt zu machen.

Während sie sprach, fiel ihr auf, wie Carla einer ihrer Bekannten etwas zuflüsterte und dabei auf Maura zeigte. Die Freundin kicherte, und Maura fühlte sich einen Moment lang unwohl. Plötzlich war sie sich nicht mehr sicher, was ihr Äußeres betraf; bestimmt hielt es keinen Vergleich mit dem Schick und der Extravaganz von Carlas Clique stand, doch dann musste sie an Dominic denken, und das beruhigte sie wieder. Den ganzen Tag lang hatte sie immer wieder an ihn denken müssen, an ihre gemeinsame Nacht und wie ihre mögliche Zukunft aussehen könnte. Carla war ihre geringste Sorge.

Die Gäste drängten in den Speiseraum, und Maura konnte ihr lebhaftes Stimmengewirr bis in die Küche hören. Dort liefen die Vorbereitungen auf Hochtouren.

Sie hatte fünf Helfer, die sich bemühten, alles schön auf den Tellern anzurichten.

Beim ersten Gang hatten die Gäste die Wahl zwischen einer Süßkartoffelsuppe nach asiatischer Art oder einer intensiv-würzigen Fischsuppe. Dazu gab es frisch gebackene, noch warme Wattleseed-Brötchen. Danach folgte eine kunstvoll angerichtete Auswahl an Meeresfrüchten und Fisch, jedes nach einer anderen Methode zubereitet – Lachs in einer Kruste aus schwarzem Pfeffer und einem einheimischen australischen Gewürz, gegrillte Garnelen, sautierte Kammmuscheln, frisch zubereitete Meeresfrüchte-Frühlingsröllchen und ein Probierstückchen geräucherter Lachs. Auf jedem Teller gab es dazu eine Auswahl an Dips, gewürzt mit den australischen Buschkräutern, die Maura extra von zu Hause mitgebracht hatte.

Der nächste Gang bestand aus einer Entreeportion von Hähnchenstücken, die Maura in Soja- und Ingwersoße mariniert und dann kurz gegrillt hatte. Das Ganze war angerichtet auf einem Bett aus pochiertem Spinat und Bok Choy, in einem Nest aus in Sesamöl geschwenkten Hokkiennudeln.

Auch der Lorikeet-Hill-Wein passte perfekt zu jedem Gericht. Im Verlauf des Abends bekamen die Gäste einen gründlichen Einblick in Nicks Talente als Winzer, von einem leichten, frischen Riesling, der ihn mittlerweile bekannt zu machen begann, bis zu dem würzigen, schweren, fruchtigen Shiraz, der fast eine Mahlzeit für sich war.

Als letzter Gang kam das, was Maura die Lorikeet-Hill-Platte nannte. Auf jeder runden weißen Platte gab es sechs verschiedene, wunderschön angerichtete Speisen – mariniertes Lamm aus der Gegend, Rinderfilet mit australischen Pepperberries, pochierten Lachs in Kokosmilch, eine kleine, mit geräuchertem Lachs gefüllte Pastete, eine winzige Portion Zitronen-Myrte-Pasta in Olivenöl und ein Blätterteigtörtchen gefüllt mit Waldpilzen. Farbe bekam das Ganze durch einen gemischten grünen Salat mit einem milden Dressing.

Kurz vor dem Servieren wollte Maura die Blätterteigtörtchen mit einer würzigen Soße aus einem Topf, der auf dem Herd blubberte, übergießen: eine himmlische Komposition aus Knoblauch, Olivenöl und frischen Kräutern. Sie wollte die köstliche Mischung über die Walzpilze gießen, ein wenig hiesigen Käse darüber streuen und das Ganze kurz ins Rohr stellen, damit der Käse schmolz und sich die Pilze mit Knoblauch und Olivenöl voll saugen konnten.

Die Platten waren fast fertig – es fehlten nur noch die Pilztörtchen. Maura, die fleißig die Knoblauch-Olivenöl-Mischung rührte, merkte, dass noch Petersilie fehlte. Mist. Sie schaute sich um, doch es war kaum noch was da. Da fiel ihr ein, dass in einem großen Topf im Gewächshaus jede Menge davon wuchs. Sie hatte noch ein wenig Zeit, um rasch etwas zu holen. Sie bat Shona, ihre Küchenhelferin, die Soße weiter zu rühren, und lief hinaus.

Es war eine wunderschöne, klare Nacht, kalt, aber frisch. Maura lief rasch zum Gewächshaus hinüber und sog dabei tief die aromatische Luft in sich ein. Ein Gefühl der Vorfreude ließ sie erschauern, nicht zum ersten Mal an diesem Tag. Bald kam Dominic.

Als sie mit einem dicken Bund Petersilie wieder in die Küche kam, sah sie zu ihrer Überraschung, wie Carla sich durch die Hintertür in den Speiseraum verdrückte.

»Was hat sie hier zu suchen?«, fragte sie Shona, die immer noch brav umrührte. Ihr Gesicht war schon ganz rot von dem aufsteigenden Dampf und von der Hitze des Ofens. Seit Bernadette sie mit der Drohung, beim Karottenschälen mithelfen zu müssen, rausgescheucht hatte, hatte Carla, bis auf den Kochkurs, die Küche tunlichst gemieden. »Sie meinte, sie braucht ein paar Flaschen Mineralwasser für ihren Tisch, und hat mich gebeten, sie für sie aus dem Kühlraum zu holen, war das in Ordnung?«, fragte das junge Mädchen nervös.

»Aber sicher«, antwortete Maura rasch. »Es ist nur so, dass man nicht aufhören darf, diese Soße umzurühren, denn sie brennt sehr schnell an«, sagte sie und übernahm rasch den Kochlöffel, um sich davon zu überzeugen, dass sich der Knoblauch nicht am Topfboden festgesetzt hatte.

»Ach, das war kein Problem«, sagte Shona mit einem nervösen Lächeln. »Sie hat für mich weitergerührt, während ich das Wasser holte.«

»Ach, dann ist ja alles gut«, beruhigte Maura ihre Helferin und warf einen Blick in den Topf. Carla beim Kochen, das war ja mal was ganz Neues. Vielleicht hatte der Kurs ja doch was bewirkt. Als sie in den Topf schaute, fiel ihr eine eigenartige grüne Schicht auf, die sich auf der Soße absetzte. Seltsam. Sie nahm einen Löffel, probierte und hätte sich fast übergeben.

»Shona, haben Sie gesehen, ob Carla da irgendwas reingeschüttet hat?«, fragte sie rasch.

Shona schüttelte heftig den Kopf. »Nein, natürlich nicht. Na ja, ich war nur einen Moment im Kühlraum, aber ich glaube nicht.«

Maura wurde von plötzlicher Besorgnis erfasst. Ein Moment hätte Carla genügt. Sie blickte sich rasch um. Im Schränkchen unter dem Spülbecken, gleich neben dem Herd, stand eine offene Flasche extra starker Allzweckreiniger, mit dem sie jeden Abend den Boden schrubbten. Eine üble Vorahnung überkam Maura. Vorsichtig probierte sie die Soße abermals und erstickte fast daran.

»Das würde sie nicht wagen«, sagte Maura zu sich selbst. Dann überlegte sie. Doch, Carla schon.

Maura rief rasch Bernadette zu sich, die gerade das Anrichten der letzten Platten überwachte. Die Tabletts mit den Blätterteigtörtchen standen bereit und mussten nur noch ins Rohr geschoben werden.

»Riech mal«, drängte Maura.

Bernadette verzog das Gesicht, als sie an der Soße roch. »Das ist ja widerlich. Was ist das denn?«

»Carlas Spezialität«, zischte Maura fast. »Ich glaube, sie hat Allzweckreiniger in die Soße geschüttet.«

Bernadette schaute sie entsetzt an. »Wann denn? Gerade eben?«

Maura nickte. »Ich erklär's dir später. Die Pilztörtchen vergessen wir besser. Diese Soße hätte jemanden umbringen oder zumindest gefährlich krank machen können.«

Maura sprach eilig mit dem Küchenpersonal. Ohne Angabe von Gründen erklärte sie, dass die Platten ein wenig umarrangiert werden müssten, um die Lücke, die durch die fehlenden Blätterteigtörtchen entstand, zu füllen. Glücklicherweise war es ihre Gewohnheit, lieber zu viel von allem zu machen, als zu wenig, so dass die Platten voll genug werden würden. Sie musste eben einfach hoffen, dass die Leute nach bereits vier genossenen Gängen nicht mehr an ihre Ansprache dachten, in der sie beschrieben hatte, was genau serviert würde.

Die Helfer machten sich rasch an die Arbeit, und Maura

goss die Soße in den Ausguss, damit nicht versehentlich jemand davon probierte. Eine kleine Menge hob sie jedoch in einem Marmeladenglas auf. »Als Beweis«, sagte sie grimmig zu Bernadette. »Weiß Gott, ich bringe dieses Biest eigenhändig um, wenn sie mich nicht vorher schafft.«

Das Stimmengemurmel aus dem Speisesaal beruhigte sie; man schien noch nicht ungeduldig zu werden. Offenbar floss großzügig der Lorikeet-Hill-Wein, und sie hatte noch ein paar Minuten.

Als sie einen Blick in den Speisesaal warf, sah sie trotz ihrer Nervosität, dass Dominic eingetroffen war. Doch im Moment war sie viel zu aufgewühlt, um irgendetwas zu fühlen, während sie zusah, wie er an Carlas Tisch Platz nahm. Carla schien es an diesem Abend kaum an ihrem Platz zu halten vor Aufregung, ja, Nervosität. Jetzt kannte Maura den Grund dafür.

Die neu arrangierten Platten waren fertig. Mit einem tiefen Seufzer der Erleichterung sah Maura zu, wie das Personal die Platten rasch und sicher zu den Tischen brachte. Sie hörte das Stimmengewirr, während sich die Gäste über die vor ihnen liegenden Köstlichkeiten hermachten.

Bernadette berührte sie am Arm. »Alles in Ordnung?«

Maura nickte mit einem halben Lächeln. »Bloß gut, dass sie das grüne Zeug genommen hat«, sagte sie mit einem bitteren Lachen. »Ein farbloser Reiniger wäre mir womöglich entgangen.«

Bernadette schüttelte grimmig den Kopf. Jetzt war keine Zeit, darüber zu diskutieren, da die Nachspeisen noch fertig gemacht werden mussten. Auch hier bot Maura den Gästen eine Auswahl unterschiedlichster Köstlichkeiten: ein scharfes Zitronentörtchen, selbst gemachtes Honigeis aus Blue-Gum-Honig, den sie extra aus dem Clare Valley mitgebracht hatte, sowie eine winzige Schokoladentrüffelspeise mit Mandeln. Auch hatte sie nicht widerstehen können und Pavlova –

eine Meringue-Baisertorte, erfunden in Australien – auf den Speisezettel gesetzt. Dazu gab es Fruchtsalat und jede Menge Sahne.

Sie waren mit den Vorbereitungen erst halb fertig, als ein Kellner hereingestürzt kam.

»Schnell, jemandem ist schlecht geworden, wir müssen einen Krankenwagen rufen!«

Maura und Bernadette liefen rasch ins Speisezimmer. Sie glaubten zu ahnen, wer dieser »Jemand« war.

Tatsächlich. Carla wand sich stöhnend auf ihrem Stuhl. »Man hat mich vergiftet«, rief sie theatralisch. »Da muss ein Giftpilz drunter gewesen sein!« Die anderen Gäste drehten sich neugierig und erschrocken auf ihren Sitzen um.

Maura wurde von einer zornigen Kälte erfasst. Das war also ihr Plan gewesen.

Rasch ging sie zu Carla an den Tisch. Ihre Wut nahm noch zu, als sie sah, wie besorgt Dominic sich über Carla beugte und den Arm um sie legte. Seine Platte war noch unberührt.

»Was ist hier los?«, fragte sie mit eisiger Ruhe.

Carla blickte auf, das Gesicht dramatisch verkrampft. Als Maura näher trat, hörte sie, wie Carla abermals aufstöhnte und sich vornüber gebeugt den Magen hielt.

»Es ist ihre Schuld!« ächzte sie, auf Maura deutend. »Sie hat uns Giftpilze serviert!« Ein weiteres hingebungsvolles Stöhnen.

An den anderen Tischen wurde es plötzlich still. Maura sah trotz des Theaters, das Carla veranstaltete, dass die anderen Gäste begonnen hatten, ihre Teller zu mustern, als würden sie auch jeden Moment umkippen.

»Es gibt auf der Platte kein Pilzgericht, Carla«, sagte sie ruhig.

Carla stöhnte. »Doch, und Sie haben mir Giftpilze gegeben. Ich dachte mir schon, das sieht aus wie ein Giftpilz. Oh.« Dramatisch umklammerte sie ihren Bauch.

»Nein, Carla, es gab heute Abend überhaupt keine Pilze, denn ich habe im letzten Moment eine Änderung vorgenommen«, entgegnete Maura ruhig. Ihre Stimme drang bis in den letzten Winkel des stillen Speiseraums, und sie sah aus den Augenwinkeln, wie die Leute um sie herum unwillkürlich ihre Teller absuchten. Ein Mann sagte zuversichtlich zu seinem Bekannten, er habe bestimmt keine Pilze auf seinem Teller gesehen.

»Doch, da waren welche, in diesen kleinen Törtchen, die ich in der Küche gesehen hab.« Carla schien sich wie durch ein Wunder wieder zu erholen.

Maura wies auf Dominics unberührte Platte. »Vielleicht könnten Sie sie mir ja zeigen«, schlug sie mit gefährlich leiser Stimme vor.

Carla warf einen Blick auf Dominics Platte. Ihre Miene wurde trotzig und wütend, als sie sah, dass Maura Recht hatte.

Maura blickte kurz Dominic an, war jedoch zu aufgewühlt, um den geschockten Ausdruck zu bemerken, mit dem er sie ansah.

Carla dagegen erlebte eine wundersame Heilung. Mit einer zornigen Handbewegung fegte sie ihre Platte vom Tisch. »Ihr Fraß ist so und so miserabel, ob mit oder ohne Giftpilze.«

Die anderen Gäste keuchten schockiert auf. Das wurde ja zu einer regelrechten Zirkusvorstellung. Sie hatten tolles Essen und guten Wein erwartet, eine zusätzliche Unterhaltung wie diese aber nicht.

Dominic überwand abrupt sein Entsetzen. »Du kommst sofort mit mir mit, Carla«, sagte er gefährlich ruhig. »Das reicht.«

Carla wurde von Dominic fast aus dem Speisesaal gezerrt, gefolgt von zwei Bekannten Carlas, die ebenso erstaunt über ihr Verhalten zu sein schienen wie alle anderen.

Maura holte tief Luft und wandte sich mit einem gezwungenen Lächeln an ihre Gäste.

»Ich möchte mich bei allen entschuldigen«, sagte sie so munter wie möglich. »Ich versichere Ihnen, es gab heute überhaupt kein Pilzgericht, weder ein vergiftetes noch ein harmloses. Bitte lassen Sie sich die Freude an Ihrem Essen nicht nehmen. Außerdem gibt's ja noch eine Auswahl an Desserts, die Ihnen hoffentlich ebenso schmecken werden.«

Der Gedanke an das bevorstehende Dessert übte eine beruhigende Wirkung aus, das merkte Maura sofort. Zu ihrer großen Erleichterung begannen alle, sogleich weiterzuessen und sich dabei angeregt zu unterhalten.

Gott sei Dank, der Wein hat sie locker gemacht, dachte sie bei sich, während sie rasch dem Kellner half, die Reste von Carlas Teller aufzuwischen. Mit Erleichterung sah sie, dass Bernadette zwischen den Tischen umherging, Carlas Auftritt mit einem Scherz kommentierte und so die Stimmung wieder glättete.

Der Rest des Dinners rauschte wie in einem Traum an Maura vorbei. Sie beschäftigte sich in der Küche und nahm erleichtert und dankbar die überschwänglichen Komplimente entgegen, die ihr die Kellner und Kellnerinnen von den Tischen überbrachten.

Es blieb keine Zeit, Dominic oder Carla zu suchen, doch ihr fiel auf, dass keiner von beiden an den Tisch zurückkam. Als die Gäste gerade beim Digestif waren, kam sie wieder in den Speisesaal und ging kurz von Tisch zu Tisch, sprach mit den Leuten und den Journalisten und wurde anderen einflussreichen Gästen vorgestellt. Was sie sagten, hörte sie nur mit halbem Ohr.

Es war schon nach eins, als die Küche endlich aufgeräumt und sauber war. Sie schickte das Personal nach Hause, um sich im leeren Speisesaal ein verdientes Gläschen zu genehmigen, lehnte sich an die Anrichte und schloss die Augen.

»Was, zum Henker, sollte das eigentlich?«, hörte sie Bernadette wie aus weiter Ferne fragen.

»Sag du's mir«, entgegnete sie müde. Dies war nicht der Zeitpunkt, um alles zu erklären, was zwischen ihr und Dominic geschehen war. Sie hatte das Gefühl, dass Carla etwas geahnt haben musste und deshalb heute Abend dieses gemeine Manöver veranstaltet hatte: ein letzter verzweifelter Versuch, Mauras Reise ein für allemal zu ruinieren. »Alles, was ich weiß, ist, dass wenn ich heute Abend diese Soße serviert hätte, dann hätten wir hier eine Krankenstation aufmachen können. Oder noch schlimmer.« Sie hatte sich die Flasche mit dem Allzweckreiniger nochmals angeschaut. Ein wahres Teufelszeug.

Bernadette sah sie genauer an. »Du kippst ja fast um vor Müdigkeit. Ich mache hier alles fertig. Los, geh ins Bett, Mädchen, bevor du mir noch umfällst. Wir reden morgen weiter.«

Maura nickte, zu erschöpft, um zu widersprechen.

So hatte sie sich diesen Abend, weiß Gott, nicht vorgestellt. Natürlich hatte sie nicht erwartet, dass Carla entzückt wäre über das, was Dominic ihr zu sagen hatte, aber so etwas, eine solch bodenlose Gemeinheit, hätte sie nie erwartet.

Oben in ihrem Zimmer duschte sie erst mal und streifte dann ein dünnes schwarzes Schlauchkleid über, das einzige Kleid in ihrem Koffer, das halbwegs sexy war. Den grünen Schlafanzug wollte sie beim besten Willen nicht noch mal anziehen. Sie wusste, dass Dominic nicht weit sein konnte. Zitternd wartete sie darauf, dass er zu ihr kam.

Doch es wurde zwei Uhr, und er war noch immer nicht aufgetaucht. Sie wollte nicht länger warten. Leise ging sie hinaus in den Gang und blickte sich um. Carla und Dominic wohnten, wenn sie hier waren, immer in der großen Doppelsuite.

Auf Zehenspitzen ging sie dorthin. Das Licht brannte

noch, und die Tür stand einen Spalt breit offen. Sie klopfte leise an, und als keine Antwort kam, ging sie hinein. Das Wohnzimmer, das an das größere Schlafzimmer angrenzte, war leer. Fast wie in Zeitlupe ging sie auf das große Schlafzimmer zu. Die Tür stand halb offen. Stimmengemurmel drang an ihr Ohr. Sie war zum Umfallen müde, ja regelrecht benommen. Was sie antrieb, was sie noch auf den Beinen hielt, war ihr überwältigendes Bedürfnis, die Dinge ein für allemal klarzustellen. Sie und Dominic konnten auch vor Carla darüber reden, wenn es sein musste.

Der dicke Teppich dämpfte ihre Schritte. Dann stand sie in der offenen Tür, fast eine Minute lang, ehe ihr müdes Hirn überhaupt registrierte, was sie sah.

Carla lag splitternackt auf dem Bett. Dominic saß bei ihr, beugte sich mit nacktem Oberkörper über sie. Maura sah im gedämpften Licht der Lampen seinen samtig schimmernden Rücken.

Sanft strich er Carla die Haare aus der Stirn. Ein Prickeln überlief Maura bei diesem Anblick, denn sie musste unwillkürlich daran denken, wie es sich angefühlt hatte, als er das bei *ihr* tat.

Sie konnte deutlich hören, was er sagte. »Ich hab's deinem Vater versprochen«, redete er mit leiser, beruhigender Stimme auf Carla ein. »Ich halte mein Wort, ich werde immer für dich da sein.«

Maura rang entsetzt nach Luft. Sie konnte nicht fassen, was sie da hörte. Bei ihrem Aufkeuchen hob Dominic den Kopf. Seine Augen weiteten sich vor Überraschung.

»Maura«, hauchte er.

Maura erwachte aus ihrer Erstarrung. Ein hartes Funkeln stand in ihren Augen, mit denen sie die intime Szene betrachtete.

»Jetzt bin ich ja wohl die Blöde«, sagte sie kalt.

Ein letzter Rest Würde bewahrte sie davor, einfach aus

dem Zimmer zu stürzen. Ohne auf Dominic zu achten, der ihr hektisch zuflüsterte, doch zu warten, stolzierte sie aus dem Zimmer, durchs Wohnzimmer und in den Korridor hinaus. Wie von selbst, denn denken konnte sie im Moment kaum mehr, fand sie ihr Zimmer, stieß die Tür hinter sich zu und drehte den Schlüssel herum.

Erst dann wich ihre Betäubung. Keuchend, als hätte sie gerade einen Marathonlauf hinter sich, lehnte sie sich an die Tür.

Das Wort »Närrin« echote in ihrem Kopf. Verschwunden war die Erinnerung an ihre herrliche Nacht mit Dominic, die sie den ganzen Tag lang gehegt hatte wie einen kostbaren Schatz. Sie empfand nur noch Scham und Wut und Verlegenheit. Wie hatte sie bloß so auf ihn hereinfallen können? Er würde Carla nie verlassen. Was immer zwischen ihnen war, es war zu stark.

Es kam ihr wie Stunden vor, konnte aber nur Minuten gedauert haben, als Dominics Stimme durch die Tür drang.

»Maura, mach auf, ich will dir alles erklären«, drängte er.

Sie schüttelte den Kopf, brachte kein Wort heraus. »Geh weg«, flüsterte sie so leise, dass er es sicherlich nicht gehört haben konnte. »Lass mich in Ruhe.«

Nur die Tür war zwischen ihnen. Sie spürte, wie er am Türknauf rüttelte, hörte, wie er sie anflehte, ihm aufzumachen. Die Stirn noch immer an die Tür gepresst, wisperte sie: »lass mich in Ruhe«, wieder und wieder.

Schließlich ging er.

Es dauerte eine ganze Weile, bevor sie in der Lage war, sich aufzurichten. Ihr Kopf schwirrte. Sie zog sich nicht aus, wusch sich nicht, trat lediglich mit zitternden Knien an ihr Bett und ließ sich hineinfallen. Etwas Scharfes stach sie am Arm. Sie stützte sich auf und sah die Londoner-Bus-Brosche mit offenem Verschluss auf der Bettdecke liegen. Sie nahm sie und schleuderte sie quer durchs Zimmer.

Es dauerte lange, bis sie endlich in einen unruhigen, gequälten Schlaf fiel. Sie glaubte, Lärm im Korridor zu hören, eilige Schritte, laute Stimmen und Gesprächsfetzen.

Erst als der Morgen graute, schlief sie ein.

31. Kapitel

Bernadette stand allein in der Küche, als Maura am nächsten Tag herunterkam. Es war schon nach Mittag. Bernadette warf nur ein Blick in ihr Gesicht und nahm sie sofort in die Arme.

»Willst du darüber reden?«, fragte sie sanft. »Willst du mir nicht sagen, was los ist?«

Maura öffnete den Mund, um zu sprechen, warf dann aber einen ängstlichen Blick zur Tür. Bernadette erriet ihre Gedanken.

»Sie sind nicht mehr da. Carla ist letzte Nacht in einem Krankenwagen fortgebracht worden. Dominic ist bei ihr.«

Maura stieß ein seltsames, bitteres Lachen aus. »Noch eine Lebensmittelvergiftung?«, fragte sie. »Mein Gott, die gibt wohl nie auf, wie?«

Bernadette schüttelte den Kopf. Sie war selbst vollkommen durcheinander. »Sie hat eine Überdosis von irgendwas genommen, wir wissen nicht, was. Muss passiert sein, als alle schon schliefen, vermuten wir.«

Maura blickte sie an. »Als ich sie zuletzt sah, war sie vollkommen in Ordnung, richtig glücklich sogar«, brachte sie hervor und dachte dabei an die gestrige Szene und wie zärtlich Dominic sich über Carla gebeugt hatte. Ihr brach die Stimme.

Bernadette nahm sie erneut in die Arme, und da erzählte ihr Maura alles. »Ich dachte, das mit uns wäre wirklich was Ernstes«, flüsterte sie. »Ich komme mir so dumm vor, wie konnte ich bloß so dumm sein!«

Bernadette versuchte, sie zu beruhigen. »Schsch, Liebes, du warst überhaupt nicht dumm. Da steckt mehr hinter dieser Sache, als wir beide wissen. Ich hab gesehen, wie Dominic dich anschaut, wie er dich kaum aus den Augen lässt. Ich glaube nicht, dass es das schon war.«

»Ich hab gehört, wie er mit ihr geredet hat, hab gehört, was er zu ihr gesagt hat«, stieß Maura mit neu aufflammender Wut hervor. Sie hörte auf zu weinen und blickte Bernadette an. »Er wird sie nie verlassen, das weiß ich jetzt. Ich war bloß ein kurzes Abenteuer für ihn.«

»So kurz wohl auch wieder nicht, wie sich's anhört«, meinte Bernadette ruhig.

Plötzlich musste sie wieder an jene Nacht denken. Vertrau mir, hatte er gesagt, und das hatte sie getan. Wie eine blöde Närrin hatte sie ihm vertraut.

»Doch, kurz«, beharrte sie und musste sich auf die Lippe beißen, um nicht wieder in Tränen auszubrechen. Sie holte tief Luft und schaute Bernadette an. »Ich war dumm. Aber so was passiert mir nie wieder. Ich hab meine Lektion gelernt.«

Bernadette schüttelte den Kopf. »Jede Geschichte hat zwei Seiten«, sagte sie.

»O ja.« Maura stieß ein spöttisches Lachen aus. »Und die andere Seite lautet so: Dominic ist bei Carla im Krankenhaus, ihr kleiner Erpressungsversuch hat prima geklappt. Ich dagegen bin hier, beschämt und erniedrigt. In drei Tagen fliege ich zurück nach Australien. Und dann leben wir glücklich, bis an unser Lebensende. Aus. Finito. Das sind die zwei Seiten der Geschichte.« Sie hörte die Bitterkeit in ihrer Stimme, aber es war ihr egal.

Danach wollte Maura nicht mehr darüber sprechen. Sie kam sich unfair vor, Bernadettes wiederholte Versuche, Dominic doch noch eine Chance zu geben, zurückzuweisen. Schließlich sah sie sich gezwungen, sie zu bitten, seinen Namen nicht mehr zu erwähnen. Im Haus herrschte eine fast unnatürliche Stille. Am Himmel stand grau und schwach die Wintersonne, und sie nahm ihren Kaffee mit hinaus in den Garten. Sie blickte sich um, versuchte, sich alles genau einzuprägen, wusste jedoch, dass das im Grunde unnötig war. Alles, was in den letzten vier Wochen geschehen war, hatte sich tief in ihr Gedächtnis eingegraben. Das, was sie über Catherine herausgefunden hatte. Ihre Besuche bei den Weinhändlern. Ihr Vortrag in Ennis. Die Kochkurse. Und Dominic. Immer wieder kehrten ihre Gedanken zu ihm zurück.

Rita rief ein wenig später an, um Maura zum Erfolg ihrer Reise zu gratulieren und ihr zu berichten, wie der Absatz an Lorikeet-Hill-Wein im ganzen Land gestiegen war. Die Tour schien überhaupt für sämtliche australischen Winzer äußerst profitabel gewesen zu sein.

»Das müssen wir bald wieder machen«, sagte Rita begeistert, bevor sie sich verabschiedete. Maura war ihr dankbar für alles, was sie getan hatte. Vielleicht würde sie ja eines Tages wieder nach Irland kommen. Aber so, wie sie es sich vorgestellt hatte, würde es nie werden.

Bernadette deutete ihre Stimmung richtig und packte sie, trotz ihrer Proteste, für eine kleine Ausfahrt in ihren Wagen.

»Du hängst ja doch bloß rum und bläst Trübsal, wenn du hier bleibst. Jetzt komm, Maura, du hast noch ganze drei Tage im wunderschönen Westen Irlands zur Verfügung, da sollten wir uns doch noch einiges ansehen.«

Maura gab sich widerwillig geschlagen. Bernadette hatte Recht, sie hatte große Lust, Trübsal zu blasen. Tatsächlich hätte sie sich am liebsten laut schluchzend auf ihr Bett geworfen. Sie schämte sich, so auf Dominic hereingefallen zu sein, war wütend auf Carla und ihre Rolle bei dem Spiel. Und sie war traurig – das am allermeisten. Als ob sie jäh aus einem herrlichen Traum gerissen worden wäre.

Bernadette fuhr wie eine Irre. Sie war fest entschlossen, Maura so viel wie möglich zu zeigen. Sie fuhren durch den

Burren zu den *Cliffs of Moher* und kehrten danach in einem weiß getünchten Pub am Meer, in einem Dorf namens Ballyvaughan, ein. Als sie am offenen Kamin saßen, vor sich zwei große Gläser Guinness und zwei Schüsseln mit *chowder*, einer dicken Suppe aus Meeresfrüchten, spürte Maura, wie ihre Anspannung und Verzweiflung ein wenig nachließen. Bernadette merkte es und strahlte übers ganze Gesicht.

»So ist's brav, in Zeiten wie diesen muss man erst recht den Kopf oben behalten. Tut mir Leid, wenn ich wie eine hängen gebliebene Schallplatte rede, aber eine Geschichte ist erst dann zu Ende, wenn du ihr Ende erreicht hast. Und ich glaube nicht, dass in dieser Sache schon das letzte Wort gesprochen ist.«

Maura musste gegen ihren Willen lachen. »Bernadette, du klingst ja wie eine Astrologietante. Was kommt als Nächstes? Willst du mir die Karten legen? Hör zu, ich weiß, dass ich überreagiere. Es war eine Ferienromanze, die den Bach runterging, das ist alles. Wenn ich mir das sagen kann, kannst du's auch. Es ist vorbei, ich war dumm, ich werde Dominic oder auch Carla nie wiedersehen, und das wär's dann.«

Maura merkte, dass sich Bernadette von ihren tapferen Worten nicht täuschen ließ.

»Mach nicht denselben Fehler, den ich gemacht habe«, sagte die ältere Frau eindringlich. »Du wirst's bitter bereuen.«

»Was hast du denn gemacht? Eine Nacht der Leidenschaft, und dein Leben hat sich mit einem Schlag verändert?« Noch während sie das sagte, wusste Maura, dass sie einen Nerv getroffen hatte.

Bernadette lächelte bekümmert. »Bingo. Ist zwanzig Jahre her, und ich erinnere mich noch immer daran.«

Maura tat ihre unbedachte Bemerkung inzwischen Leid. »Ach, Bernadette, entschuldige. Willst du mir erzählen, was passiert ist?«

»Es war ganz anders als bei dir, aber ich weiß trotzdem, wie du dich jetzt fühlst. Wir waren wie du und Dominic – es war immer ein Knistern zwischen uns. Wir fühlten uns stark zueinander hingezogen, aber keiner von beiden wollte es zugeben.«

Maura blinzelte. Waren sie und Dominic so? War es so offensichtlich gewesen?

Bernadette fuhr fort. »Ich war dreißig und stur wie ein Bock. Ich hatte meine Chance, aber ich war zu stolz, um etwas zu unternehmen. Schließlich hat er's aufgegeben, mich überzeugen zu wollen. Erst am Tag seiner Hochzeit ist mir aufgegangen, was für einen schlimmen Fehler ich gemacht habe.«

»Und du hast den Rest deines Lebens keinen anderen mehr angeschaut?«, hauchte Maura.

Bernadette warf den Kopf zurück und lachte schallend. »Gott, nein! Es gab seitdem schon ein paar Männer. Aber ich glaube, ich hab mir den Besten durch die Lappen gehen lassen.« Mit gespielt tiefer Stimme sagte sie: »Mach ja nicht denselben Fehler, den ich gemacht hab, Mädchen.«

Maura fühlte sich ein bisschen besser und lächelte sie an. »In diesem Fall ist's zu spät, aber ich werde beim nächsten Mal daran denken, das verspreche ich.«

»Das ist brav«, ermunterte sie Bernadette. »Ich sage dir, das wird schon noch. Meistens wird am Ende ja doch alles gut.«

Bei der Rückfahrt spürte Maura, wie ihre alten Lebensgeister wieder ein wenig erwachten. Sie versuchte, das Ganze von der positiven Seite zu sehen. Die PR-Reise war ein Erfolg gewesen. In wenigen Tagen würde sie wieder zu Hause in Clare sein, den kleinen Quinn kennen lernen und sich gemütlich mit Nick und Fran zusammensetzen und ihnen erzählen, wie wild die Iren auf den Lorikeet-Hill-Wein gewesen waren.

Bernadette und Maura fuhren die lange Allee zum Ardmahon House hinauf. Sie wollten noch heute Nachmittag ihre Sachen packen und die letzten zwei Tage in Bernadettes Haus verbringen, dessen Renovierung so gut wie abgeschlossen war.

»Gerade rechtzeitig, denn jetzt werden die Handwerker über dieses Haus hereinbrechen«, erklärte Bernadette. »Dominic hat gesagt …«

Maura warf ihr einen Blick zu. Sie hatten doch vereinbart, weder Dominic noch Carla zu erwähnen.

»Das kann ich dir schon sagen«, protestierte Bernadette. »Sie wollen noch einiges umbauen. Was da noch zu tun sein soll, ist mir allerdings ein Rätsel.«

Als sie die Empfangsdiele betraten, sahen sie den Anrufbeantworter neben dem Telefon blinken. Das Nummernfeld zeigte, dass sie fünf Anrufe versäumt hatten. Bernadette drückte im Vorbeigehen zerstreut auf den Knopf.

»Noch mehr verzweifelte Essensgäste, die mich anflehen, doch noch einen Abend mehr aufzumachen«, sagte sie.

Die ersten beiden Male hatte der Anrufer oder die Anruferin wieder aufgelegt, und dann erschallte plötzlich die Stimme ihres Bruders in der Eingangshalle. Maura erkannte sie kaum wieder.

»Maura, ich bin's, könntest du mich unter dieser Nummer anrufen? Es ist dringend.« Er hatte noch zweimal angerufen, in Abständen von weniger als einer halben Stunde, und seine Stimme, mit der er immer wieder die Telefonnummer wiederholte, wurde dabei zunehmend panischer.

Maura, der vor Schreck förmlich das Blut in den Adern gefror, schaute Bernadette an. Die Vorwahl verriet ihr, dass es eine Nummer aus dem Raum Adelaide sein musste, doch die Nummer selbst kannte sie nicht.

Zehn Minuten lang kam sie nicht durch, alle Leitungen belegt, hieß es. Als es schließlich klappte, antwortete eine forsche Stimme, doch Maura bekam gar nicht mit, was sie sagte.

»Ist Nick Carmody da? Hier ist seine Schwester; ich rufe aus Irland an«, sagte sie drängend. Bernadette stand voller Sorge daneben.

»Einen Moment, ich verbinde«, sagte die Stimme.

Nick schien den Hörer schon beim ersten Klingeln hochzureißen.

»Maura, Gott sei Dank, du hast meine Nachricht bekommen«, hörte sie ihn flüstern. »Wir sind im Kinderkrankenhaus in Adelaide. Es ist Quinn.«

32. Kapitel

Maura blieb fast das Herz stehen. »Nick, was ist mit ihm?«, flüsterte sie.

Nicks Stimme zitterte. »Er wäre fast gestorben, Maura. Fran ist gerade noch rechtzeitig gekommen. Sie stand mitten in der Nacht auf, um nach ihm zu sehen, und er atmete nicht mehr.«

Maura konnte Nicks Panik fast spüren.

»Sie hat Mund-zu-Mund-Beatmung gemacht und ihn wiederbelebt. Er wurde sofort ins Krankenhaus gebracht. Wir wissen nicht, ob er's schafft.«

Maura, zwölftausend Meilen entfernt, wusste plötzlich, was sie tun musste.

»Ich nehme den nächsten Flieger«, sagte sie und war ganz ruhig. »Ich komme heim, so schnell ich kann.« Fast vergaß sie, sich von ihm zu verabschieden, so eilig hatte sie es nun.

Bernadette hatte mitgehört, und während Maura zum Packen nach oben rannte, rief sie beim nahe gelegenen Shannon Airport an. Es gab einen Flug nach London, der schon in einer Stunde ging. Von dort aus würde sie den nächsten Flug nach Adelaide nehmen.

Sie redeten kaum während der Fahrt zum Shannon. In der

Abflughalle umarmte Maura Bernadette ganz fest. Sie hoffte, dass sie ihr damit zu verstehen gab, was sie mit Worten nicht ausdrücken konnte.

»Rufst du mich an, wenn du mal Zeit hast?«, fragte Bernadette, selbst den Tränen nahe.

Maura nickte.

»Gott schütze euch alle«, sagte Bernadette und umarmte sie ein letztes Mal.

Der Flug nach London verging rasch. Am internationalen Schalter erklärte Maura ihre verzweifelte Situation. Der Angestellte wusste Rat und verschaffte ihr einen Platz in einem Flugzeug, das in ein paar Stunden nach Australien abflog. Maura lächelte ihn dankbar an.

Der Flug war ein einziger, langer Albtraum. Alles, was sie wollte, war, nach Hause kommen, und nicht eingezwängt zwischen zwei Leuten zu sitzen, die ihr neugierige Blicke zuwarfen. Sie hatte sich, kaum dass sie ihren Platz gefunden hatte, den Kopfhörer aufgesetzt, saß dann mit geschlossenen Augen da und ließ sich in kein Gespräch hineinziehen. Sie hatte nichts zu sagen. Sie wollte Nick und Fran und Quinn sehen. Sonst niemanden.

In ihren Gedanken herrschte ein Chaos, und die wenigen Stunden Schlaf, die sie erhaschte, waren alles andere als erholsam. Vor erst einem Monat war sie, voller Aufregung und Vorfreude, die Strecke in umgekehrter Richtung geflogen. Jetzt waren Irland, Catherine und Dominic plötzlich vollkommen unwichtig. Ihre Sorge um Quinn verdrängte alles andere.

Sie hatte darauf bestanden, dass weder Nick noch Fran sie vom Flughafen abholten. Doch als sie ihr Gepäck zusammensammelte, sehnte sie sich einen Moment lang nach der Begrüßung, die sie ursprünglich geplant hatten. Nick und Fran und Klein Quinn hätten sie am Ankunftsschalter erwarten sollen, und sie hätte Quinn zum ersten Mal in den Armen gehalten.

Sie sah sich in einem Spiegel an einer Flughafensäule. Sie sah furchtbar aus. Das Kleid, das sie zu dem Ausflug mit Bernadette angehabt hatte, war vollkommen zerknittert. Egal.

Die Augen vor der blendenden australischen Morgensonne zusammenkneifend, machte sie sich allein auf den Weg zum Taxistand und wies den Fahrer an, sie zum Kinderkrankenhaus zu bringen.

Sie sah Nick und Fran, bevor sie sie sahen. Sie drückten sich an ein kleines Bettchen am Ende der Säuglingsstation. Sie blieb stehen und beobachtete die drei einen Moment lang. Quinn lag reglos da. Schläuche ragten aus seinem Näschen und den winzigen Ärmchen, und Fran streichelte sanft sein kleines Gesicht.

Maura musste wohl ein Geräusch gemacht haben, denn beide drehten sich langsam um. Ihre Mienen waren angespannt, und sie brachten kaum ein Lächeln zustande, als Maura auf sie zutrat. »Wie geht's ihm? Und wie geht's euch?«, flüsterte sie und blickte auf ihren kleinen Neffen hinab.

Seine winzige Brust hob und senkte sich kaum, und auf seiner blassen Haut waren Blutergüsse an den Stellen zu sehen, wo die Ärzte Blut abgenommen hatten. An einem seiner Finger war ein Sauerstoffmessgerät befestigt, das neben seiner kleinen Hand riesig wirkte.

Er hatte einen Schopf rabenschwarzer Haare und schien, was Nase und Kinn betraf, Nick nachzuschlagen.

Fran antwortete nicht, wandte den Blick nicht von ihrem Sohn ab. Maura erkannte, dass sie noch immer unter Schock stand. Nick schenkte Maura ein müdes Lächeln.

»Er lebt«, flüsterte er. »Und das reicht uns für den Moment.«

Fran nickte müde, als Maura und Nick sich kurz verabschiedeten, um ins Foyer zu gehen, wo ein paar Sofas und ein Kaffeeautomat standen.

»Kaffee?«, fragte sie Nick, der erschöpft nickte.

Maura holte zwei Becher lauwarmen Kaffees aus dem Automaten. Er schmeckte mehr nach Desinfektionsmittel als nach Kaffee. Sie setzte sich dicht neben ihren Bruder.

Ihnen gegenüber saß ein junges Paar. Der Mann und die Frau waren tränenüberströmt und offenbar außer sich vor Kummer. Maura wagte kaum, sich vorzustellen, was für eine schlimme Nachricht sie bekommen haben mussten. Sie wandte ihre Aufmerksamkeit Nick zu.

Als er merkte, dass sie ihn ansah, versuchte er, sich zusammenzureißen. »Danke, dass du so schnell hergekommen bist. Wie war dein Flug? Und alles andere?«

Maura tat die Frage mit einem Schulterzucken ab. »Vergiss das alles für den Moment. Jetzt erzähl«, forderte sie ihn sanft auf.

Nick zitterte, und sie sah hilflos zu, wie ihm die Tränen über die Wangen rannen. »Wir dachten, wir hätten ihn verloren«, stieß er mühsam hervor. »Er wurde schon ganz blau, Maura. Wir dachten, er würde sterben.«

»Was ist passiert?«, erkundigte sie sich sanft.

»Er hat tagsüber ein bisschen geschnieft; wir hielten's für eine leichte Erkältung. Wir sind alle früh ins Bett gegangen, und dann ist Fran mitten in der Nacht aufgewacht, sie weiß nicht, wieso, und zu ihm gegangen. Und da merkte sie, dass er zu atmen aufgehört hat. Gott sei Dank, wusste sie, was zu tun war. Was wäre gewesen, wenn ich aufgewacht wäre, ich hätte nicht gewusst, was ich tun soll, und er wäre gestorben …« Nick schluchzte, konnte nicht mehr weitersprechen.

Als er sich wieder ein wenig beruhigt hatte, erzählte er weiter. Fran war mit Quinn auf den Armen in ihr Schlafzimmer gerannt und hatte mit ihm eine Mund-zu-Mund-Beatmung durchgeführt.

»Ich hab sofort den Krankenwagen gerufen. Mir kam's wie Stunden vor, aber tatsächlich waren's nur wenige Minuten. Es ist schrecklich, das zu sagen, aber wir hatten Glück, denn in der Nähe hatte es einen Autounfall gegeben, und man hatte einen Hubschrauber gerufen, der den Verletzten ins Krankenhaus fliegen sollte. Und so konnten sie Quinn auch gleich mitnehmen.«

Nick beantwortete ihre unausgesprochene Frage.

»Es gab nur noch Platz für Fran. Bin ihnen mit dem Auto gefolgt. Ich sage dir, das war die schlimmste Fahrt meines Lebens. Hab andauernd nur gebetet, dass ich noch rechtzeitig hinkomme. Im Krankenhaus waren sie schon auf uns vorbereitet und haben ihn sofort an ein Beatmungsgerät angeschlossen.

Die Ärzte machen immer noch Tests, um rauszufinden, was passiert ist. Alles, woran ich denken kann, ist, dass es ein reines Wunder war, dass Fran genau in dem Moment nach ihm gesehen hat und dass sie wusste, was zu tun war. Wenn ich an ihrer Stelle gewesen wäre ...« Abermals überlief ihn ein heftiger Schauder.

Maura drückte ihn an sich.

»Wir könnten es nicht ertragen, ihn zu verlieren, Maura«, stammelte Nick und blickte sie aus glasigen Augen an. »Wir lieben ihn über alles. Wir haben ihn doch erst seit einem Monat. So schnell können wir ihn doch nicht schon wieder verlieren, oder?«

Maura hatte den Arm fest um ihren Bruder gelegt. »Er wird schon wieder, ganz bestimmt.«

Nick, der wie Espenlaub zitterte, versuchte zu nicken. »Wir wissen's noch nicht sicher. Wir wissen's nicht. Schon dreimal, seit er hier ist, stand es auf Messers Schneide. Hat plötzlich aufgehört zu atmen. Jetzt wird er Tag und Nacht per Monitor überwacht, und sie haben ihn auch auf mögliche Infektionen untersucht und Bluttests gemacht. Aber was genau mit ihm los ist, können sie noch immer nicht sagen.«

Maura hielt ihn fest an sich gedrückt. »Er wird schon wieder, Nick. Hier bist du am richtigen Ort, wirst sehen.«

Sie schloss die Augen und versuchte, die eigene Panik und Sorge niederzukämpfen.

33. Kapitel

»Es kann noch ein paar Tage dauern, bis ich kommen kann – bist du sicher, dass du's allein schaffst?«

Maura stand am Münztelefon im Foyer und hörte erleichtert, wie Gemma entschieden erklärte, sie könnte leicht mit dem Café *und* dem Weingut fertig werden.

»Ich schulde dir was, Gemma, ganz herzlichen Dank«, sagte Maura müde. Sie verabschiedete sich und legte den Hörer auf die Gabel. Dann stützte sie die Stirn an das kühle Plastik des Münztelefons. Ihr Blick fiel auf das obszöne Gekritzel an der Wand, doch ihr Hirn registrierte es kaum. In den drei Tagen, seit sie wieder hier war, war kaum Ruhe in ihr Leben eingekehrt.

Sie rechnete den Zeitunterschied aus und rief dann rasch Bernadette an. Der Hintergrundlärm ließ darauf schließen, dass die Handwerker mal wieder da waren.

Bernadette war heilfroh, als sie hörte, dass Quinn sich langsam zu erholen schien.

»Und wie geht's dir, Liebchen? Musst ja völlig von der Rolle sein.«

»So ungefähr«, gestand Maura. »Ich bin einfach hundemüde. Und zum Nachdenken bin ich auch noch nicht gekommen.«

Es folgte eine Pause, dann sagte Bernadette hastig: »Dominic ist vorbeigekommen; er macht sich große Sorgen um dich …«

Maura unterbrach sie. »Bernadette, es tut mir Leid, aber bitte rede nicht mehr über ihn und erzähl ihm auch nichts mehr von mir, noch nicht. In ein paar Monaten kann ich sicher darüber lachen, aber im Moment werde ich einfach nicht damit fertig.« Maura wusste, dass sie sich selbst was vormachte. Sie war ganz scharf auf Neuigkeiten von Dominic, aber das Letzte, was sie wollte, war, dass Bernadette mitbekam, wie tief ihr Schmerz wirklich war.

Aber so leicht ließ Bernadette sich nicht abwimmeln. Sie versuchte abermals, Dominic zur Sprache zu bringen.

»Tut mir Leid, Bern, aber da muss dringend jemand ans Telefon«, schwindelte Maura. »Ich ruf dich bald wieder an.« Sie verabschiedete sich und hängte rasch auf.

In den nächsten beiden Tagen wechselten Maura, Nick und Fran sich an Quinns Bettchen ab. Sie wollten nicht, dass er aufwachte und keinen sah, der ihn liebte. Zwischendurch schliefen sie in ihrem Hotelzimmer, duschten rasch und kamen dann wieder zurück ins Krankenhaus.

Die Ärzte waren vorsichtig optimistisch, wollten sich jedoch noch nicht endgültig festlegen, bevor die Ergebnisse der letzten Tests vorlagen.

Am Nachmittag ihres dritten Tages seit ihrer Rückkehr aus Irland bestand Maura auf ein Gespräch mit der Stationsschwester. Den ganzen Vormittag lang hatten sie auf Quinns Spezialisten gewartet. Zwei Stunden nach der verabredeten Zeit kam die Stationsschwester herein und teilte ihnen mit, dass der Spezialist zu einem anderen Fall gerufen worden sei und erst morgen zu ihnen kommen könne. Nick und Fran nahmen die Nachricht ruhig, ja fast reglos auf; sie waren in letzter Zeit an Schocks und Rückschläge gewöhnt, einer mehr schien auch keine Rolle zu spielen.

Nicht so Maura. Sie folgte der Schwester in ihr Büro. »Was meinen Sie damit, er wurde woandershin gerufen?«, fragte sie die junge Frau, sobald sie außer Hörweite von Nick und Fran waren. »Ist Quinn etwa nicht wichtig genug? Ist wohl zum Golfen gegangen, der Herr Spezialist, wie?« Ihre Stimme zitterte vor Wut. Der Gedanke, dass Nick und Fran mit zum Zerreißen gespannten Nerven auf die Testergebnisse warteten, trug auch nicht eben zu ihrer Beruhigung bei.

Die Schwester führte sie behutsam zum Krankenzimmer zurück. Dabei legte sie ihr die Hand auf den Arm und flüsterte: »Wir müssen so leise wie möglich sein, es gibt hier noch viele kleine Patienten.«

Maura wurde von einer Welle der Müdigkeit erfasst. »Tut mir Leid, aber ich komme mir so nutzlos vor. Es muss doch irgendwas geben, das wir tun können?«, bat sie flehentlich, das Bild ihres kleinen Neffen vor Augen.

»Nur nicht aufgeben, Sie müssen wollen, dass es ihm besser geht – wir sind der Meinung, dass die Kleinen das irgendwie mitkriegen«, sagte die Schwester und lächelte plötzlich. »Er ist ein kleiner Kämpfer, das sieht man gleich, wenn man ihn anschaut.«

Am nächsten Tag tauchte der Spezialist dann endlich auf, und er brachte gute Nachrichten. Die Tests zeigten, dass Quinn eine Reihe von so genannten Schlafapnoen erlitten hatte. »Das kommt eigentlich eher bei Erwachsenen vor, als bei Kindern«, erklärte der Arzt. »Am einfachsten lässt es sich damit erklären, dass die schlafende Person zu atmen vergisst. Ein Erwachsener wacht lang genug auf, um Luft zu holen, aber bei einem Säugling ist das weit ernster.«

Maura warf Nick und Fran einen Blick zu. Sie wusste, dass beide an die schreckliche Nacht denken mussten, als Fran Quinn halb tot in seinem Bettchen vorfand.

Der Arzt fuhr fort. »Außerdem scheint ein Lungenflügel nicht kräftig genug zu sein. Wir wollen ihn noch so lange zur Beobachtung hier behalten, bis kein Risiko mehr besteht.« Weiterhin riet er Nick und Fran, sich ein Überwachungsgerät zuzulegen, das Alarm schlug, wenn der Schläfer zu atmen aufhörte. »Aber er ist ein kräftiger kleiner Kerl«, sagte er und berührte Quinn sanft am Kopf. »Er wird's schon schaffen.«

Als der Arzt zu seinem nächsten Patienten gegangen war,

sagten sie erst einmal eine Weile lang nichts, sondern verarbeiteten die Neuigkeiten. Fran drückte Quinn fest an ihre Brust und küsste ihn sanft auf seinen schwarzen Schopf. Zum ersten Mal seit Tagen lächelte sie, lächelte Maura und Nick zu. Beide grinsten zurück. Die Erleichterung war überwältigend.

Im Verlauf des Tages konnte Maura dann beobachten, wie Fran allmählich die Mauer aus Sorge, die sie um sich herum errichtet hatte, ablegte. Ihr Blick klärte sich, die Anspannung wich aus ihrem Körper, und sie schien ihre Umgebung wieder wahrzunehmen.

Maura lächelte ihr zu. »Schön, dass du wieder da bist, Fran.«

Fran erwiderte das Lächeln. »Du auch, Maura.«

Von diesem Moment an änderte sich die Stimmung. Sie saßen um Quinns Bettchen herum, und Maura begann zum ersten Mal von ihrer Reise zu erzählen, wobei sie absichtlich einen möglichst leichten Ton anschlug.

Erst als Fran später am Nachmittag ins Hotel gefahren war, erzählte Maura Nick alles, was sie bei ihren Nachforschungen nach Catherine erlebt hatte. Sie war überrascht, wie leicht es ihr fiel, darüber zu reden. Sie rannte nicht mehr davor weg. Sie hatte es getan, hatte es durchgezogen, hatte tatsächlich etwas über ihre Mutter herausgefunden. Nick sagte anfangs nicht viel – das war so seine Art, sie wusste das. Aber er hörte ihr aufmerksam zu, und auch ihr Gesicht ließ er nicht aus den Augen.

Als Fran dann wieder auftauchte, wechselte Maura das Thema. Fran wusste zwar im Großen und Ganzen Bescheid, und Maura hatte auch nichts dagegen, wenn Nick ihr später alles erzählte, doch für den Moment sollte die Geschichte zwischen ihr und ihrem Bruder bleiben.

»Kommst gerade rechtzeitig, Fran«, sagte Maura und musterte Fran lächelnd. Sie sah um Jahre jünger aus, jetzt, wo die Anspannung von ihr gewichen war. »Ich wollte Nick gerade erzählen, wie ich und unser Wein in jedem irischen Dorf von jubelnden Menschen empfangen worden sind.«

Nick wollte alles ganz genau wissen, vor allem, wie die Leute auf seinen Wein reagiert hatten. Mit Freude bemerkte Maura, wie aufmerksam er die Notizen las, die sie sich über die Kommentare der Leute gemacht hatte.

»Ich bin stolz auf dich«, sagte er überraschend, als sie später im Foyer saßen und sich abermals an dem abscheulichen Kaffee versuchten.

Sie blickte aus ihrer Zeitung auf. »Wie bitte?«, sagte sie, denn sie glaubte, sich verhört zu haben.

»Ich bin stolz auf dich.«

»Ach, sei nicht albern«, wehrte sie hastig ab. Solche Bemerkungen war sie von ihrem Bruder nicht gewöhnt. »Es war dein Wein. Ich musste bloß darüber reden.«

»Ich rede nicht vom Wein. Ich rede davon, dass du nach Catherine gesucht hast. Terri wäre sehr froh darüber gewesen.«

Maura merkte, wie ihre Augen feucht wurden. Sie blinzelte die aufsteigenden Tränen fort. Eigentlich wollte sie eine lakonische Bemerkung, einen Witz machen, um den Moment zu überspielen, doch dann merkte sie, dass sie das bei Nick nicht mehr nötig hatte.

»Danke«, sagte sie leise. »Ich bin auch froh.«

34. Kapitel

»Ist hier sonst noch jemandem aufgefallen, dass ich jetzt schon den dritten Tag dasselbe T-Shirt anhabe?«, wollte Fran am folgenden Nachmittag wissen. Über Kleidung, Essen und Schlaf hatten sie sich in den ersten schlimmen Tagen kaum Gedanken gemacht, doch nun, da das Schlimmste vorüber war, kam auch der Alltag wieder zu seinem Recht.

»Soll ich gehen und dir ein paar neue Sachen kaufen?«, fragte Maura und blickte von ihrem Behelfsschreibtisch, dem Nachtkästchen, auf. Sie war gerade dabei, mit ihrem Reisebericht für diese Zeitschrift anzufangen.

»Ich hab zu Hause einen ganzen Schrank voll davon«, entgegnete Fran. »Wäre Verschwendung, was Neues zu kaufen. Wenn's euch nichts ausmacht, mich andauernd in demselben Lappen zu sehen, dann wird's auch mich nicht umbringen, selbigen noch eine Weile zu tragen«, fügte sie grinsend hinzu.

Maura reagierte sofort. »Ich könnte doch nach Clare fahren, uns ein paar frische Sachen einpacken und nach dem Weingut und dem Café sehen, was meint ihr?«

Sie konnte sehen, wie erleichtert Nick über diesen Vorschlag war. Gemma und ein anderer Winzer aus dem Ort, ein Freund von Nick, kümmerten sich zwar um das Nötigste, doch es war klar, dass er sich allmählich Sorgen gemacht hatte, weil er schon so lange weg war.

»Könntest du nachschauen, ob die neuen Tanks gekommen sind?«, fragte Nick und bestätigte damit ihren Verdacht.

»Und könntest du unseren Garten wässern?«, bat Fran. »Es war so trocken, ich hoffe, es ist nicht alles eingegangen.«

»Und könntest du auch nachsehen, ob die Wasserpumpe im hinteren Weinberg noch funktioniert?«, fügte Nick hinzu.

Maura lachte, als die Liste immer länger wurde. Sie beschloss, sofort aufzubrechen, und erhob sich. »Ich glaube, das reicht erst mal. Falls euch noch was einfällt, könnt ihr mich ja zu Hause anrufen.« Sie verabschiedete sich von Klein Quinn, dessen Haut allmählich wieder einen gesunden rosigen Schimmer bekam, wie sie mit einem Lächeln feststellte. Auch seine Augen leuchteten und wurden mit jedem Tag lebendiger. Er schien es wirklich überstanden zu haben.

Auf dem Heimweg Richtung Norden reihte sie sich in den

Feierabendverkehr ein und musste sich erst wieder an die harte Gangschaltung von Nick und Frans klapprigem altem Jeep gewöhnen. Sie erreichte die öden Vorortsiedlungen im Norden von Adelaide – eine Mischung aus Autohändlern, Schrottplätzen, Supermärkten und Wohnblöcken.

Sobald sie aber das vierzig Minuten nördlich gelegene Städtchen Gawler hinter sich gelassen hatte, hatte sie die Straße praktisch für sich. Sie war diese Strecke schon unzählige Male gefahren, kannte jede Stadt und jede Straßenbiegung.

Jetzt, nach ihrer Irlandreise, sah sie die Gegend mit ganz neuen Augen. Ihr fiel ein, wie sie den Leuten in Irland ihre Heimat beschrieben hatte. Die Weite und die Einsamkeit. Als die Sonne langsam am Horizont versank und den Himmel zu ihrer Linken mit kräftigen magentaroten Streifen überzog, fiel ihr diese Weite noch mehr auf, besonders nach der Enge der letzten sieben Tage, zuerst im Flugzeug, dann im Krankenhaus.

Der beeindruckende Sonnenuntergang übte eine beruhigende Wirkung auf sie aus. Das Auto füllte sich mit dem weichen rosafarbenen Licht, das sie untrennbar mit dem Spätsommer in Südaustralien verband. Zum ersten Mal, seit sie heimgekommen war, schweiften ihre Gedanken zu Dominic und der letzten Nacht, in der sie ihn beobachtet hatte, als er die nackte Carla liebkoste.

Diesmal war es nicht Wut, was sie empfand. Nein, sie merkte, wie ihr die Tränen kamen. Zornig über sich selbst, wischte sie sie mit dem Handrücken weg. Sie redete sich ein, dass es nur der Druck der letzten Tage war, der sich allmählich Bahn brach, ihre Sorge um Quinn und auch die Nachwirkungen des Jetlags. Immerhin war sie total überstürzt abgeflogen. Aber wenn sie ehrlich war, war es hauptsächlich der Kummer, Dominic verloren zu haben.

Sie hatte sich ihm in jener Nacht in London so nahe gefühlt, sowohl emotional als auch physisch. Immer wieder musste sie an die gemeinsamen Fahrten mit ihm denken, an die seltsame Anspannung, das Knistern, das seit ihrer ersten Begegnung zwischen ihnen geherrscht hatte, und das immer stärker werdende Bewusstsein, wie sehr sie sich zu ihm hingezogen fühlte. Sie hatte dieses Geheimnis ihrer Liebe gehütet wie einen Schatz, hatte nach der Nacht in London tatsächlich an eine Art gemeinsame Zukunft geglaubt.

Endlich konnte sie weinen, laut weinen, und das war eine große Erleichterung. Schneller, als es eigentlich erlaubt war, fuhr sie dahin, und auch das löste etwas in ihr. Ja, sie fühlte sich schon ein wenig besser. Nicht glücklicher, nein, aber besser. So war es ihr nicht einmal nach dem Ende ihrer Beziehung mit Richard gegangen. Bedeutete das jetzt, dass Richard nicht ihre wahre Liebe gewesen war, Dominic aber schon? Oder bildete sie sich das auch wieder nur ein und machte damit alles noch schlimmer?

Während sie so dahinfuhr, wurde sie allmählich von einer erschöpften Ruhe erfasst. Die gelben Felder zu beiden Seiten des Weges leuchteten im schwindenden Licht der Abendsonne. Es schien, als ob es während des ganzen Monats, als sie in Irland gewesen war, überhaupt nicht geregnet hatte. Trockenes Buschgras wuchs an beiden Seiten der Straße, und auch zwischen den Bäumen auf den Feldern wucherte das ausgedörrte Gestrüpp. Sie runzelte die Stirn. Der mittlere Norden von Südaustralien hatte vor ein paar Jahren verheerende Buschbrände erlebt. Viele Bäume hatten erst dieses Jahr wieder genug grüne Triebe angesetzt, um die hässlichen schwarzen Stümpfe zu verbergen. Aber wie es aussah, war auch das natürliche Futter für die Brände, das trockene Buschwerk, wieder nachgewachsen.

Als sie die rasante Kurve zur Einfahrt ins Städtchen Auburn nahm und das Schild las, das den Besucher im Clare Valley willkommen hieß, machte ihr Herz, wie immer an dieser Stelle, unwillkürlich einen Satz.

Schön und beruhigend wie eh und je leuchtete das Grün der Weinberge. Sie konnte es kaum mehr abwarten, nach Hause zu kommen. Sie fuhr ohnehin schon schneller, als eigentlich zulässig war, und doch musste sie sich beherrschen, nicht noch mehr auf das Gaspedal zu drücken. Die Ortschaften Leasingham, Watervale, Pentwortham und Sevenhill flogen vorbei.

Am Ortsrand von Clare erblickte sie das Hinweisschild nach Lorikeet Hill und musste unwillkürlich laut lachen. Nick hatte es in ihrer Abwesenheit wohl neu malen lassen. Ein Satz war hinzugefügt worden: *Unseren Wein gibt es jetzt auch in Irland.*

Sie bog in den Kiesweg zum Weingut ein. Vor dem Haus stieg sie nicht aus, sondern blieb noch ein Weilchen im Wagen sitzen, um erst mal glücklich den Blick schweifen zu lassen. In diesem Moment ging die Haustür auf, und Gemma trat mit einem Mann auf die Veranda hinaus. Sie sah, wie Gemma dem Mann die Arme um den Hals schlang und ihn leidenschaftlich küsste.

Maura grinste. Deshalb also hatte Gemma nichts gegen eine Verlängerung ihres Zwangsaufenthalts einzuwenden.

Als die beiden das Quietschen der sich öffnenden Wagentür hörten, fuhren sie erschrocken auseinander. Überrascht erkannte Maura den Mann. Es war Keith Drewer, ein erfolgreicher Schafzüchter aus der Gegend, der in der Schule ein paar Klassen über ihr gewesen war.

»Hallo, Gemma, hallo, Keith«, rief sie den beiden belustigt zu.

Gemma ließ Keith los und rannte freudestrahlend auf Maura zu.

»Herzlich willkommen daheim!«, rief sie und fiel der Freundin um den Hals. »Ich freu mich ja so, dich zu sehen!«

Maura umarmte sie ebenfalls. Schelmisch flüsterte sie ihr ins Ohr: »Tut mir Leid, euch unterbrochen zu haben. Soll ich später wiederkommen?«

»Ach, rede keinen Scheiß!«, rief Gemma fröhlich. Und über die Schulter gewandt, meinte sie: »Das macht gar nichts. Keith wollte sowieso gerade gehen, nicht, mein Süßer?« Gemma übertrieb absichtlich, was Maura nur noch mehr amüsierte und dem armen Keith, wie beabsichtigt, die Röte in die Wangen trieb.

Man stelle sich vor, ausgerechnet Gemma und er. Er war ein Farmer mit Herz und Seele, die Stadt war ihm ein Gräuel. Und Gemma war ein Sydneypflänzchen, vom gestylten Scheitel bis zur ebenso gestylten Sohle. Aber so wie sich die beiden ansahen – und nach ihrer ziemlich zerknitterten Kleidung zu urteilen –, hatte es zwischen ihnen offenbar gewaltig gefunkt.

Keith fand gerade noch Gelegenheit, sich höflich bei Maura nach dem Verlauf ihrer Reise zu erkundigen, als ihn die energische Gemma auch schon ins Auto schubste. »Bis morgen, Süßer. Hab furchtbar viel zu bereden mit meiner lieben Freundin hier. Wird sicher die ganze Nacht dauern. Du weißt ja, wie Frauen so sind.«

Als Keith davongeholpert war, umarmte Gemma Maura noch mal und hielt sie dann auf Armlänge von sich.

»Wie geht's dir, Süße? Wie geht's Quinn, wie geht's Nick, wie geht's Fran, wie war's in Irland, und wie läuft's so?«

Maura grinste. »Quinn geht's von Tag zu Tag besser und Nick und Fran natürlich auch. Wenn du uns ein paar kühle Drinks mixt, dann können wir uns raus auf die Veranda setzen, und ich erzähle dir alles.«

Während Gemma tat, wie ihr geheißen, machte es sich Maura in einem Gartensessel auf der Veranda des Cafés gemütlich. Ah, das tat gut. Sie merkte, wie sich ihre Muskeln entspannten. Sie hörte Gemma in der Küche herumhantieren und musste lächeln. Die halbe Nacht verquatschen, ja, das klang nicht schlecht. Sie konnte ihr eigenes Häuschen zwischen den Bäumen erkennen. Heute Nacht würde sie endlich wieder in ihrem eigenen Bett schlafen. Es war schön, wieder zu Hause zu sein.

Gemma tauchte auf und riss sie aus ihren Gedanken. Sie schwankte unter einem Tablett mit einer Flasche Schaumwein in einem Sektkühler, Gläsern, kleinen Schüsselchen mit Oliven vom eigenen Hain und einem Handy.

Als Maura das Telefon sah, hob sie fragend die Brauen. »Brauchen wir noch so dringend Reservierungen, oder erwartest du einen Anruf?«

Gemma wollte es schon abstreiten, doch dann lachte sie. »Na ja, er hat gesagt, er ruft vielleicht noch mal an. Aber vergessen wir meinen Liebsten mal für den Moment«, sagte sie und reichte Maura ein Glas mit prickelndem Inhalt. »Schön, dass du wieder da bist, Morey. Jetzt komm schon, erzähl mir alles, aber haarklein.«

Nick hatte Gemma natürlich bereits von Bernadettes Missgeschick berichtet und auch vom wundersamen Auftauchen des »falschen« Testers in Irland, aber Gemma wollte alles noch mal ganz genau aus Mauras Mund erfahren.

Abwechselnd erzählten sie einander ihre Erlebnisse. Maura wollte natürlich unbedingt alles über Gemmas Romanze mit Keith wissen und wie es dazu gekommen war. Er war Gemma als Lieferant für besonders feines Lammfleisch fürs Restaurant empfohlen worden, und sie war zu ihm rausgefahren.

»Das war wie in Zeitlupe, Morey, unsere Blicke begegneten sich, unsere Herzen setzten einen Schlag aus und, ehrlich, ich musste mich beherrschen. Am liebsten hätte ich mich sofort in seine Arme gestürzt.«

Maura bog sich vor Lachen. »Na, deine Beherrschung hat wohl nicht lang vorgehalten, wie's aussieht.«

»Das liegt an der guten Landluft, die macht mächtig Appetit. Hast du selbst oft genug gesagt.«

Maura schüttelte lachend den Kopf über Gemmas freche

Klappe. »Na, meinen Segen hast du – scheint dir ja blendend zu bekommen, deine Liebelei mit der Landbevölkerung.«

Gemma streckte sich wohlig. »Bin ein ganz neuer Mensch, glaub's mir. Und wie steht's mit dir – irgendwelche stürmischen Romanzen mit irischen Dichtern oder rotnasigen Weinhändlern?«

Maura war selbst überrascht, aber sie erzählte Gemma nichts von ihren Gefühlen für Dominic. Und auch nichts über die Nacht in dem Hotel in Mayo oder die Nacht in London, geschweige denn von dem Vorfall, als sie ihn mit Carla ertappte. Sie wusste selbst nicht, warum. Vielleicht ging ihr das Ganze im Moment einfach noch zu sehr an die Nieren. Also wechselte sie stattdessen fröhlich das Thema und bat Gemma, ihr den neuesten Tratsch und Klatsch aus dem Valley zu erzählen.

Die Stimmung war locker und entspannt, bis Gemma wieder auf Irland zu sprechen kam und sich vorsichtig nach dem Thema Catherine erkundigte. Sie wusste, wie ambivalent Mauras Gefühle in Bezug auf ihre leibliche Mutter waren. Voller Neugier und Interesse hörte sie zu, als Maura, zunächst stockend, zu erzählen begann.

Gemma fragte immer wieder einfühlsam nach, und Maura war froh um ihr Interesse, war froh, ihre Gedanken in Worte fassen und dabei für sich sebst mehr Klarheit zu bekommen.

Gegen zehn Uhr abends klingelte das Handy. Es war Fran, mit guten Nachrichten aus dem Krankenhaus. Der Spezialist war noch mal da gewesen, kurz nachdem Maura gegangen war.

Fran konnte zur allgemeinen Freude berichten, dass Quinns Lungen eindeutig kräftiger wurden.

»Der Doktor meint, in ein paar Tagen könnte er von den Geräten genommen werden«, erzählte Fran glücklich, »und dann wird Quinn wieder ohne Hilfe atmen.«

Maura gab die guten Neuigkeiten gleich an Gemma weiter. »Hier in einem Weinanbaugebiet müssen gute Nachrichten natürlich kräftig begossen werden. Na, denn Prost«, sagte Gemma prompt und füllte beide Gläser auf. Kaum hatten sie einen Schluck getrunken, da klingelte schon wieder das Handy.

»Keith?«, riet Maura.

Gemma schenkte ihr ein kesses Grinsen und sprach dann mit übertrieben rauchiger Stimme ins Telefon. »Lorikeet Hill Winery Café, halloo«, hauchte sie. »Ja, das ist Maura Carmodys Nummer. Mit wem spreche ich, bitte?«

Maura schaute sie mit einem überraschten Stirnrunzeln an. Wer konnte wissen, dass sie wieder hier war?

Gemma wiederholte den Namen für Maura. »Dominic Hanrahan«, sagte sie und hob fragend die Braue.

Maura blieb fast das Herz stehen. Heftig schüttelte sie den Kopf. »Ich bin noch nicht da«, hauchte sie mit weit aufgerissenen Augen.

Gemma reagierte ohne Zögern. »Ach, Maura ist leider noch in Adelaide bei ihrer Familie im Krankenhaus«, schwindelte sie glatt. »Ja, es geht ihm viel besser, ja, uns ist allen ein Stein vom Herzen gefallen. Soll ich Maura was ausrichten? Nein? Na gut, ich sag ihr, dass Sie angerufen haben. Wiedersehen.«

Gemma legte auf, schaute Maura an und stieß einen lauten Juchzer aus.

»Das war Dominic? Wow, was für eine tolle Stimme! Wieso ruft er hier an, und woher weiß er so viel über Quinn?«, kam es wie aus der Pistole geschossen.

Maura sagte nichts. Ihre Gedanken rasten. Bernadette musste ihm das mit Quinn erzählt und ihm auch ihre Nummer gegeben haben.

Gemma schaute sie genauer an. »Wieso bist du auf einmal so still? Was ist? Was hast du mir verschwiegen? Du hast doch nicht etwa die interessanten Einzelheiten deines Irlandtrips ausgelassen, oder? Wieso sollte er hier anrufen?«

Maura rieb sich das Handgelenk. Diese Geste kannte Gemma ebenfalls. »Hallo, hier spricht Gemma«, flötete sie. »Deine älteste und beste Freundin. Ich sag dir alles, und du sagst mir alles, weißt du noch ? Also schütte mal dein Herz aus, liebste Freundin.«

Maura rutschte unbehaglich auf ihrem Stuhl hin und her. »Na ja, vielleicht war da ja was zwischen mir und Dominic.«

»Vielleicht? Wie – vielleicht?«

»Na ja, vielleicht hab ich mich ja in ihn verknallt, und vielleicht haben wir miteinander geschlafen, und vielleicht hab ich mich total zum Narren gemacht«, sprudelte es aus Maura hervor. Trotzig blickte sie Gemma an.

Gemma zog ihren Stuhl zu Maura heran und machte es sich grinsend gemütlich. »Also, das klingt schon besser. Und jetzt noch mal von vorne – oder besser von hinten. Wieso hast du einen Narren aus dir gemacht?«

Angespannt und verlegen erzählte Maura kurz, wie sie Dominic mit Carla im Bett überrascht hatte.

»Vielleicht hat er ihr da ja gerade erzählt, was zwischen dir und ihm passiert ist«, meinte Gemma, die immer bemüht war, beide Seiten zu sehen.

»Na klar, splitternackt, wie man solche Unterhaltungen gewöhnlich führt«, spottete Maura bitter.

»Du hast gesagt, sie wäre nackt gewesen, aber er hätte noch die Hose angehabt?« Gemma wollte es aber wirklich genau wissen.

»Da hab ich sie wohl noch gerade rechtzeitig gestört. Frage nicht, was gewesen wäre, wenn ich ein paar Minuten später gekommen wäre …« Mauras Stimme verlor sich.

Gemma runzelte die Stirn. »Na gut, dann zu Geständnissen Nummer eins und zwei. Du hast gesagt, du hast vielleicht mit ihm geschlafen. Hast du oder hast du nicht?«

Maura vergrub das Gesicht in den Händen. »Ja, natürlich hab ich, Gemma, mach's mir doch nicht noch schwerer!«

Gemma lächelte ihre Freundin an. »Ich will's dir nicht schwerer machen, ich will nur alles haarklein hören, und du weichst mir andauernd aus. Also, was ist passiert?«

»Ich hab dir doch erzählt, dass ich zufällig Richard in London getroffen habe.«

»Ja.«

»Na ja, Dominic hab ich an dem Abend auch getroffen. In derselben Hotelbar.«

Gemma klatschte begeistert in die Hände. »Fantastisch! 'ne kleine Rauferei unter Rivalen, wie?«

Maura warf ihr einen vernichtenden Blick zu. »Nein, so war's nicht. Ich war ein bisschen durcheinander nach dem plötzlichen Auftauchen von Richard, und Dominic wohnte auch in dem Hotel und, na ja, da hat er sich um mich gekümmert.«

»Und wie«, grinste Gemma. Dann wurde sie wieder ernst. »Und wie kam das, dass ihr im selben Hotel abgestiegen wart?«

»Bernadette hat's mir wärmstens empfohlen –«

Gemma zog die Augenbraue hoch. »Wollte wohl ein wenig Amor spielen, kann das sein?«

Maura wollte es schon bestreiten, dann fiel ihr wieder ein, wie energisch Bernadette darauf bestanden hatte, dass sie dieses Hotel nahm. Und sie hatte außerdem erwähnt, dass Dominic ebenfalls dort wohnte. Und Dominic war alles andere als überrascht gewesen, sie in London zu sehen …

»Nein, das war sicher bloß ein Zufall«, sagte sie. Insgeheim zweifelte sie jedoch daran.

So wie Gemma aussah, war auch sie nicht recht überzeugt, aber sie hakte nicht weiter nach. »Also, du hast ihn in der Hotelbar getroffen. Und was ist dann passiert?«

»Na ja, ich hatte ein bisschen Angst, allein auf mein Zimmer zu gehen.«

»Netter Trick, Schätzchen«, lachte Gemma.

»Lach nicht, Gemma, ich hatte echt Angst. Richard ist total ausgerastet, ich hatte Angst, dass er mir vielleicht aufs Zimmer folgt …«

Gemma wurde wieder ernst. Sie hatte Richard selbst ein paarmal in Aktion erlebt und wusste, wie unberechenbar er war. »Nein, du hattest wahrscheinlich vollkommen Recht. Du bist also stattdessen mit Dominic rauf auf sein Zimmer gegangen. Und dann?«

Maura wollte etwas sagen, unterbrach sich dann aber, und ein glückliches Lächeln legte sich über ihre Züge. »Ich werde nicht in die Einzelheiten gehen, also frag erst gar nicht. Aber es war …« Sie suchte nach den richtigen Worten. »Es war einfach herrlich.«

»Und was ist dann passiert?«

»Wir haben über Carla geredet, und er hat gesagt, ich soll ihm vertrauen und warten, er würde mit ihr reden. Und blöde Kuh, die ich bin, hab ich zugestimmt. Und du siehst, wohin das geführt hat.«

Gemma schaute sie verblüfft an. »Und wieso ruft er dann hier an?«

»Ich weiß nicht. Vielleicht fühlt er sich ja schuldig, jetzt, wo er und Carla wieder zusammen sind. Will wohl sein Gewissen erleichtern oder so.«

»Wieso redest du dann nicht mit ihm, wenn er das nächste Mal anruft? Dann weißt du's.«

»Ein nächstes Mal wird's wahrscheinlich gar nicht geben«, sagte Maura trotzig. »Hör zu, Gemma, ich hatte eine Ferienromanze, und die ist schief gegangen. Eigentlich hat's von Anfang an nicht richtig gestimmt.«

»Aber trotzdem, wieso sollte er –« Gemma wurde vom abermaligen Klingeln des Telefons unterbrochen. Maura fiel fast vom Stuhl, während Gemma ranging.

Sie grinste von einem Ohr zum anderen und hauchte dann mit derart erotischer Stimme ins Telefon, dass Maura sich fast an ihrem Wein verschluckte. »Keith, Schätzchen, gerade hab ich an dich gedacht.«

Maura verdrehte die Augen, nahm ihr Glas und ging ein Stück weg, damit Gemma in Ruhe flirten konnte.

Sie lehnte sich ans Verandageländer und wechselte ihr Glas von einer Hand in die andere. Ihr Herz klopfte heftig, noch immer. Dominic hatte angerufen. Hätte sie mit ihm sprechen sollen? Sie war froh, dass sie's nicht getan hatte. Wenn er ihr nun angehört hätte, wie tief ihre Gefühle für ihn gingen? Wenigstens wusste er nicht, dass sie sich fast in ihn verliebt hätte. Da blieb ihr zumindest noch ein Quäntchen Stolz. Besser, sie vergaß ihn. Als ob ich das könnte, sagte eine Stimme in ihr.

Gemma trat zu ihr. »Als ob du was könntest?«

Maura schüttelte traurig lächelnd den Kopf. »Hab bloß wieder laut gedacht. Wie üblich. Also, was macht dein Liebster?«

Gemma zog tatsächlich eine etwas einfältige Miene. »Na ja, er kommt später noch her, sagt, er hält's nicht bis morgen aus. Hast du was dagegen?«

Maura schüttelte den Kopf. »Natürlich nicht. Du hast dir heute Abend sowieso schon genug von meinem Gejammer angehört. Und ich bin todmüde und sehne mich nach meinem eigenen Bett. Also, schnapp ihn dir!«

»Mein Gott, setz mir bloß keine Flausen in den Kopf!«, sagte Gemma mit einem vieldeutigen Lachen. Sie merkte, dass sich Maura offenbar wieder beruhigt hatte, und streichelte ihr den Arm.

»Schön, dich wieder hier zu haben. Und zerbrich dir bloß nicht den Kopf über Dominic oder diese blöde Kuh, Carla. Das wird sich sicher noch alles zum Guten wenden, wirst sehen.«

»Du klingst schon wie Bernadette«, nuschelte Maura und unterdrückte ein Gähnen.

»Na, dann hast du Glück und hast gleich zwei weise Freundinnen. Soll ich dich zum Haus begleiten? Ich kann hier abschließen, wenn ich wieder zurückkomme.«

Maura schüttelte den Kopf. »Nein, warte auf Keith, es sind ja nur ein paar Schritte. Bis morgen.« Sie umarmte ihre Freundin und ging dann zum Jeep, um ihre kleine Reisetasche zu holen. Der Rest ihres Gepäcks konnte bis morgen warten.

Das kurze Stück durch die stillen, dunklen Weinberge zu ihrem Cottage war eine Wohltat für ihre Seele, und der Schaumwein hatte sie angenehm benebelt. Zu Hause angekommen, ging sie erst einmal durch alle Räume und sah sich um. Gemma hatte überall Vasen voller frischer Blumen verteilt, wie sie mit einem Lächeln feststellte. Sie hatte sich in dem Monat ihrer Abwesenheit wirklich gut um das Häuschen gekümmert, das sah Maura sofort. Vor allem in dem Gästezimmer hatte es sich Gemma richtig gemütlich gemacht. Er wirkte völlig verändert.

Als sie im Bett lag, hörte Maura Keiths Wagen über den Kiesweg zum Café fahren. Sie hörte ihre gedämpften Stimmen, ihr Lachen, während Gemma überall zuschloss und sie dann, sich flüsternd unterhaltend, über den Pfad durch den Weinberg zu ihrem Häuschen kamen.

Bald darauf wurde es im Gästezimmer still, und Maura konnte sich denken, was vorging. Froh, wieder zu Hause in ihrem eigenen Bett zu sein, rollte sie sich zusammen.

Aber nachts um zwei Uhr lag sie noch immer wach, wälzte sich wohl zum hundertsten Male von einer Seite auf die andere. Ihre Gedanken kreisten immer nur um die eine Frage: Wieso hatte Dominic angerufen?

35. Kapitel

Egal, wie oft sie das Telefon am nächsten Tag auch anstarrte, es kam kein Anruf mehr für sie. Zumindest nicht der, den sie sich erhoffte.

»Jetzt ruf ihn schon an«, sagte Gemma schließlich entnervt. »Du zuckst jedes Mal, wenn's klingelt, zusammen wie 'ne Katze, die sich verbrüht hat. Du machst mich noch ganz nervös.«

»Ich habe seine Nummer nicht.« Eine ausgesprochen schwache Ausrede.

Und Gemma schnaubte prompt. »Jetzt mach dich nicht lächerlich. Die Leute von der Weingenossenschaft in Dublin müssten sie doch sicher haben, oder du könntest bei der Auskunft anrufen. Oder bei Bernadette. Die müsste sie doch auch haben, oder?«

Kleinlaut meinte Maura: »Ja, ich glaube schon, aber fragen werde ich sie nicht danach.«

Gemma schaute ihre Freundin erstaunt an. »Du hast Schiss! Die Hosen voll hast du! Gestrichen voll! Was ist nur aus meiner starken, tatkräftigen Freundin geworden? Hat sie während des Flugs ihren Mut abgegeben? Ist sie ein verdruckstes, unsicheres, verklemmtes Mauerblümchen geworden …?« Gemma war jetzt richtig in Fahrt.

Maura erhob sich und wedelte lachend mit den Armen. »Genug, genug, ich werde schon was unternehmen, ich versprech's.«

»So ist's recht! Ruf Bernadette an und lass dir die Nummer geben.«

»Ich kann nicht«, jammerte Maura.

Gemma sah aus, als würde sie gleich wieder loslegen. »Kann nicht? Kann nicht? Wieso nicht?«

»Weil's in Irland jetzt drei Uhr morgens ist, Schätzchen«, entgegnete Maura schadenfroh.

Gemma warf einen Blick auf ihre Uhr. »Dann ruf sie später an.«

»Da bin ich leider schon unterwegs nach Adelaide«, meinte Maura, höchst zufrieden mit sich. »Es muss eben einfach noch warten.«

Gemma schüttelte in gespielter Enttäuschung den Kopf. »Wer hätte gedacht, dass du so leicht aufgibst? Nein, nein, schlappmachen gilt nicht.«

»Gemma«, sagte Maura warnend, »du hörst dich schon an wie ein Fußballcoach. Ich bin nicht wie du, ich kann da nicht einfach so durchpreschen. Ich komme mir sowieso schon total blöd vor und will mich nicht noch tiefer reinreiten. Bitte lass mich – ich muss mir erst in Ruhe über meine Gefühle klar werden.«

Gemma wollte noch etwas sagen, das sah man ihr an, doch angesichts von Mauras Gesichtsausdruck überlegte sie es sich anders. Maura machte die Sache schwer zu schaffen. Gemma hatte das Ganze zunächst für einen harmlosen Flirt gehalten, aber jetzt wusste sie es besser. Sie kannte ihre Freundin gut genug, um zu erkennen, dass Dominic sie wirklich zutiefst verletzt hatte. Und er war der erste Mann seit Richard, den sie je erwähnt hatte. Gemma beschloss klugerweise, ihren Mund zu halten. Aber nicht für immer. Nicht für lange. So viel war sicher.

Nick und Fran freuten sich riesig, als Maura wieder im Krankenhaus in Adelaide auftauchte, und noch mehr freuten sie sich über die Berge an Kleidung und anderen Sachen, die sie mitbrachte.

Quinn war wie ausgewechselt. In nur zwei Tagen war eine enorme Veränderung mit ihm vorgegangen. Mit Entzücken stellte sie fest, dass da eine richtige kleine Persönlichkeit erwacht war – und das war ein wahres Wunder, wenn man bedachte, dass er bis vor kurzem noch todkrank gewesen war. Sie konnte ihn sogar einmal halten und wurde von einer Welle der Liebe für dieses kleine Wesen erfasst. Sie konnte nur ahnen, wie es Nick und Fran ergangen sein musste, die ihm doch so viel näher standen.

Die Ärzte wollten Quinn noch eine Woche lang zur Beobachtung dabehalten, aber im Grunde bestand kein Anlass mehr zur Sorge.

Auf den Tag genau eine Woche nach ihrer Rückkehr aus Irland saß sie erneut mit ihrem Bruder im Foyerbereich der Station.

»Dieser Kaffee ist noch grässlicher geworden, falls das überhaupt möglich ist«, sagte sie mit einer Grimasse.

Nick lachte und verzog ebenfalls das Gesicht, als er einen Schluck aus seinem Plastikbecher trank. Dann wurde er plötzlich ernst.

»Ist irgendwas mit dir? Ich meine, abgesehen von Quinn und Catherine und deiner überstürzten Rückkehr. Als ob das nicht genug wäre. Aber du kommst mir so verändert vor.«

»Ach, mit mir ist alles in Ordnung«, beruhigte sie ihn. »Bloß der Jetlag.«

»Nach einer Woche?« So leicht ließ Nick sich nicht abwimmeln. »Hast du mir sonst noch was verschwiegen?«

»Ist 'ne lange Geschichte, aber nichts, worüber du dir Sorgen machen müsstest. Irgendwann erzähle ich dir das ganze Drama«, sagte sie mit einem trockenen Lächeln.

Nick musterte sie eingehend. »Du machst dir doch nicht etwa Sorgen um das Gut oder das Café? Das brauchst du nicht, ehrlich, ich bin ziemlich sicher, dass es aufwärts geht.«

»Ich auch. Nein, ich mache mir überhaupt keine Sorgen. Warte nur, bis ich meinen Artikel geschrieben und an die Zeitschrift geschickt habe, dann werden uns die Gäste nur so die Bude einrennen.«

Nicks Miene klärte sich. »Ach ja, dieser Artikel, den hatte ich ja ganz vergessen. Mensch, du hattest ja noch gar keine Zeit, ihn zu schreiben, nicht?«

Maura ergriff dankbar die Gelegenheit, den Reisebericht als Entschuldigung für ihre abwesende Art vorzuschieben. »Na ja, ein paar Notizen habe ich mir schon gemacht, aber mir bleibt ja noch ein bisschen Zeit.«

»Pass auf, jetzt, wo wieder alles gut läuft mit Quinn, brauchen wir dich eigentlich nicht mehr. Wieso fährst du nicht zurück und klemmst dich hinter deinen Computer? Gemma sagt, sie bleibt gern, so lange wir sie brauchen. Und Fran und ich schaffen das hier schon. Außerdem kommen wir sowieso in einer Woche nach Hause. Also, wie wär's? Ich glaube, du kannst ein bisschen Zeit für dich gut brauchen.«

Und als er sie davon überzeugt hatte, dass es ihm ernst war, nahm Maura sein Angebot dankbar an.

Innerhalb von vierundzwanzig Stunden war sie wieder zurück in Clare. Sie setzte sich an ihren Computer und fing mit dem Schreiben an. Zu ihrer Überraschung flossen ihr die Anekdoten nur so aus der Feder, und es gelang ihr recht gut, das Ganze ein wenig zu glätten. Und dann rief auch noch ein Journalist einer überregionalen Zeitung an und bat sie um ein Interview über ihre PR-Tour durch Irland, das als Aufmacher in einer der nächsten Ausgaben erscheinen sollte.

Als sie den Artikel einige Tage später las, sah sie, dass der Journalist auf Lorikeet Hill als einen der Endausscheidungsteilnehmer am *Australian Restaurant Awards* verwiesen hatte.

»Ach Gott, den Restaurant Awards habe ich in all dem Durcheinander ja völlig verschwitzt«, sagte sie erschrocken zu Gemma, als sie Zeitung lesend beim Frühstück saßen. »Was passiert denn jetzt als Nächstes? Ich war noch nie nominiert.«

»Ich glaube, da kommt noch eine zweite Prüfungsrunde«, meinte Gemma.

»Dann müssen wir diesen Tester also noch mal über uns ergehen lassen? Ich werde schon jedes Mal nervös, wenn ein älterer Herr das Café betritt.«

Gemma versuchte stirnrunzelnd, sich an die Einzelheiten des Ausscheidungsverfahrens zu erinnern. »Nein, ich glaube, diesmal kommen andere Richter, damit es keine Bevorzugung gibt. Die Südaustralier beurteilen die Restaurants in Victoria, die Westaustralier die in Queensland und so weiter.«

Maura dachte besorgt an ihr volles Buchungsregister. »Und jetzt ist auch noch Hochsaison.«

»Ach, mach dir mal keine Sorgen«, wiegelte Gemma ab. »Die werden uns sicher vorwarnen.«

Ob es nun an dem Artikel in der großen Zeitung lag oder einfach an dem lang andauernden, schönen Märzwetter, auf jeden Fall wurden sie in den nächsten Tagen von einer Flut von Anrufen überrollt. Lorikeet Hill war für die nächsten Wochen komplett ausgebucht.

Maura sprach am Telefon mit Nick. »Ist wohl doch gut, dass ich hier bei Gemma bin, das hätte sie allein sicher nicht geschafft. Wir haben beschlossen, bis zum *Gourmet Weekend* im Mai auch Freitag- und Samstagabend aufzumachen, um die Nachfrage zu befriedigen. Was denkst du?«

Nick war total begeistert. »Na klar! Soll ich wirklich nicht kommen? Quinn geht's jeden Tag besser. Fran hätte sicher Verständnis, wenn ich kurz nach Hause käme.«

Aber Maura bestand darauf, dass er blieb, wo er war. »Es geht schon, wirklich. Gemma und ich, wir schaukeln das schon.«

Aber als dann der Samstag kam, wünschte sie fast, Nick wäre doch gekommen. Das Café war total ausgebucht, und das Telefon hörte nicht auf zu klingeln. Ganz Australien schien plötzlich einen Tisch im Lorikeet Hill Winery Café haben zu wollen.

Um zehn Uhr vormittags plauderte sie noch entspannt über die Faxleitung mit Bernadette, um die Hauptleitung für Anrufe freizuhalten. Sie wollte abends eine leichte Kartoffel-

Lauch-Suppe servieren und brauchte dazu Bernadettes Rezept für irisches Schwarzbrot.

Bernadette freute sich riesig über ihren Anruf, denn in der Aufregung der letzten Tage hatten sie nur ein paar ultrakurze E-Mails austauschen können. Bernadette war froh, als sie hörte, dass Quinn große Fortschritte machte.

»Das muss ja eine Riesenerleichterung für euch sein, war sicher die reinste Hölle.«

Da musste ihr Maura zustimmen. »Und jetzt, wo wir ein bisschen Zeit zum Reden haben – wie läuft's bei dir?«

Bernadette erklärte, dass die Renovierungsarbeiten an ihrem Anwesen so gut wie fertig waren. »Du wirst es kaum glauben, aber wir hatten tatsächlich fünf Tage ohne Regen, wir haben gearbeitet wie die Wilden, um das Beste daraus zu machen«, sagte sie lachend.

Eine kurze Pause trat ein, und Maura spürte sofort, dass Bernadette jetzt gleich wieder von Dominic anfangen würde. Doch die Pause zog sich in die Länge, und da begriff Maura, dass Bernadette darauf wartete, dass sie den ersten Schritt machte. Fast gegen ihren Willen hörte sie sich fragen: »Und – was gibt's Neues aus Dublin?«

»Ach, Cormac geht's gut, er ist immer noch mit dem jungen Ding zusammen, das er bei deinem letzten Dinner dabei hatte – ist fast ein Rekord für ihn.«

Maura musste gegen ihren Willen lachen. »Nein, ich meine nicht Cormac, du Biest.«

»Ich dachte, jemand anderen dürfte ich dir gegenüber nicht mehr erwähnen«, erwiderte Bernadette im Unschuldston.

»Du weißt schon, wovon ich rede, Bernadette Carmody. Er hat neulich Abend hier angerufen, und ich habe mich gefragt, woher er wohl wissen konnte, dass ich wieder zu Hause bin und ob er nicht vielleicht zufällig mit einer gewissen wohl bekannten Köchin aus Westirland gesprochen hat, die ihm, ihrer australischen Freundin zuliebe, vielleicht mehr verraten hat, als sie hätte sollen?«

»Jesus, Maria und Josef«, stieß Bernadette mit gespielter Empörung hervor, die Maura selbst über die zwölftausend Meilen Entfernung nicht überhören konnte. »Wieso, bitte, sollte ich mich in die Privatangelegenheiten zweier junger Leute einmischen, die sowieso ganz genau wissen, was sie wollen?«

»Was meinst du damit, dass er genau weiß, was er will? Was hat er gesagt?« Maura musste einfach fragen.

»Na ja, wir haben letzte Woche nur kurz miteinander gesprochen, bevor er in die Staaten flog ...«, sagte Bernadette zögernd.

Maura sank der Mut. Er hatte Carla nach New York zurückgebracht, wo sie sich von ihrem letzten kleinen Stunt erholen sollte. Gerade wollte sie sich nach der ganzen Geschichte erkundigen, als Gemma ihren Kopf ins Zimmer streckte.

»Entschuldige, Bernadette, kannst du kurz warten?« Maura schaute Gemma an, die ungewöhnlich nervös wirkte.

»Ich muss mit dir reden, es ist dringend«, zischte Gemma.

Maura nickte ihrer Freundin zu. Eigentlich war sie ganz froh um die Unterbrechung. Dominics Anruf neulich hatte ihr wieder Mut gemacht, doch diese letzte Nachricht war niederschmetternd. »Bernadette, tut mir Leid, aber ich muss Schluss machen. Wir reden bald wieder – und danke für das Rezept.« Sie verabschiedete sich hastig, legte auf und wandte sich Gemma zu.

»Tut mir Leid, Schätzchen«, stieß Gemma beinahe atemlos hervor. »Ich hab gerade einen Anruf vom Fremdenverkehrsamt bekommen. Stell dir vor, die wollen noch heute Abend mit den Richtern antanzen!«

»Aber wir sind ausgebucht!«

»Hab ich denen auch gesagt, aber die haben sich nicht mal

entschuldigt. Sagten, sie würden überall so kurzfristig auftauchen, um zu sehen, wie die Leute mit so einer Situation fertig werden, und auch, um nicht bevorzugt behandelt zu werden.«

Maura stöhnte. »Wie viele sind es?«

Gemma schluckte. »Vier.«

»Vier Richter? Was soll das werden, die Gourmet-Olympiade?«

»Na ja, die Frau meinte, es kommen zwei Richter, ein Sponsor und ein Vertreter des Fremdenverkehrsamts. Ich hoffe, dass es das war. Sie sagte, sie würden sich zu erkennen geben, wenn sie auftauchen, also bleibt's nicht total anonym.«

Maura fragte: »Haben wir denn überhaupt Platz für sie?«

Gemma hatte das Buchungsregister schon mitgebracht. »Mal sehen – wir haben eine Geburtstagsfeier, zwei Arbeitsessen, ein paar kleinere Feiern und jede Menge Pärchen …«

»Wohin sollen wir sie setzen? In den Weinkeller, zu den Fässern?«

»Nur die Ruhe, Schätzchen«, murmelte Gemma und sah sich das Register genauer an. »Ich hab's – wir könnten all die Liebespärchen nach drinnen verfrachten, wo sie's schön lauschig haben, und deine VIPs kriegen den besten Tisch des Hauses, draußen im Mondlicht auf der Veranda.«

Maura überflog die Liste. Gemma hatte Recht, das würde gehen. Zum Glück würde der Abend recht mild werden. Der Tisch am Ende der Veranda wäre dann einer der besten Plätze im ganzen Café. Sie schaute ihre Freundin an. »Jetzt weiß ich, warum du Gemma heißt – du bist ein Schatz, eine wahre Gemme unter den Gemmas.«

Gemma verbeugte sich mit einer ausholenden Armbewegung. »Stets zu Diensten, Madame.«

36. Kapitel

Gegen acht Uhr abends herrschte in der Küche der kontrollierte Wahnsinn. Die Gäste für die Geburtstagsparty waren, in Champagnerlaune und mit wild knurrenden Mägen, eine halbe Stunde zu früh aufgetaucht.

Maura schaltete auf Zombie, überwachte die Vorbereitungen ihrer Helfer und arbeitete sich methodisch durch die Bestellungen.

Sie und Gemma hatten sich für eine limitierte Speisekarte für die Abende entschieden. Auf diese Weise war es leichter, die Qualität der Zutaten unter Kontrolle zu behalten, und auch die Vorbereitungen waren dadurch einfacher. Als eine große Bestellung für zehn Personen von einem Tisch eintraf, war sie froh um ihre Entscheidung.

Sie hörte, wie Gemma draußen im Foyer die Gäste herzlich und professionell begrüßte. Gemma war eine fantastische Köchin, doch Maura hatte schon immer gefunden, dass ihr wahres Talent in der Rolle der Gastgeberin lag. Sie verstand sich ausgezeichnet darauf, für eine lockere Stimmung zu sorgen, in der die Leute das gute Essen und den guten Wein richtig genießen konnten.

Maura war heilfroh, in der Küche bleiben und die Zubereitung beaufsichtigen zu können. Das war ideal. Empfangsdame und Köchin spielen zu müssen, war manchmal eine Überforderung.

Gemma hatte in Mauras Abwesenheit ein gutes Team um sich versammelt. Annie war wieder auf der Uni, und Rob wollte mit dem Rucksack ganz Australien abwandern. Aber die beiden neuen Kellner waren wirklich gut, wie Maura anerkennend feststellte. Gemma könnte das Restaurant ohne weiteres allein führen.

In diesem Moment tauchte Gemma mit einer Bestellung

für sechs Personen auf. An dem Tisch wurde Silberhochzeit gefeiert.

»Es ist schon nach acht Uhr, unsere Ehrengäste müssten jeden Moment eintreffen«, sagte sie Unheil verkündend.

Maura schürzte die Lippen. »Also bitte, Gemma«, erwiderte sie gespielt geziert, »wir haben hier nur Ehrengäste – du weißt doch, was man uns auf der Kochschule beigebracht hat.«

Gemma zwinkerte ihr zu und wollte gerade zu einer frechen Retourkutsche ansetzen, als schon wieder die Türglocken ertönten. Maura konnte hören, wie sie die Neuankömmlinge überschwänglich begrüßte.

Fünf Minuten später war sie wieder da.

»Sie sind hier! Sie sind hier! Ich bin ein Nervenbündel!«, verkündete sie theatralisch.

Maura, die soeben Sauce auf eine Reihe großer schneeweißer Teller löffelte, blickte auf und lächelte ihre Freundin an. »Und? Wie sind sie?«

»Drei Typen, eine Frau. Die Frau ist 'ne winzige, nervöse kleine Spitzmaus. Einer von den Männern sieht aus, als wäre er dem Grab näher als seiner nächsten Mahlzeit. Und der zweite Mann sieht aus, als würde er am liebsten das Essen überspringen und gleich zum Wein übergehen. Aber der vierte ist richtig knackig. Mann, wenn Keith nicht wäre, ich würde mich tatsächlich an ihn ranwerfen.« Gemma lachte über Mauras geschockten Gesichtsausdruck.

Maura wusste jedoch, dass sie nur Witze machte. Keith hatte fast jede Nacht seit ihrer Rückkehr bei ihr verbracht. Er war total hingerissen von Gemma und amüsierte sich über jede kesse Bemerkung, die sie losließ. Maura freute sich, dass Gemma so glücklich war, und Keith war ein ausgesprochener Glücksfall fürs Restaurant, wie sie zugeben musste. Er produzierte das beste Lammfleisch im Distrikt, und Lorikeet Hill kam nun in den Genuss des Besten vom Besten, und das zu einem mehr als anständigen Preis.

»Ich schaue sie mir später mal an, wenn's ruhiger geworden ist«, sagte Maura und reichte die Teller an ihre Helferin weiter, die sie fertig machen sollte. »Und jetzt geh und überschütte sie mit deinem berüchtigten Charme, Gemma-Schätzchen.«

In der nächsten Stunde trafen die Bestellungen Schlag auf Schlag ein. Die Weinkellnerin kam kaum mit, war aber trotzdem sehr beeindruckt von den variantenreichen Bestellungen der Gäste. Atemlos erzählte sie es jedes Mal Maura, wenn an einem Tisch einer der teuren Weine bestellt wurde. Und der Tisch der Preisrichter übertraf alle.

»Jetzt haben sie schon die zweite Flasche von Nicks besonderem Shiraz bestellt«, sagte sie verblüfft. »Die wissen, was gut ist.«

»Noch mehr Komplimente an die Küchenchefin«, verkündete Gemma, die mit sechs leeren Tellern auf dem Arm in die Küche kam. »Die hier sind aus Adelaide – haben alles über dich und deine Irlandreise in dem Zeitungsartikel gelesen und meinten, sie mussten einfach herfahren und es selbst probieren. Großes Lob!«

Maura lächelte. Die Irlandreise machte sich wahrhaftig bezahlt, und dabei war noch nicht einmal ihr Reisebericht in dem Hochglanzmagazin erschienen, und auch die Exportbestellungen für Irland waren noch nicht bestätigt. Nick war sicher überrascht, wenn er das erfuhr.

Gemma war blendender Laune, streute witzige Bemerkungen in die Runde der Dinnergäste und sorgte dafür, dass fleißig nachbestellt wurde. Maura dankte Gott, dass Gemma ausgerechnet jetzt da war. Sie fragte sich, ob sie wohl Interesse daran hätte, immer hier zu bleiben. Wenn es mit den Buchungen so weiterging, und es sah ganz danach aus, dann gäbe es mehr als genug Arbeit für sie beide. Sie hatte mehrmals erwähnt, dass ihr das Stadtleben auf die Nerven ging, und jetzt kam ja noch der Keith-Faktor hinzu …

Gemma rauschte schon wieder in die Küche, diesmal mit leeren Tellern vom Richtertisch. »Mit den überschwänglichsten Komplimenten für die Küchenchefin, meine Liebe«, sagte sie. »Und einer meinte, ihm hätte ganz besonders dein Brot geschmeckt. Er wollte wissen, ob's eine Spezialität des Hauses ist.«

Maura lachte. Das war das Rezept, das sie sich heute Vormittag von Bernadette hatte geben lassen. »Was hast du gesagt?«, fragte sie Gemma.

»Ich hab gesagt, dass es ein altes irisches Hausrezept ist, das sich schon seit Generationen in deiner Familie befindet.«

»Na ja, acht Stunden mindestens.«

Eine Stunde später waren sämtliche Hauptgerichte serviert, und es standen nur noch die Desserts aus. Um die kümmerten sich ihre Helfer.

Maura folgte ihrem üblichen Ritual und schenkte sich ein Glas Wein ein, das Einzige, das sie sich an Arbeitsabenden gönnte. Entspannt lehnte sie sich an die Anrichte und ließ den Blick über ihre guten Engel schweifen, die noch eifrig am Werk waren. Ihre Arbeit für den heutigen Abend war jedoch so gut wie getan.

Gemma tauchte mit einem weiteren Update über die Geschehnisse »draußen« auf. Maura liebte es, sich ihre ebenso treffenden wie witzigen Beschreibungen der Dinnergäste anzuhören. Das war, als würde man einen Spion in eine Schlacht schicken und jede Stunde einen Bericht bekommen.

»Die Familie mit dem einundzwanzigjährigen Geburtstagskind ist in Sektlaune, aber ich fürchte, da braut sich was zusammen. Der Vater hat gerade eine sehr emotionsgeladene Rede gehalten, Mutter und Geburtstagskind schluchzen in ihre Taschentücher, und die ältere Tochter ist stinksauer, weil er bei ihrer Geburtstagsfeier nie so was Nettes gesagt hat. Das Liebespärchen in der Ecke feiert Verlobung, hat sich aber inzwischen gewaltig in die Haare gekriegt. Ich hab gehört, wie er sagte, ›das war nicht Liebe, das war bloß Sex, ich will nur dich‹, aber ich schätze, sie wird ihm seinen Verlobungsring in den Rachen stopfen, noch bevor der Abend um ist. Tja, die sehen wir bestimmt nicht wieder.«

»Und die Preisrichter?«, fragte Maura.

Gemma grinste von einem Ohr zum anderen. »Die amüsieren sich köstlich. Da fließt der Wein, es lösen sich die Zungen, und jetzt hecheln sie nach der Nachspeise. Haben ein Opossum über den Rasen laufen sehen, und die Spitzmaus ist fast ausgeflippt. Was hat sie gesagt? Ach ja: ›Schaut nur, wir speisen mitten in einem rustikalen Wunderland!‹«

Maura stöhnte. »Das hat sie über ein einziges Opossum gesagt? Wenn ich das gewusst hätte, hätte ich dafür gesorgt, dass 'ne ganze Schafherde über den Rasen trampelt.«

»Hab sie gefragt, ob die Lobeshymnen nun bedeuten, dass du den Preis im Kasten hast.«

»Gem, das hast du nicht!«

»Klar, hab ich. Wozu um den heißen Brei herumreden oder sie gar wie Staatsgäste behandeln?«

»Ich sollte jetzt, wo der Hauptzirkus vorbei ist, wohl besser rausgehen und mich ihnen vorstellen.«

Das fand Gemma auch. »Sie wollen dich unbedingt kennen lernen. Und wie gesagt, einer von denen ist wirklich zum Anbeißen, um im Küchenjargon zu bleiben. Vielleicht gerade das Richtige, um über deinen irischen Kummer hinwegzukommen.«

Maura schaute sich um. Alles lief bestens. »Ich mache mich nur rasch frisch und komme dann raus.«

Sie verschwand in der Personaltoilette, kämmte sich kurz die Haare aus und schminkte sich ein wenig. War sie die Einzige, die merkte, wie traurig sie aussah? Gemma meinte, sie sähe wieder ganz gut aus, nicht mehr so abgehärmt und verzweifelt wie bei ihrer Rückkehr, aber Maura hatte nicht das Gefühl, dass sie schon wieder die Alte war.

Sie ging hinaus in den Speiseraum und wechselte an jedem Tisch ein paar Worte mit den Gästen. Es war ein gelungener Abend, das ließ sich unschwer feststellen. Bis auf das Pärchen in der Ecke, natürlich, das sich wütend anzischte. Die mied sie diplomatisch.

Am Tisch des Geburtstagsgasts wurde ihr ein Glas Champagner angeboten, das sie dankbar annahm. Danach trat sie hinaus auf die Veranda. Draußen war es fast noch heißer als in der Küche. Kein Anzeichen von nächtlicher Abkühlung. Eine eigenartig trockene Hitze stand in der Luft.

Der Tisch am Ende der Veranda, wo die Preisrichter saßen, war ohne Übertreibung der beste im Haus, und sie war froh, dass sie die Dinnergäste entsprechend umsetzen konnten. Aus ihrer angeregten Unterhaltung war unschwer zu schließen, dass auch sie einen schönen Abend hatten. Gemma hatte es offensichtlich verstanden, ihre Weingläser gefüllt zu halten, und sie hatte auch dafür gesorgt, dass ihnen das einzige Taxi im Ort zur Verfügung stand, um sie in ihr Hotel zurückzubringen, was, wie es schien, die letzten Hürden niedergerissen hatte.

Die Männer, die mit dem Gesicht zu ihr saßen, glaubte Maura zu erkennen, als sie näher herankam. Der Ältere war vom Fremdenverkehrsamt und hatte schon öfter bei ihnen gegessen. Auch der Mann daneben kam ihr irgendwie bekannt vor. Ja, sie hatte sein Foto schon oft gesehen. Er schrieb Restaurantkritiken, die sie gut fand, und sie freute sich, dass er hier, und noch dazu einer der Richter war.

Gerade wollte sie an ihren Tisch treten, um sich vorzustellen, als der Mann, der mit dem Rücken zu ihr saß, in Lachen ausbrach. Dieses Lachen kannte sie. O nein. Wie angewurzelt blieb sie stehen und starrte den vertrauten Hinterkopf an.

Es war Dominic.

37. Kapitel

»Du kannst doch nicht hier drinnen bleiben, Menschenskind, Maura.«

»Ich geh hier nicht mehr raus.« Mauras Stimme klang gedämpft aus ihrem Versteck in der Weinkellerei. Ein Blick auf Dominic, und sie hatte abrupt kehrt gemacht und war durchs Café und in die dunkle Weinkellerei gerannt.

»Bist du sicher, dass er's ist? Ich dachte, du sagtest, er wäre in den Staaten«, erkundigte sich Gemma verwirrt.

»Bernadette hat das gesagt. Natürlich bin ich sicher. Er ist's. Und ich komme hier nicht mehr raus. So kann ich nicht mit ihm reden.«

»Nein, nicht wenn du dich unter einem Labortisch verkriechst«, entgegnete Gemma. »Aber sie erwarten, dass du kommst, und du kannst schließlich nicht die ganze Nacht hier bleiben.«

Maura zitterte am ganzen Leib. »Gem, ich kann nicht. Was hat er überhaupt hier zu suchen? Ist Carla bei ihm?«

»Das amerikanische Model? Nein, er scheint allein da zu sein. Und dass noch jemand im Hotel auf ihn wartet, davon war auch nicht die Rede. Sag ruhig, dass ich spinne, aber ich schätze, er ist hier, weil er mit dir reden will, meinst du nicht?«

Aber Maura blieb stur. »Ich gehe nicht zu ihnen raus. Ich bin zu müde. Und ich sehe furchtbar aus. Ich schaff das einfach nicht.«

Da wurde Gemma plötzlich ernst. »Einmal abgesehen von der Tatsache, dass da draußen, keine zwanzig Meter weit weg, die Liebe deines Lebens sitzt ...« Maura protestierte vergebens gegen diese Formulierung. »Einmal abgesehen von dieser unwichtigen Kleinigkeit – das sind die Preisrichter. Es ist wichtig, dass du mit ihnen redest.«

»Du hast sie doch schon längst mit deinem Charme eingewickelt, und außerdem steht hier meine Kochkunst auf dem Prüfstand, nicht ich selber. Sag ihnen, ich hätte plötzlich eine Migräne gekriegt. Sag ihnen, ich wäre von Aliens entführt worden.«

Gemma lachte sie aus. »Maura, du benimmst dich wie ein Kleinkind.«

»Und wenn ich mich wie ein Säugling benehme, mir ist's egal! Gem, ich kann heute Abend nicht mehr zu ihnen gehen. Bitte, bitte – kannst du dich nicht darum kümmern?«

Gemma knipste das Licht im Labor an. Maura sah wirklich aus, als hätte sie einen gehörigen Schock abgekriegt.

»Du weißt, dass du mit ihnen reden solltest! Ganz besonders mit ihm«, sagte sie, aber Maura merkte, dass Gemma weich geworden war.

»Ich weiß, was ich tun *sollte*, aber, bitte, ich kann einfach nicht.«

»Er ist umwerfend«, sagte Gemma, als würde das alles erklären.

»Das weiß ich«, sagte Maura gereizt. »Aber ich komme trotzdem nicht mit.« Da kam ihr eine Idee. »Sag ihm, ich musste überraschend nach Adelaide zurück.«

»Mitten in der Nacht? No way.«

Maura überlegte einen Moment. »Dann sag ihm, jemand vom Personal ist umgekippt, und ich musste sie nach Hause fahren. Ich komme später, wenn ich kann.«

»Und – kommst du?«

Maura schaute ihre Freundin an. »Vielleicht.«

Gemma schüttelte den Kopf, doch dann musste sie lachen. »Was ist bloß aus dem ruhigen Landleben geworden, das ich mir erhofft hatte? Na, wir sehen uns dann morgen.«

Maura wartete, bis Gemma ins Restaurant zurückgegangen war, bevor sie, die Deckung der Bäume nutzend, um den Garten herumhuschte und den langen Weg über die Straße zu ihrem Haus zurücklief.

Als sie dort angekommen war, beschloss sie, kein Licht anzumachen, da man das von der Veranda des Cafés aus hätte sehen können.

Sie war vollkommen durcheinander. Dominic war hier. Kaum fünfhundert Meter weit weg. Fast glaubte sie, seine Stimme zu hören. Er war so nahe, und doch konnte sie sich nicht dazu durchringen, zum Café zurückzugehen.

Wenn sie wenigstens vorgewarnt gewesen wäre.

Sie stellte sich vor, wie sie die Nachricht, dass er bei der Jurorengruppe dabei wäre, aufgenommen hätte: ganz gelassen. Sie hätte sich was Schickes angezogen, die Haare elegant hochgesteckt, zu einem Nackenknoten zum Beispiel, hätte eine lange Zigarettenspitze und eine Zigarette aufgetrieben, wäre hüftschwingend zu ihm hinstolziert und hätte gesagt – mit entsprechend rauchiger Stimme, natürlich: »Hallo, Dominic, was für eine nette kleine Überraschung.«

Wenn … Sie brauchte keinen Spiegel, um zu wissen, dass die Wirklichkeit ganz anders aussah. In ihren Haaren könnte ein Tier nisten. Sie stank nach Küche. Und so, wie sie sich fühlte, war sie wahrscheinlich käseweiß.

Nein, es war viel, viel besser, wenn sie hier blieb, wo sie sicher war und auf Gemma warten konnte, von der sie dann alles hören würde.

Sie saß am Küchentisch.

Summte ein bisschen vor sich hin.

Trommelte mit den Fingerspitzen auf die Tischplatte.

Schenkte sich ein Glas Wein ein.

Trank es halb aus.

Scheiße.

Es hatte keinen Zweck. Sie musste einfach noch einen Blick auf ihn werfen.

Auf Zehenspitzen schlich sie sich durchs dunkle Haus und in die Küche, wo, wie sie wusste, unter dem Spülbecken ein Fernglas zu finden war. Sie hatte es noch nie ausprobiert, aber die Verkäuferin hatte ihr begeistert versichert, dass man damit sogar nachts sehen konnte.

Verstohlen schlich sie auf die Veranda hinaus. Sie hatte Angst, dass Dominic oder die anderen Gäste gerade in diesem Moment hersehen und sie möglicherweise entdecken könnten. Doch sie hatte Glück. Ungesehen erreichte sie, von Baum zu Baum huschend, den Garten. Das Herz klopfte ihr bis zum Hals.

Sie musste nur bis zu diesem Busch, von dem aus man eine gute Sicht auf die Veranda des Cafés hatte. Als sie dort ankam, wäre ihr fast eine saftige Verwünschung herausgerutscht. Der Busch war inzwischen so hoch gewachsen, dass man nicht mehr darüberspähen konnte. Sie musste höher hinauf.

Das Fernglas fest umklammert, schaute sie sich um. Ihr Blick fiel auf den Regenwassertank neben dem Haus. Bingo. Er war etwa zwanzig Meter hoch, aber wenn sie auf den Zaun kletterte und von dort aus hinübersprang, könnte es ihr gelingen. Und es wäre eine Superposition. Kurz entschlossen nahm sie den Riemen des Fernglases zwischen die Zähne und packte den Zaun. Ja, es ging, die alten Knochen machten noch mit. Als sie den Zaun erklettert hatte, sprang sie todesmutig los.

Und landete mit einem – in ihren Ohren – derart lauten Krachen auf dem Tank, dass ganz sicher das ganze Clare Valley wach geworden war. Schwer atmend lag sie einen Moment lang da, bewegungslos und inständig betend, dass die anderen es *nicht* gehört hatten. Die Nacht kam ihr auf einmal totenstill vor, doch dann hörte sie erneut die fernen Stimmen und das Lachen der Restaurantgäste.

Puh, das war noch mal gut gegangen. Jetzt weiter. Ein bisschen bequem machen, ja, auf dem Bauch. Fernglas an die Augen. Zum Glück war der Tank nach der anhaltenden Trockenheit praktisch leer, denn sonst wäre sie jetzt in einer

Pfütze gelegen. Sie stellte den Feldstecher scharf. Jäh sprang ihr das Gesicht des Mannes vom Fremdenverkehrsamt vor die Linse. Er nippte gerade an seinem Kaffee. Sie würden also bald gehen.

Mit angehaltenem Atem suchte sie das begehrte Ziel: Dominic. Ja, er war's, kein Zweifel. Ihr Blick saugte sich an dem geliebten Gesicht fest.

Da tauchte Gemma im Bild auf. Alle lachten über etwas, das sie sagte. Doch dann, zu Mauras blankem Entsetzen, deutete Gemma, wie es ihr vorkam, direkt auf sie. Alle Köpfe wandten sich in die entsprechende Richtung, und einen Moment lang sah es so aus, als würde ihr Dominic direkt in die Augen sehen.

Erschrocken duckte sie sich, und dabei rutschte ihr das Fernglas aus der Hand. Mit einem leisen Geräusch schlug es zuerst gegen den Tank und dann, wesentlich lauter, fiel es auf den Boden.

Mein Gott, wie blamabel. Sie, eine achtundzwanzigjährige Frau, lag hier auf einem Regentank, zu feige, um mit dem Mann, den sie liebte, zu reden, und schmachtete ihn von Ferne durch einen Feldstecher an. »Maura Carmody, du solltest dich was schämen«, stöhnte sie.

Sie konnte nur beten, dass Gemma nicht plötzlich auftauchte und sie auf ihrem Aussichtsposten erwischte. Rasch rutschte sie vom Tank herunter und huschte durch den Garten wieder ins Haus zurück.

Es war schon fast Mitternacht, als Gemma endlich auftauchte. Sie knipste das Licht in der Küche an und erschrak, als sie Maura mit einer halb leeren Flasche Wein am Küchentisch sitzen sah.

»Mensch, du hast mir vielleicht einen Schrecken eingejagt! Hockst du schon die ganze Zeit hier im Dunkeln?«, fragte sie und konnte sich dabei kaum das Lachen verkneifen.

Maura verzog das Gesicht. »Lach bloß nicht, Gemma«,

warnte sie ihre Freundin und schenkte ihr ein Glas Wein ein. »Und?«

Gemma nahm den Wein fröhlich entgegen. »Also, mit der Vorstellung, die ich heute Abend für dich aufs Parkett gelegt habe, müsste dir der Preis eigentlich sicher sein – und mir eine fette Gehaltserhöhung. Wenn nicht, fress ich 'nen Besen.«

»Zur Hölle mit dem Preis, Gemma. Was war mit Dominic?«, wollte Maura wissen. Sie hatte sich klugerweise entschieden, ihren kleinen Ausflug auf den Regentank nicht zu erwähnen.

Gemma riss unschuldig die Augen auf. »Ich dachte, du wolltest nicht wissen, warum er hier ist. Jedenfalls ist das der Eindruck, den ich hatte, als du wie Speedy Gonzalez in der Nacht verschwunden bist.«

»Gemma!«, flehte Maura verzweifelt. »Bitte!«

»Also gut. Sie sind bis kurz nach elf geblieben. Es war schwer, vor den anderen mit deinem Dominic zu reden, aber du wirst dich freuen, zu hören – oder auch nicht –, dass er noch ein Weilchen in Clare bleiben will. Sein Zeitungskonzern sponsert nämlich die Awards, falls du dich gefragt hast, wie es ihm gelungen ist, sich in die Jurorengruppe zu schmuggeln. Die anderen fahren morgen früh weiter nach Adelaide, anscheinend gibt's da noch ein paar Restaurants, durch die sie sich durchfuttern müssen.«

»Er bleibt noch? In Clare? Wieso?« Maura sprang auf.

»Tja, ich schätze, die Antworten findest du alle hier drin«, sagte Gemma, zauberte einen Briefumschlag aus ihrer Tasche und reichte ihn der Freundin.

Mit zitternden Händen öffnete Maura den Umschlag und zog ein Blatt heraus. Ein paar Worte standen in Dominics energischer, tatkräftiger Handschrift dort:

Liebe Maura – kann ich dich sehen? Bitte ruf mich an, und ich komme sofort zu dir. Dominic. Darunter die Nummer eines Handys.

»Und?« Gemma reckte den Hals.

Sie blickte auf. »Er will, dass ich ihn anrufe.« Sie las die Zeilen noch einmal. Dann schaute sie Gemma an, ziemlich bleich im Gesicht. »Aber jetzt ist es zu spät. Ich mach's morgen.«

Gemma warf einen Blick auf ihre Armbanduhr. »Ist doch erst kurz nach Mitternacht. Die Telefone funktionieren auch um diese Zeit, stell dir vor.«

Doch Maura schüttelte den Kopf. Sie war das reinste Nervenbündel. Sie konnte jetzt nicht mit ihm reden. »Morgen ist noch früh genug«, sagte sie, um eine möglichst feste Stimme bemüht. Dann wechselte sie das Thema. »Noch Wein?«

Gemma grinste wissend und hielt ihr gehorsam ihr Glas hin.

Am nächsten Morgen um neun hatte Maura den Zettel schon mindestens drei Dutzend Mal gelesen, doch noch war ihr keine verborgene Botschaft ins Auge gesprungen. Die Zeilen waren eindeutig. Er wollte ihr was sagen. Das Problem war nur, was? Sie überlegte kurz, ob sie wieder Reißaus nehmen sollte, doch dann gab sie sich einen Ruck. Nein, er war ein anständiger Mann, das wusste sie tief in ihrem Herzen. Selbst wenn er den ganzen Weg hierher gekommen war, nur um ihr zu erzählen, dass die Sache in London ein schreckliches Missverständnis gewesen und dass er und Carla wieder glücklich vereint waren, dann wüsste sie zumindest endlich Bescheid.

Bevor sie es sich anders überlegen konnte, griff sie zum Hörer und wählte seine Nummer. Nach einer kurzen Pause meldete er sich.

»Dominic, ich bin's, Maura.« Mist, ihre Stimme zitterte. »Ich habe deine Nachricht bekommen.«

»Kann ich dich sehen?«, fragte er leise.

Das Herz klopfte ihr bis zum Hals. »Ja. Kannst du um zwölf herkommen? Hierher nach Lorikeet Hill?« Sie wollte ihm auf heimischem Territorium entgegentreten.

»Gerne.« Kurze Pause. »Ich danke dir, Maura.«

Dann legten sie auf, beide zur selben Zeit. Es ärgerte sie, dass ihr Herz so raste, und sie holte tief Luft. Nur die Ruhe. In dieses kurze Gespräch gab es bestimmt nichts hineinzuinterpretieren. Tatsächlich war es so ziemlich das kürzeste Telefonat, das sie je geführt hatte.

Sie machte sich einen Kaffee und trat dann mit der Tasse vor die Tür hinaus, wo Gemma saß, den Rock ein wenig hochgezogen, und ihre nackten Beine in die heiße Sonne streckte. Maura blickte zum eigenartig düsteren Horizont. Ein gefährliches Wetter, ja, es passte zu dem Drama der letzten vierundzwanzig Stunden. Der Himmel im Osten war in ein seltsam trübes Licht getaucht, und ein heißer, böiger Wind fegte über das Land, rüttelte an den Bäumen.

»Und?« Gemma blickte auf.

»Er kommt heute Mittag her.«

»Braves Kind«, sagte Gemma stolz. »Ich mag ihn. Er hat so was Anständiges.«

»Ja«, sagte Maura. »Sehr anständig von ihm, den ganzen Weg hierher zu kommen, nur um mir zu sagen, dass es aus ist zwischen uns. Bevor's noch richtig angefangen hat.«

Gemma warf ihr einen Blick zu. »Bist du unter die Hellseher gegangen? Wenn du schon so genau weißt, was er dir sagen will, kannst du das Treffen ja gleich abblasen.«

Maura streckte ihr die Zunge raus und wollte gerade eine schnippische Antwort geben, als Keiths Wagen auftauchte. Er wollte Gemma in das eine Fahrstunde entfernte Barossa Valley zu einer Weinprobe kutschieren.

Gemma umarmte sie zum Abschied. »Viel Glück«, wünschte sie ihr. »Ich hoffe, ihr sprecht euch richtig aus. Und hör zu, was er sagt, ja?«

38. Kapitel

Maura winkte ihnen nach, als sie über den Kiesweg davonfuhren. Sie warf einen Blick auf ihre Uhr. Noch nicht mal halb zehn. Sie hatte über zwei Stunden totzuschlagen, bis er kam, und sie war viel zu nervös, um die ganze Zeit vor dem Spiegel zu verbringen oder alle Klamotten in ihrem Schrank durchzuprobieren.

Sie schaute sich im Haus um. Da gab es auch nichts zu tun. Gemma war sehr ordentlich und hielt das Haus makellos sauber. Und das Café war heute geschlossen.

Maura fiel Nicks und Frans Haus ein. In ein paar Tagen kamen sie mit Quinn zurück. Das Letzte, wonach ihnen dann der Sinn stehen würde, wäre ein Hausputz. Sie würde hinfahren und dort ordentlich sauber machen. Es blieb ihr ja noch reichlich Zeit. Auf diese Weise hätte sie was zu tun und würde nicht ständig an Dominic denken.

Sie nahm den Feldweg zwischen den gelben, ausgedörrten Feldern hindurch zu Nicks und Frans Haus. Abermals fiel ihr der seltsame Schimmer am Osthimmel auf. Der Wind hatte sogar noch an Stärke zugenommen, peitschte rote Staubwolken vor ihr her, und einmal erfasste sie eine so heftige Böe, dass sie eine Vollbremsung machen musste, da sie nichts mehr erkennen konnte.

Sie drehte das Radio an und war nicht überrascht, in den Nachrichten zu hören, dass im Buschland, etwa vierzig Kilometer nördlich von Clare, ein Brand ausgebrochen war. Doch die Feuerwehr schien alles unter Kontrolle zu haben, wie sie erleichtert hörte. Dennoch hatte sie ein ungutes Gefühl. In der hügeligen Landschaft rund um Clare gab es sogar noch mehr trockenes Buschwerk als auf der flachen Steppe im Norden.

Sie schloss Nicks und Frans Haus auf und machte sich

dann mit Feuereifer ans Werk: Teppiche saugen, Böden wischen, Fenster putzen. Sie hatte beim letzten Mal, als sie ein paar Sachen für Nick und Fran holte, zwar schon ein bisschen Ordnung gemacht, aber diese Arbeit hier war jetzt genau das, was sie brauchte, um sich von Dominic abzulenken. Richtig harte Hausarbeit.

Als sie fertig war, war es schon fast halb zwölf. Gerade noch Zeit, nach Hause zu fahren, sich rasch zu duschen und etwas anzuziehen, dann rüber nach Lorikeet Hill, um »ihn« zu empfangen. Sie schloss sorgfältig ab und schaute sich um. Immer noch dieser eigenartig drückende Himmel, der die Hitze der Sonne nur unmerklich abschwächte. Die Wettervorhersage hatte für heute fünfunddreißig Grad vorausgesagt, und ihr kam es vor, als wäre es jetzt schon so heiß. Als sie in den Wagen stieg, glaubte sie, einen schwachen Rauchgeruch wahrzunehmen. Das überraschte sie nicht. Der Wind wehte so heftig, dass der Rauch sicher bis nach Clare getrieben wurde.

Als sie eine Hügelkuppe erreichte, stieg sie so jäh auf die Bremse, dass die Reifen über den Kies rutschten. »Mein Gott«, stieß sie hervor.

Die Hügelkette am Horizont war in dicken, schwarzen Rauch gehüllt, der Himmel darüber glühte rosa, ein düsteres, wogendes Rosa.

»Feuer«, hauchte sie. Als sie aus dem Wagen ausstieg, fingen in Clare soeben die Feuersirenen an zu heulen, die alle freiwilligen Feuerwehrmänner zusammenriefen. Hier in dieser Gegend gab es keine Berufsfeuerwehr.

In dem dicken Rauch fiel es ihr einen Augenblick schwer, sich zu orientieren. Sie hatte einen kaum befahrenen Feldweg zu Nicks und Frans Haus genommen. Doch in einem schrecklichen Moment der Klarheit erkannte sie, dass das Feuer Richtung Westen raste. Wenn sie es nicht aufhalten konnten, dann lag Lorikeet Hill direkt auf seinem Weg.

»Nein, nie im Leben!«, schrie sie laut. Nicht nach all den Mühen, all der Liebe, die sie in dieses Anwesen gesteckt hatten. Und ganz besonders nicht nach allem, was Nick und Fran mit Quinn durchmachen mussten. Nie im Leben würde sie zulassen, dass Nick und Fran heimkamen und nur noch rauchende Trümmer vorfanden.

Sie raste wie eine Wilde über den Feldweg Richtung Straße. Ein Blick auf die Uhr: Viertel vor Zwölf. Sie durfte jetzt nicht an Dominic denken, konnte nur hoffen, dass er die Feuerwarnung gehört hatte. Falls ihr Zeit blieb, würde sie ihn anrufen.

Doch schon wenige Minuten später war klar, dass für einen Anruf keine Zeit blieb, geschweige denn für ein Treffen. Das Feuer hatte offenbar bereits das ausgedörrte Unterholz in den Hügeln westlich von Clare erreicht. Rauch trieb in großen schwarzen, erstickenden Schwaden über die Straße. Der heftige Wind, der Rauch und Staub durcheinander wirbelte, machte eine Weiterfahrt beinahe unmöglich.

Sie war jetzt nur noch ein paar hundert Meter von Lorikeet Hill entfernt und sah zu ihrer großen Erleichterung, dass bereits zwei Feuerwehrautos dort eingetroffen waren. Mit quietschenden Bremsen brachte sie den Wagen zum Stehen und rannte auf einen der Feuerwehrmänner zu, ein alter Schulfreund von ihr.

»Kym, Gott sei Dank, ihr seid da. Wie kann ich helfen?«

»Maura, du hast hier nichts zu suchen, du weißt doch, dass es gefährlich ist. Wie bist du durch die Straßensperren gekommen? Die Polizei hat die Straße in beide Richtungen abgesperrt.«

»Hab einen Feldweg genommen«, sagte sie rasch. Selbst wenn nicht, sie hätte auf jeden Fall die Straßensperre durchbrochen. Doch das musste Kym ja nicht unbedingt wissen. »Wie kann ich helfen?«, wiederholte sie.

Kym schaute sich rasch um. Die anderen Feuerwehrmänner waren bereits damit beschäftigt, Schläuche zu dem Nebengebäude zu zerren, in dem sich Nicks Weinkellerei und die Weinfässer befanden. »Den Wein haben wir. Kannst du dich um das Café kümmern?«, brüllte er ihr über das Brausen des Windes zu. Sie nickte.

»Alles abspritzen, die Rinnenabflüsse verstopfen und die Dachrinnen mit Wasser füllen. Wir kriegen das schon. Und binde dir was um Mund und Nase, damit du in dem Rauch noch atmen kannst.«

Maura rannte los. Ein kräftiger Adrenalinschub hatte Angst und Panik abgetötet. Gott sei Dank, hatten sie und Nick sich an die Brandschutzvorkehrungen gehalten. Sie achteten immer darauf, dass im Umkreis um das Gut und ihr Haus kein Gras oder Buschwerk wucherten. Diese leere Fläche bot ein wenig Schutz, das wusste sie. Sie hatte Fotos gesehen, die am Tag nach einem Brand aufgenommen worden waren. Alles schwarz, alle Weiden verkohlt, bis auf eine kleine grüne Insel in der Mitte, wo das Haus stand, das nur gerettet werden konnte, weil der Besitzer alle Vorsichtsmaßnahmen eingehalten hatte.

Der Rauch war jetzt überall. Fast blind schleppte sie eine Leiter und einen Schlauch aus dem Gartenschuppen zum Café. Die Feuerwehrmänner verständigten sich brüllend untereinander. Sie wollten die Straße als Feuerschneise nehmen, um die Vorderseite des Hauses zu schützen. Das einzige Problem war der unberechenbare Wind, denn die Böen könnten die Flammen über die Straße wehen. Und dann wäre es aus.

Der Wind brüllte wie ein wildes Tier, und Maura glaubte, auch ein lautes Krachen und Knacken zu hören. Die Bäume wurden heftig hin und her gerissen, Zweige explodierten, weil das Harz darin zu kochen begann. Die Feuerfront kam näher.

Kym riss drei Handtücher von der Leine und warf sie ihr

im Vorbeigehen zu. »Verstopf damit die Regenrinnen, Maura!«, schrie er.

Sie lehnte die Leiter an die Vorderveranda des Cafés und kletterte hinauf, stopfte die Handtücher in die Dachrinnenabflüsse und drehte den Schlauch auf. Ein kräftiger Wasserstrahl schoss in die Dachrinnen. Das würde verhindern, dass Funken, die auf dem Dach landeten, es entzündeten.

»Wir haben noch gut fünf Minuten!«, hörte sie einen Feuerwehrmann in ein Funkgerät brüllen. »Die Front wechselt die Richtung – sie kommt direkt hierher!«

Maura spürte einen neuen Adrenalinschub in ihren Adern. Sie warf einen Blick auf ihre Uhr. Zwölf. Dominic schoss ihr durch den Kopf. Sicher war er nicht in Gefahr. Man würde ihn an der Straßensperre aufhalten.

»Gut gemacht, Maura!«, brüllte Kym im Vorbeirennen zu ihr hinauf. Sie konnte ihn bei dem Wind kaum verstehen, hielt aber den Daumen hoch. Dann fing sie an zu husten und war heilfroh um den Stofffetzen, den sie sich ums Gesicht gebunden hatte und der verhinderte, dass zu viel Rauch und Asche in ihre Lungen drangen.

Oben auf der Leiter hatte sie einen besseren Ausblick, und das Blut rauschte ihr in den Ohren, als sie, zwischen dicken, böigen Rauchschwaden, ein rotes Glühen aufblitzen sah, das den Hügel herab auf sie zuraste. Nur die Straße konnte das Feuer jetzt noch aufhalten.

Maura wusste, dass es nicht der Feuersturm war, der den meisten Schaden anrichtete. Noch gefährlicher war, was danach kam, der langsam dahinkriechende Flammenteppich, denn der war langlebig. Meist fing es mit brennenden Blättern oder Zweigen an, die durch die Luft gewirbelt kamen und die das, was der Feuersturm übrig gelassen oder umgangen hatte, entzündeten.

Rasch kletterte Maura wieder die Leiter hinunter und rannte zum Feuerwehrauto, zum Boss dieser Einheit, einem älteren Mann namens Len. Sie kannte ihn, er arbeitete bei der Post. Sie hatte nicht gewusst, dass er auch bei der freiwilligen Feuerwehr war.

»Wie kann ich noch helfen?«, brüllte sie ihm über das Rauschen des Funkgeräts und das Brausen des Windes zu.

Len beugte sich vor und brüllte ihr ins Ohr: »Mehr können wir nicht machen! Die Front wird jeden Moment hier sein!«

Die Männer standen breitbeinig da, die Schläuche auf das Dickicht am Straßenrand gerichtet. Das Feuer müsste genau hier nach weiterer Nahrung suchen, wenn es den Sprung über die Straße schaffte. Wenn nicht oder wenn es ihm nicht gelang, das Gras auf der anderen Seite zu entzünden, würde es zur Seite oder nach rückwärts ausweichen und in sich selbst zurückbrennen. Und da es dort schon das meiste verschlungen hatte, würde ihm bald die Nahrung ausgehen. Genau das erhoffte Maura.

Der Lärm war unbeschreiblich. Sie glaubte, Glas explodieren zu hören, und dachte an die alte Hütte auf der anderen Straßenseite. Wahrscheinlich hatte es sie erwischt.

Sie schaute hoch. Ihre Augen brannten von dem Rauch und den kleinen Ascheflocken, die durch die Luft wirbelten. Ihr stockte der Atem, als sie einen großen brennenden Ast Funken sprühend vorbeifliegen sah. Er landete auf dem Dach des Cafés und blieb, zu ihrem Entsetzen, an einer Traufe hängen.

»Kym, Len!«, schrie sie. Aber die hatten ihre ganze Aufmerksamkeit auf die Flammenwand gerichtet, die kaum hundert Meter jenseits der Straße tobte, und hörten sie nicht.

Sie sah, wie der Zweig aufflammte, packte die Leiter und klemmte sie unter die Traufe. Rasch kletterte sie hinauf und ergriff den Schlauch. Er hing in der Dachrinne fest, und der Zweig brannte jetzt lichterloh. Wenn ein paar Funken durchs Blechdach ins Haus drangen, stünden im Nu die Möbel in

Flammen. Sie riss heftig an dem Schlauch und merkte, wie unter ihr die Leiter wackelte.

»Jetzt komm schon!«, brüllte sie wütend und zerrte an dem Schlauch, der sich plötzlich löste. Sofort richtete sie den Wasserstrahl auf den Zweig und brüllte dabei: »Los! Geh aus!« Ihre Augen brannten vom Rauch und von den Tränen. Endlich schien es, als hätte der Zweig aufgehört zu brennen. Die Luft war jetzt derart von Rauch und Asche erfüllt, dass sie kaum mehr etwas sehen konnte. Sie hielt sich an der Regenrinne fest, um vorsichtig die Leiter runterzuklettern. Da erfasste sie eine heftige Böe.

Die Leiter rutschte unter ihr weg. Sie schlug mit dem Kopf gegen die Dachrinne und stürzte zu Boden.

39. Kapitel

Das Erste, was sie wieder spürte, waren rasende Schmerzen. Es kam ihr vor, als würde ihr am rechten Arm langsam die Haut abgezogen, als hielte ihr jemand eine brennende Fackel ans nackte Fleisch. Etwas zerrte an ihrem Kopf. Sie schrie gellend auf und verlor erneut das Bewusstsein.

Später hörte sie laute Stimmen, Rufe, fühlte, wie sie hochgehoben und in ein Auto gelegt wurde. Ihr wurde klar, dass es ein Krankenwagen sein musste, doch sie war nicht in der Lage, irgendwas zu sagen oder klar zu denken.

In ihrem Kopf hämmerte es. Da war immer noch diese Fackel an ihrem rechten Arm. Ein bitterer, ätzender Gestank lag in der Luft, nach Rauch und nach Asche und noch irgendwas. Geschockt realisierte sie, dass das der Geruch ihrer eigenen verbrannten Haare und ihres Fleischs war.

Sie wollte wieder ohnmächtig werden, wollte all das hinter sich lassen, bis sie sich damit befassen konnte. Sie versuchte zu fragen, was mit dem Feuer war, ob man es abwehren konnte, doch der Chor beruhigender Stimmen ließ das nicht zu, wollte, dass sie still lag.

Sie musste plötzlich an Dominic denken. Sie wollte ihn suchen, mit ihm reden, wollte unbedingt hören, was er ihr zu sagen hatte.

Aber der Chor ließ sie nicht. Aus den Stimmen wurden sanfte Hände, die ihr langsam über die Stirn strichen, was das schreckliche Hämmern in ihrem Kopf ein wenig besänftigte. Es gelang ihr, seinen Namen zu sagen. Keine Antwort von den Stimmen. Sie sagte ihn erneut, und diesmal glaubte sie, seine Stimme antworten zu hören.

Doch da wurde sie jäh wieder in den schwarzen Strudel der Bewusstlosigkeit gerissen.

40. Kapitel

Etwas Helles stach ihr in die Augen. Licht. Und da war Wärme auf ihrem Gesicht. Sie runzelte für einen Moment die Stirn, ohne dabei die Augen zu öffnen. Das Fenster in ihrem Schlafzimmer zu Hause führte nicht in Richtung des Sonnenaufgangs, also was war das für ein Licht, das sie so verflucht früh aus dem Schlaf riss? Und es musste verflucht früh sein, denn sie hatte nicht das Gefühl, ausgeschlafen zu sein.

Die Augen noch immer fest geschlossen, griff sie sich mit der linken Hand an den Kopf. Und fühlte ihre Haare – stoppelig. *Mein Gott.* Sie riss die Augen auf. Was war mit ihren Haaren passiert? Panisch blickte sie sich um. Das war nicht ihr Schlafzimmer. Sah aus wie in einem Krankenhaus. Sie versuchte sich aufzusetzen und keuchte, weil ihr ein brennender Schmerz in den rechten Arm fuhr.

Durch dieses Geräusch alarmiert, fuhr der Mann am Fenster herum.

»Dominic?«, stammelte Maura. Sie hatte seinen Namen

noch nicht ganz ausgesprochen, da war er schon bei ihr. Er sagte nichts, blickte sie nur fragend und voller Sorge an.

»Dominic«, wiederholte sie ein bisschen kräftiger. »Was ist passiert? Wo bin ich?«

Er sagte noch immer nichts. Stattdessen machte er eine Bewegung, als wolle er ihren rechten Arm berühren, zog die Hand dann aber wieder zurück. Sie schaute ihren Arm an und sah, dass er vollkommen einbandagiert war. Vorsichtig versuchte sie, ihn zu bewegen, und wurde mit rasenden Schmerzen bestraft.

Langsam fiel ihr alles wieder ein. »Ich war bei dem Feuer, nicht?«

Er nickte. Als er schließlich etwas sagte, war seine Stimme ganz leise. »Du liegst in Clare im Krankenhaus. Wir nehmen an, dass dich ein Windstoß von der Leiter gefegt hat. Du hast das Bewusstsein verloren, und ein brennender Zweig ist auf dir gelandet.«

Dann war das mit der Fackel doch kein Albtraum gewesen. »Und Lorikeet Hill? Mein Cottage?«, flüsterte sie, auf das Schlimmste gefasst.

Dominic lächelte sie an. »Gerettet. Alles. Ihr habt zwar ein paar Bäume am Rand des Gartens verloren, aber die Feuerwehrleute konnten das Feuer an der Straße aufhalten, und abgesehen von dir, gab's keine größeren Schäden.«

Allmählich erinnerte sie sich. Sie hatte sich mittags mit Dominic treffen wollen. »Wie spät ist es jetzt?«

»Es ist Mittwochabend«, antwortete er sanft.

Sie fuhr hoch. »Mittwoch? Aber der Brand war doch am Sonntag.«

Er hob die Hand und strich ihr sanft über die Stirn. »Du warst die meiste Zeit nicht ganz klar. Die Ärzte haben dir ein paar ziemlich starke Schmerzmittel gegeben.«

Unvermittelt wurde es ihr zu viel. Sie verstand das alles nicht. Wieso war Dominic noch immer in Clare? »Das heißt, dass du schon seit Tagen da bist. Was machst du hier noch? Du solltest doch in New York sein. Bernadette hat's mir erzählt«, sagte sie verwirrt.

»Ich bin hergekommen, um mit dir zu reden, und ich gehe nicht eher fort, als bis ich das erledigt habe. Du bist mir schon einmal entwischt. Das passiert mir kein zweites Mal. Obwohl ich zugeben muss, dass das mit dem Brand ein ziemlich cleveres Ablenkungsmanöver war, das muss ich dir lassen.« Er machte einen kläglichen Versuch zu grinsen.

Sie versuchte es ebenfalls und war überrascht, ihre Lippen dazu bewegen zu können. Sie wollte gerade noch etwas sagen, als ein Geräusch von der Tür sie ablenkte. Beide sahen hin. Es war ihr Bruder.

»Du bist wach«, sagte Nick. »Ach, Maura, du hast uns vielleicht Sorgen gemacht.«

Sie sah, wie Nick und Dominic einander anstrahlten. Da war eine Vertrautheit zwischen ihnen, die sie sich nicht erklären konnte. »Seid ihr euch schon vorgestellt worden?«, fragte sie.

Nick lachte. »Ob wir uns vorgestellt wurden? Wir leben hier ja praktisch schon seit Tagen zusammen, nicht Dom?«

Dom? Maura schaute »Dom« überrascht an.

»Dom wollte einfach nicht von deinem Bett weichen«, fuhr Nick fort, dem sehr wohl klar war, was er damit aussprach. »Wir mussten ihn regelrecht von dir wegzerren, sonst hätte er überhaupt nicht geschlafen. Erst als die Ärzte meinten, du wärst über den Berg, ist er nach draußen gegangen.«

Maura hatte das Gefühl, die Augen schließen und wieder aufmachen zu müssen, um zu sehen, ob diese bizarre Szene dann verschwunden wäre. Sie versuchte es, doch es half nichts. Stattdessen war wieder ein Geräusch von der Tür zu hören, und alle schauten dorthin und sahen, wie eine Schwester mit einem Tablett voll Medikamente hereinkam. Sie lächelte Maura zu. »Schön, dass Sie wieder wach sind, Maura.«

Maura, die jetzt vollkommen verwirrt war, versuchte zu lächeln. Ihr war schwindlig. Und dann hörte sie Gemma im Gang. Das war zu viel.

Sie warf sich zurück in Morpheus' tröstende Arme.

Später war es die kühle Hand einer Schwester an ihrem Puls, die sie wieder weckte. Im Zimmer war es jetzt, Gott sei Dank, nicht mehr so hell. Der Wecker auf ihrem Nachttischchen zeigte acht Uhr an.

»Ist es acht Uhr früh oder acht Uhr abends?«, fragte sie flüsternd die junge Schwester an ihrem Bett.

»Es ist Mittwochabend«, flüsterte die Schwester zurück. »Sie haben noch mal richtig schön lange geschlafen. Wahrscheinlich haben Sie's heute Nachmittag mit den Besuchern ein wenig übertrieben. Sie sollten immer nur einen empfangen, anstatt die ganze Meute auf einmal, finden Sie nicht?« Sie blickte lächelnd auf Maura hinab.

Maura ging es schon viel besser. Die Ruhe und die gedämpfte Beleuchtung im Zimmer waren reiner Balsam für sie. Sie las den Namen auf dem Schildchen, das die Schwester am Revers ihrer Tracht stecken hatte. Jenny. »Jenny, was ist mit mir, werde ich wieder ganz gesund?«

»Diese Frage dürfen eigentlich nur die Ärzte beantworten, aber ich will Ihnen ein Geheimnis anvertrauen: Sie werden wieder ganz gesund.«

»Aber mein Arm, mein Kopf? Werde ich Narben zurückbehalten?«, fragte sie voller Sorge.

»Kaum. Sie haben sich den besten Ort für einen solchen Unfall ausgesucht – bei den Feuerwehrleuten. Die wussten genau, was sie tun mussten, und haben die Brandwunden an Ihrem Arm sofort mit kaltem Wasser gekühlt und die Platzwunde an Ihrem Kopf versorgt. Dann haben sie den Krankenwagen gerufen. Am schlimmsten hat es Ihre Haare erwischt. Die ließen sich leider nicht mehr retten. Außerdem mussten sich die Ärzte Ihre Kopfwunde ansehen können. Ich habe gehört, Ihre Freundin Gemma ist wie eine Glucke daneben gestanden und hat aufgepasst, dass auch ja nicht zu viel weggeschnitten wird – Sie hätten es selbst nicht besser machen können, wenn Sie bei Bewusstsein gewesen wären.« Die Schwester grinste fröhlich.

Maura wollte den Schaden gern begutachten und bat um einen Handspiegel. Bis auf ein paar Abschürfungen an der Wange, sah sie eigentlich wie immer aus. Das heißt, wenn man die flotte Stoppelfrisur außer Acht ließ.

Die Schwester beobachtete sie forschend. »Ich weiß ja nicht, wie Ihre Haare früher waren, aber diese freche Kurzhaarfrisur steht Ihnen.«

Doch Maura hatte im Moment ganz andere Sorgen als ihre Haare. Sie blickte zur Tür.

Die Schwester schien ihre Gedanken zu erraten. »Ihr irischer Schutzengel ist immer noch da draußen«, sagte sie und wies mit einer Handbewegung zum Korridor. »Falls er derjenige ist, den Sie suchen. Er war nie weit weg.«

»Ich würde gern mit ihm reden, wenn das geht. Und könnten Sie vielleicht auch dafür sorgen, dass sonst niemand reinkommt? Ginge das?«, fragte sie leise.

Die Schwester notierte sich ihre Temperatur und ihren Puls und nickte dann. »Sicher geht das. Ich hänge ein ›Bitte nicht stören‹-Schild an die Tür. Aber regen Sie sich nicht zu sehr auf, ja?«, fügte sie noch hinzu, bevor sie den Raum verließ.

Maura schenkte ihr ein schwaches Lächeln. Gehirnerschütterung oder nicht, es war höchste Zeit, die Dinge zwischen ihr und Dominic zu klären.

Ein zartes Klopfen, und dann war er wieder bei ihr. Eine ganze Weile sagte keiner etwas. Sie sah ihn forschend an.

Dominic sprach als Erster. »Es geht dir wieder besser, stimmt's? Deine Augen sind schon viel lebendiger. Wie fühlst du dich?«

»Danke, es geht mir besser«, sagte sie, in ihrer Verlegenheit wieder förmlich werdend. Doch dann konnte sie es nicht länger aushalten. »Dominic, wieso bist du noch immer da?«

»Ich wollte sicher sein, dass du dich wieder erholst. Vielleicht wärst du an dem Tag ja gar nicht in Lorikeet Hill gewesen, wenn wir nicht miteinander verabredet gewesen wären. Ich wollte ganz sicher sein, dass du wieder vollkommen gesund wirst.«

Sie wandte den Blick ab. Deshalb also. Er hatte ein schlechtes Gewissen. Er war gekommen, um ihr alles über seine Liebe zu Carla zu gestehen. Und er war geblieben, weil er Schuldgefühle hatte wegen dem, was ihr zugestoßen war.

»Falsch. Auf der ganzen Linie.«

Überrascht blickte sie zu ihm auf.

»Du musst wirklich aufhören, dauernd laut zu denken«, sagte er breit grinsend. »So wird nie eine coole Karrierefrau aus dir – du würdest auf jeder Konferenz deine Gedanken ausplaudern.«

Sie war verwirrt, doch diesmal wusste sie, dass es nicht an ihrer Gehirnerschütterung liegen konnte.

»Wieso bist du dann da?«, fragte sie und blickte ihn forschend an.

»Ich musste dir etwas sagen, und ich wollte unbedingt wissen, was du mir darauf antworten würdest. Ich hoffe sehr, dass du eine Antwort für mich hast. Ich glaube es jedenfalls.«

Er sprach in Rätseln, und diesmal verriet ihre Miene, was sie dachte.

»Ach Gott, Maura, es tut mir Leid, ich bin viel zu schnell. Ich sollte besser von vorne anfangen. Ich will dir alles über Carla erzählen, die ganze Geschichte«, sagte Dominic ernst. »Kannst du denn überhaupt zuhören, bist du nicht zu müde?«

Sie schüttelte den Kopf. »Es geht schon, bitte sprich weiter.«

Er rückte den Stuhl näher an ihr Bett heran. »Ich wollte dir schon in London alles über Carla erzählen. Sogar schon vorher. Aber das konnte ich nicht, ohne vorher mit ihr geredet zu haben, das schuldete ich ihr. Außerdem war ich mir meiner Gefühle für dich noch nicht ganz sicher. Und ich war nicht sicher, was du für mich empfindest. Manchmal dachte ich, du magst mich auch, dann wieder hatte ich den Eindruck, du verachtest mich. Es war das reinste Gefühlschaos. Manchmal wollte ich dir einfach alles sagen, damit du eine bessere Meinung von mir bekommst. Dann wieder war es mir ganz recht, dass du nur das Schlimmste von mir glaubtest.«

»Was ist zwischen dir und Carla?«, flüsterte Maura. Sie konnte kaum glauben, was sie bis jetzt aus Dominics Mund gehört hatte. Außerdem lenkte es sie ab, dass seine Hand zärtlich an ihrer Wange ruhte.

»Es ist gar nichts zwischen uns«, sagte er fest. »Da war auch nie was, egal, was du gehört hast.« Plötzlich setzte er sich auf, als brauche er ein wenig Distanz. Mit leiser Stimme sprach er weiter.

»Maura, Carla hat eine schwere Essstörung. Sie ist sehr krank.«

Maura blickte ihn schockiert an.

»Sie hat schon als Teenager mit dem Hungern angefangen. Wollte unbedingt Fotomodell werden. Als ihr das mit dem Abnehmen nicht schnell genug ging, hat sie angefangen, alles mögliche Zeug zu nehmen, Diätpillen, Diuretika, Abführmittel – alles, was du dir vorstellen kannst, hat sie ausprobiert.«

Dominic schaute ihre Hand an und streichelte sie sanft, während er fortfuhr.

»Nun ja, es könnte schlimmer sein. Ihre beste Freundin in New York ist auf Speed umgestiegen und dann auf Heroin. Ich weiß, dass es auch Carla mal genommen hat, das hat jeder, sagt sie. Da hat Carlas Vater mich gebeten, zu helfen. Er tat alles, was er konnte, doch dann stellte sich heraus, dass er selbst todkrank war und nicht mehr lange zu leben hatte. Er hat sich mehr Sorgen um sie als um sich selbst gemacht. Ich konnte nicht nein sagen. Ich wollte auch gar nicht. Er war mehr als ein Vorgesetzter für mich. Ich habe ihm versprochen, auf sie aufzupassen, mich um sie zu kümmern und sie – und ihre feinen Freunde – von ihrem Vermögen fern zu halten, bis sie in der Lage ist, die Verantwortung dafür zu übernehmen.«

Maura wollte etwas fragen, sank jedoch wieder in ihr Kissen zurück. Dominic sollte weiterreden. Sie wollte zuerst alles erfahren.

Doch ihm war ihre Bewegung aufgefallen. »Ich kann mir vorstellen, was du wissen willst. Hat mich ihr Vater bestochen? Mit Geld dazu überredet, mich um sie zu kümmern?«

Maura nickte.

Er lächelte grimmig. »Alles Lügen. Es war nie Geld im Spiel. Und man hat sich sogar noch Schlimmeres über mich erzählt. Als ich ihr Vermögen einfror, um ihr ihre Junkie-Freunde vom Leib zu halten, haben die das Gerücht in die Welt gesetzt, ich selbst wäre der größte Dealer der Stadt. Ich würde Carla absichtlich süchtig machen, um so an ihr Geld ranzukommen.«

Ein Muskel in seiner Wange zuckte. Maura schwieg.

»Wir fingen an, viel herumzureisen, teils weil es geschäftlich nötig war, teils aber auch, um sie von ihrer Clique fern und unter Kontrolle zu halten. Sie hat mich zweimal nach Australien begleitet. Es gibt eine Klinik in Sydney, in der man sehr gute Erfolge bei der Behandlung von Essstörungen erzielt. Aber sie wollte nicht bleiben, hat jede Behandlung früher oder später wieder abgebrochen.

Also bin ich mit ihr nach Irland in eine Klinik etwas außerhalb von Dublin gefahren. Ist eine der besten der Welt. Aber auch dort ist sie häufig nicht zu den Therapiestunden aufgetaucht oder mitten drin rausgerannt. Manchmal ist sie ein paar Stunden, manchmal sogar ein, zwei Tage einfach verschwunden.«

Maura musste daran denken, wie Carla plötzlich mit dem Taxi in Mayo aufgetaucht war. Und die dringenden Anrufe und Nachrichten, die er andauernd während ihrer Rundfahrt erhalten hatte. Auf einmal passte alles zusammen. Sie schaute Dominic genau an, versuchte sich vorzustellen, wie schwer das alles für ihn gewesen sein musste.

Er erwiderte ihren Blick. »Also habe ich eine Abmachung mit ihr getroffen. Ich würde aus dem Ardmahon House eine Suchtklinik machen. Eithne, die Frau, der ich an dem Tag, als du Unterricht hieltest, das Haus gezeigt habe, sollte die Leitung der Behandlung übernehmen.«

»Dann ist sie jetzt also dort?«, fragte Maura leise.

Dominic schüttelte den Kopf. »Dieser Selbstmordversuch an jenem Abend hat uns klar gemacht, dass die Dinge weit ernster sind, als wir dachten. Es ist mehr als nur eine Essstörung. Sie hat ihre Nieren und ihr Herz schwer geschädigt. Sie ist jetzt wieder in New York in einer Privatklinik. Die Ärzte haben mir gesagt, sie wäre zu abhängig von mir geworden und dass all diese Dramen mit ihrer Krankheit zusammenhängen. Sie weiß, dass es allein an ihr liegt. Nur sie selbst kann sich da herausholen, und es wird ein langwieriger, schwieriger Prozess werden, der wohl Jahre dauern wird. Das alles musste ich ihr sagen.«

Maura rang nach Luft. Beschämt dachte sie an die Bemerkungen, die sie Bernadette gegenüber über Carla und ihr Essverhalten gemacht hatte. Der Vorfall, als Carla sich im Bad auf ihrem Zimmer übergeben hatte, erschien ihr jetzt in einem anderen Licht. Ihr war klar, dass Carla wahrscheinlich etwas genommen hatte, um das im Kochkurs zubereitete Dessert wieder zu erbrechen.

Sie konnte nicht länger schweigen. Sie musste jetzt alles

wissen. »Aber was war an dem Abend im Ardmahon House?« Ihre Stimme zitterte, als sie an den Vorfall dachte. »Ich habe dich im Bett mit ihr erwischt. Ihr wart beide nackt«, flüsterte sie.

Wieder legte er zärtlich die Hand an ihre Wange. »Dein Gesicht an jenem Abend hat mich noch lange verfolgt. Ich wollte es dir erklären, aber du hast mich nicht reingelassen.«

Maura musste daran denken, wie sie sich gefühlt hatte, als sie, an die Tür gelehnt, zuhörte, wie Dominic sie anflehte, doch alles erklären zu dürfen. Und am nächsten Morgen war er weggewesen.

Dominic blickte sie forschend an. »Carla war nackt, Maura, ich nicht. Und es war nicht, was du gedacht hast, ganz bestimmt nicht.«

Er holte tief Luft. Sein Gesichtsausdruck verriet ihr, dass auch ihm die Erinnerung an jene Nacht großes Unbehagen verursachte. »Nach dieser Szene im Restaurant sind ihre Freunde abgehauen, zurück nach Galway oder Dublin, oder wo immer sie auch herkamen. Ich ließ Carla nicht mitgehen. In der Stimmung, in der sie war, konnte ich weder ihr noch den anderen trauen. Sie hat sich dann wieder so weit beruhigt, dass sie sich entschloss, ein heißes Bad zu nehmen und dann ins Bett zu gehen. In ihrem eigenen Zimmer. Wir hatten immer getrennte Zimmer, Maura«, fügte er hinzu und blickte sie ernst an. Sie glaubte ihm.

»Sie war schon fast eine Stunde lang im Bad, und als ich nach ihr rief, antwortete sie nicht. Ich brauchte fast fünf Minuten, um die Tür aufzukriegen. Sie lag in der Wanne, nur noch halb bei Bewusstsein. Ich dachte, sie wäre tot.«

Dominic beantwortete ihre unausgesprochene Frage.

»Sie hat Tabletten genommen, Valium oder Prozac oder beides, ich habe nie genau herausgefunden, was. Ich habe sie aus der Wanne gehoben, und da kam sie plötzlich zu sich und hat sich heftig über uns beide erbrochen. Ich hatte gerade einen Krankenwagen gerufen, sie aufs Bett gelegt und mein verschmutztes Hemd ausgezogen, als du reinkamst.«

Er schloss für einen Moment die Augen. »Ich blieb bei ihr, bis die Sanitäter kamen, dann rannte ich zu dir. Als ich zurückkam, hatte sie eine Sanitäterin dazu gebracht, sie aufs Klo gehen zu lassen, und hat dort noch mal eine Hand voll Tabletten geschluckt. Da wurde es richtig ernst. Wir haben sie auf dem schnellsten Wege ins Krankenhaus nach Ennis gebracht, dann per Helikopter nach Dublin. Ich bin mitgeflogen, deshalb war ich am nächsten Morgen nicht mehr da.

Ich habe versucht, dich anzurufen, bekam aber immer nur den Anrufbeantworter. Carla war inzwischen wieder zu Bewusstsein gekommen, also fuhr ich in der Hoffnung, dass es noch nicht zu spät war, zum Ardmahon House zurück. Ich kam Sonntag spätnachmittags an.«

Maura dachte zurück. Zu der Zeit hatte sie bereits die Nachricht über Quinn erhalten und war auf dem Rückflug nach Australien gewesen.

»Ich traf Bernadette, als sie gerade vom Shannon zurückkam, wo sie dich abgeliefert hatte. Sie hat mir alles erklärt. Es tat mir so schrecklich Leid um dich und deine Familie, und natürlich konnte ich dich erst mal nicht anrufen, ich musste warten. Also sind Bernadette und ich die ganze Nacht aufgeblieben und haben geredet. In dieser Nacht fasste ich den Entschluss, nach Australien zu fliegen und dich aufzusuchen, mit dir zu reden. Ich flog erst nach New York, um die Klinikunterbringung für Carla klar zu machen, dann weiter nach Adelaide. Die *Restaurant Awards* gaben mir den perfekten Vorwand, unangemeldet aufzutauchen. Ich musste zu dir, musste dich sehen.«

Maura setzte sich mühsam auf. Sie zog eine Grimasse, als ein brennender Schmerz durch ihren Arm zuckte. »Hast du Carla ...« Sie suchte nach den richtigen Worten.

»Von uns erzählt?«, half er ihr.

Sie nickte.

»Ich habe sie sofort, nachdem ich dich in London am Flughafen abgeliefert hatte, angerufen. Du weißt schon, nach unserer gemeinsamen Nacht.« Er streichelte zärtlich ihren gesunden Arm. Maura wurde es warm ums Herz. Dominic fuhr fort. »Sie hat schon so was vermutet, hat geahnt, dass sich zwischen uns etwas anbahnt. Sie war außer sich. Nicht vor Eifersucht, nein, ich glaube, ihr wurde einfach klar, dass sie auf ihren eigenen zwei Beinen stehen müsste, wenn ich nicht mehr da wäre. Sie musste eine Entscheidung treffen, und das wollte sie nicht, deshalb war sie so wütend. Deshalb hat sie dieses Theater veranstaltet, hat versucht, dein Essen zu vergiften. Sie wollte uns unbedingt auseinander bringen. Es war ein schrecklicher Abend, eine schreckliche Nacht. Und dabei wollte ich doch nur mit dir zusammen sein.«

Er atmete zittrig ein. »Ich habe dir im Geiste zigmal geschrieben, aber irgendwie fand ich nie die richtigen Worte. Es gab zu viel zu sagen. Und zwischen uns war noch alles so neu. Ich wollte dich berühren, dich in die Arme nehmen und festhalten und nicht auf einem Stück Papier erklären müssen, was ich für dich empfinde. Und ich hatte Angst, du würdest den Brief nicht lesen, nach allem, was du glaubtest, gesehen zu haben.«

Sie musste ihm im Stillen beipflichten. Sie hätte den Brief wahrscheinlich nicht aufgemacht, hätte ihn sofort zerrissen.

Dominic rückte näher. »Ich hatte vier Tage Zeit, mir alles durch den Kopf gehen zu lassen und mir zu überlegen, was ich dir sagen und was du mir wohl darauf antworten würdest. Ich habe mir jede erdenkliche Möglichkeit ausgemalt. Manchmal hast du genau das gesagt, was ich mir erhoffte, manchmal hast du mir ordentlich die Meinung gesagt. Aber gerade dafür liebe ich dich, also kann ich mich wohl schlecht beschweren, wie?« Er lachte leise und streichelte abermals zärtlich ihre Hand.

Maura war ganz aufgeregt. Sie war sich nicht sicher, richtig gehört zu haben. »Was hast du da gesagt, Dominic?«

»Ich habe mir jede erdenkliche Möglichkeit ausgemalt …«

Sie unterbrach ihn. »Nein, nicht das, das am Schluss.«

Er runzelte die Stirn, offenbar nicht mehr ganz sicher, was das gewesen war. »Ach ja, ich sagte, ich kann mich wohl kaum beschweren, wenn du mir offen deine Meinung sagst …«

Maura war kurz davor, in die Luft zu gehen. »Nein, nein, das andere.«

Endlich begriff er. »Ach, du meinst, als ich sagte, ich liebe dich. Ja, deswegen bin ich hier. Um dir das zu sagen.« Seine Stimme wurde sanft. »Ich wollte es eigentlich viel romantischer machen, nicht einfach so mitten im Gespräch damit herausplatzen. Aber ich habe in solchen Dingen nicht sehr viel Übung«, schmunzelte er. »Ich will es noch mal versuchen. Ich liebe dich, Maura. In dieser Nacht in London habe ich dich gebeten, mir zu vertrauen, aber ich wusste, dass ich mir dieses Vertrauen erst noch verdienen musste. Ich werde, wenn es sein muss, den Rest meines Lebens damit verbringen, mir dein Vertrauen zu verdienen.«

Als er sah, dass sich ein Lächeln auf ihre Lippen stehlen wollte, schien ihm ein Stein vom Herzen zu fallen. Und dann wurde er, zu ihrer großen Überraschung, auf einmal ganz sachlich.

»Ich habe da eine Idee, eine tolle Idee für eine neue Zeitschrift, und ich weiß, dass ein ziemlich einflussreicher internationaler Herausgeber dahinter steht.« Er grinste. »Die Zeitschrift soll monatlich erscheinen und sich mit der Küche der verschiedenen Länder und deren Einfluss auf den Rest der Welt befassen. Du weißt schon, die irische Küche in den Staaten, die indische in England, die asiatische Küche in Australien. Kein Glamourmagazin, eher eines, das sich mit Kulturgeschichte befasst und als zusätzlichen Anreiz Rezepte anbietet.«

Dominic schien ihren verblüfften Gesichtsausdruck überhaupt nicht zur Kenntnis zu nehmen. Genau dieselbe Idee hatte sie auch schon gehabt und mit Bernadette diskutiert. Er fuhr fort, ein Lächeln unterdrückend. »Alles, was mir jetzt noch fehlt, ist eine gute, clevere Chefköchin, die außerdem was vom Schreiben und Reden versteht ... und die mit mir um die ganze Welt reisen würde, wenn ich sie darum bäte. Eine gute, clevere Köchin, die in dem beruhigenden Bewusstsein mit mir reisen könnte, dass ihre Freundin Gemma ganz scharf darauf ist, sich in Clare anzusiedeln und das höchst erfolgreiche Lorikeet Hill Café zu leiten.«

»Woher weißt du das? Woher weißt du das alles?«, fragte Maura verblüfft.

»Nun ja, ich hatte in den letzten Tagen ein paar sehr interessante und aufschlussreiche Gespräche im Wartezimmer«, erwiderte er lächelnd. »Habe jede Menge erfahren, besonders über eine mutige, wunderschöne junge Frau namens Maura.«

Er tastete nach ihrer Hand. »Darf ich dir vier Fragen stellen?«

Sie nickte.

»Wirst du mit mir um die ganze Welt reisen?«

Sie nickte.

»Wirst du mir bei dieser Zeitschrift helfen?«

Sie nickte.

»Könntest du dir vorstellen, mich zu lieben?«

Sie nickte.

»Könntest du dir vorstellen, mich zu heiraten?«

Sie grinste und nickte einmal kräftig. Er versuchte, die Arme um sie zu schlingen, stieß dabei jedoch aus Versehen an ihren bandagierten Arm. Sie stöhnte auf.

Dominic versuchte es erneut, verhedderte sich diesmal jedoch in all den Schläuchen, die an verschiedenen Stellen aus Mauras Körper ragten. Vorsichtig zog er sich wieder zurück.

»Das wird wohl noch ein wenig warten müssen«, sagte er mit einem zerknirschten Lächeln. Dann griff er in seine Tasche und holte eine kleine Samtschatulle hervor. »Für dich«, sagte er.

Er half ihr beim Öffnen. Sie lächelte, als sie hineinschaute. Auf Samt gebettet lag dort die kleine rote Doppeldeckerbusbrosche, die sie im Ardmahon House in die Ecke geworfen hatte.

»Bernadette hat sie in einem Vorhang hängend gefunden und dachte sich schon, dass ich etwas darüber wissen könnte. Sie gab sie mir. Willst du sie wiederhaben?«

Maura strahlte übers ganze Gesicht. »Sehr gern sogar«, sagte sie leise und hielt den Atem an, als er ihr die Brosche behutsam an den Ausschnitt ihres Flügelhemds heftete.

»Da ist noch was für dich drin«, sagte er dann. Sie hob das kleine Samtviereck hoch und rang nach Luft. Es war ein exquisiter Silberring, auf dem zarte keltische Zeichen eingraviert waren.

»Ich habe ihn speziell für dich machen lassen«, sagte er und nahm ihn behutsam heraus. Dann wollte er ihn ihr an den Finger stecken.

Beide blickten ihre Hände an. Ihr rechter Arm war, einschließlich der Hand, dick einbandagiert.

Er grinste. »Er wird wohl vorübergehend an deine linke Hand müssen«, meinte er.

Maura grinste ebenfalls. »Ja, das wird er wohl«, pflichtete sie ihm bei.

Dominic steckte ihr den Ring an den Ringfinger der linken Hand, dann gab er ihr einen behutsamen Kuss auf die Stirn. In diesem Moment ertönte der Gong auf dem Korridor, der das Ende der Besuchszeit ankündigte. Draußen kam gerade mit heulender Sirene ein Krankenwagen angebraust und hielt mit quietschenden Bremsen vor der Notaufnahme.

Sie konnte fühlen, wie er lachte.

»Ist nicht gerade ein einsamer Strand bei Sonnenuntergang, mit Streichorchester, aber wird es trotzdem gehen?«, fragte er.

Maura nickte.

Er schaute sie an. »Du hast mir meine vier Fragen noch nicht richtig beantwortet.«

Sie blickte strahlend zu ihm auf. Der Ausdruck in ihren Augen war eigentlich Antwort genug, doch Maura sprach trotzdem laut aus, was er unbedingt hören wollte.

»Ja, ja, ja und ja«, sagte sie. Dann streichelte sie zärtlich seine Wange. Sie konnte kaum fassen, was er ihr alles gestanden hatte, und wie stark, wie überwältigend ihre Gefühle für ihn waren.

»Woher wusstest du das alles?«, erkundigte sie sich. »Woher wusstest du, was ich für dich empfinde?« Doch dann fiel ihr die Antwort selbst ein.

»Bernadette hat's dir erzählt?«, fragte sie.

Dominic lächelte sie zärtlich an.

»Bernadette hat's mir erzählt«, antwortete er.

Dann küsste er sie auf die Lippen. Ganz, ganz vorsichtig.

Epilog

Vergeblich wurde ein Löffel an ein Glas geschlagen, das lebhafte Stimmengewirr unter dem großen offenen Gartenzelt erstarb nicht.

Als dem Stadtrat, Gerald Ramsey, schließlich die Geduld ausging, erklomm er kurzerhand die kleine Tribüne, schnappte sich das Mikro und schickte ein ohrenzerreißendes Pfeifen in die Menge.

»Hallo, hallo, könnt ihr mich alle hören?«, fragte er, die Worte überdeutlich aussprechend.

»Ja, leider«, rief irgendein Witzbold.

»Haha, wirklich witzig«, sagte Gerald und blickte sich nach dem Schuldigen um.

Neben ihm auf der Tribüne standen Maura und Bernadette und mühten sich vergeblich, ein Grinsen zu unterdrücken. Gerald bemühte sich unverzagt um Ruhe.

»Also, ich wünsche allen einen guten Tag, Ladies und Gentlemen, Mädchen und Jungen, und ein herzliches Willkommen zu diesem ganz besonderen Anlass«, sagte Gerald, dicht übers Mikrofon gebeugt, damit ihn auch alle hörten.

Mindestens achtzig Leute saßen auf Stühlen unter der Markise, die auf dem Rasen vor dem Ardmahon House errichtet worden war, und ein paar Dutzend mehr standen draußen in der Sonne herum. Glücklicherweise war der prognostizierte Regen nicht eingetroffen, und alle waren froh, ein wenig irische Augustsonne genießen zu können.

Während Gerald mit einer, wie es schien, etwas längeren Rede begann, strich Maura abwesend über die halbmondförmige Narbe an ihrem Handgelenk, die einzige Erinnerung an die Beinahe-Brandkastastrophe auf Lorikeet Hill.

Über zwei Jahre waren seitdem vergangen, über zwei Jahre, seit Dominic so überraschend in Südaustralien aufgetaucht war und ihr Leben auf den Kopf gestellt hatte. Sie dachte an ihre Hochzeit in der kleinen Kapelle auf dem Berg, nördlich von Lorikeet Hill, danach die drei Monate dauernden Reisen, in denen sie am Aufbau der neuen Zeitschrift gearbeitet hatten. Und am Aufbau ihrer Beziehung.

Mit einem Lächeln erinnerte sich Maura an die stürmischeren Momente in dieser Beziehung. Sie konnte nicht behaupten, dass alles immer glatt und friedlich verlaufen war – sie hatten eher die zwar schönere, aber auch holprigere Route genommen, dachte sie. Maura ließ den Blick über die Menge schweifen und entdeckte Dominic, dessen Augen auf sie gerichtet waren. Sie zwinkerte ihm verstohlen zu und musste grinsen, als er ihr Zwinkern erwiderte.

Dann konzentrierte sie sich wieder auf Gerald, der soeben auf das neue Schild zu sprechen kam, das erst heute Morgen am Einfahrtstor angebracht worden war:

Ardmahon House – Restaurant und Kochschule

Bernadette hatte vorgeschlagen, sich zusammenzutun und eine gemeinsame Kochschule zu eröffnen. Ihre Cloneely Lodge war mittlerweile, dank der großen Nachfrage nach ihren Kochkursen, viel zu klein geworden, und das Ardmahon House bot genug Platz. Auch wussten Maura und Bernadette bereits, dass sie ein hervorragendes Gespann abgaben.

Daher war weder bei Maura noch bei Dominic große Überzeugungsarbeit nötig gewesen. Maura hatte zwar die Vorbereitungen für die neue Zeitschrift genossen, doch ihre erste und größte Liebe galt nach wie vor dem Kochen. Es war ihr daher nicht schwer gefallen, die Verantwortung für die Zeitschrift an eine junge Redakteurin aus Donegal zu übergeben, die kurz zuvor aus London zurückgekehrt war.

Danach folgten sechs Monate hektischer Aktivität, denn wieder einmal mussten die Handwerker anrücken. Der alte Stall, der an Ardmahon House angrenzte, war komplett renoviert worden. Jetzt gab es dort eine große, moderne Schulküche, dazu jede Menge Platz und alles, was sie an Geräten und Ausrüstung brauchten.

Ein plötzliches Geräusch ließ den Stadtrat mitten in der Rede innehalten. Alle Gäste schauten sich um, und Maura sah gerade noch, wie ihr kleiner Neffe Quinn einem leuchtenden roten Ball hinterherjagte und unter dem brechend vollen Büfetttisch verschwand. Fran sprang vor und fing gerade noch den riesigen Blumenstrauß auf, den Joel zur Feier des Tages geschickt hatte, während Nick unter den Tisch griff und den heftig zappelnden Quinn hervorzog.

»Entschuldigung«, flüsterte Fran. Maura grinste. Sie war so froh, dass Nick, Fran und Quinn die weite Reise nach Irland gemacht hatten, dass Quinn ebenso gut die ganze Markise einreißen hätte können. Mit seinen zwei Jahren war er ein solcher Wildfang, dass ihm so etwas durchaus zuzutrauen war.

Maura hätte auch Gemma liebend gerne heute hier gesehen, aber ihre Freundin hatte in Südaustralien bleiben und den Ausbau des Lorikeet Hill Cafés überwachen müssen. Unter Gemmas temperamentvoller Führung hatte sich das Restaurant noch prächtiger entwickelt – nicht zuletzt mit Hilfe der *Australian Restaurant Awards*, für die Lorikeet Hill nun zum zweiten Mal in Folge nominiert worden war. Gemma hatte Maura jedoch versprochen, schon bald einmal vorbeizukommen – sie und Keith hatten Irland ganz oben auf ihre Liste möglicher Hochzeitsreiseziele gesetzt.

Maura erspähte Cormac und Rita in einer fröhlichen Gruppe von Dublinern, die für den Tag heraufgefahren waren. Carla war nicht gekommen, obwohl sie die Einladung, die sie ihr nach New York geschickt hatten, widerwillig angenommen hatte. Sie hatte sich noch immer nicht an den Gedanken gewöhnt, dass Maura und Dominic verheiratet waren. Maura war im Grunde froh, dass Carla sich in Amerika behandeln ließ. Sie hatten sich in den letzten zwei Jahren höchstens drei-, viermal gesehen und würden wohl nie mehr als nur Bekannte werden.

Leichter Applaus riss sie aus ihren Gedanken. Zu Mauras großer Freude bat Gerald nun Bernadette, ein paar Worte zu ihrer neuen Partnerschaft zu sagen.

Bernadette erläuterte begeistert ihre gemeinsamen Pläne, das Ardmahon House zu einem der besten Restaurants und Kochschulen in ganz Irland zu machen. Man wolle eine noch größere Auswahl an Kursen anbieten, erklärte sie, und auch Themenwochenenden veranstalten, zu denen Gastköche eingeladen werden sollten.

Gerald brachte einen Toast aus, und Bernadette legte dabei den Arm um Maura.

»Auf uns, Partner«, sagte sie stolz, während um sie herum die Gläser klirrten.

Als sich Maura später unter die Gäste mischte, trat Jim McBride an sie heran. Zu Mauras großer Freude hatten er und Eileen ihre Einladung angenommen.

»Schön, Sie jetzt für immer hier zu haben«, flüsterte er und fügte dann leise hinzu: »Ihre Mutter wäre stolz auf Sie gewesen.«

»Danke, Jim«, sagte Maura bewegt. Er tippte sich höflich an den Hut und verschwand, um mit einem Nachbarn zu reden.

Maura, die einen Augenblick für sich allein hatte, ließ den Blick zufrieden über die lebhaft plaudernden, lachenden und essenden Gäste schweifen.

Da spürte sie eine Hand, die ihr zärtlich über den Rücken strich. Ohne aufzublicken wusste sie, dass es Dominic war. Sie drehte sich zu ihm um und strahlte ihn an.

Jim hat Recht, dachte Maura.

Dies ist wirklich mein Zuhause.

Danksagung

Meinen herzlichen Dank an Mary und Steve und an alle McInerneys, Nancy und Joe und die Drislanes, die Dolans, Anita Ruane, Kate Strachan und Stephen McInerney von *Inchiquin Wines*, Maeve O'Meara, Marea Fox, Jane Melross, Karen O'Connor, Bart Meldau, Kristin Gill, Felicity O'Connor, Janet Grecian, Christopher Pearce, Michael French und Annie Kaczmarski.

Vielen Dank auch an alle bei Poolbeg in Irland und Penguin in Australien.

Herzlichen Dank an meine Freundin und Agentin Eveleen Coyle in Dublin.

Mein ganz besonderer Dank gilt zwei Menschen: meiner Schwester Maura McInerney dafür, dass ich mir ihren Namen ausborgen durfte, aber auch für ihr Adlerauge und die beständige Ermutigung, die sie mir gegeben hat. Und meinem Mann John – für alles.

HELEN FIELDING

»Hinreißend! Was für ein herrlicher, unglaublich witziger Roman! Man wischt sich die Lachtränen aus den Augen!«
The Sunday Times

44392

GOLDMANN

AMELIE FRIED

»Ein Buch, das man nicht aus der Hand legen kann!«
Die Welt

43865